I Narratori/Feltrinelli

Titolo dell'opera originale
HIJA DE LA FORTUNA
© 1999 Isabel Allende

Traduzione dallo spagnolo di
ELENA LIVERANI

© Giangiacomo Feltrinelli Editore Milano
Prima edizione ne "I Narratori" ottobre 1999
Settima edizione gennaio 2000

ISBN 88-07-01562-5

ISABEL ALLENDE
LA FIGLIA DELLA FORTUNA

Traduzione di Elena Liverani

Feltrinelli

PRIMA PARTE
1843-1848

VALPARAÍSO

Tutti nascono con qualche talento speciale ed Eliza Sommers scoprì presto di possederne due: un buon naso e una buona memoria. Il primo le servì per guadagnarsi da vivere e il secondo per potersene ricordare, se non con precisione, almeno con la poetica vaghezza degli astrologi. Quel che si dimentica è come se non fosse mai successo, e i suoi ricordi reali o illusori erano talmente tanti che per lei fu come vivere due volte. Diceva sempre al suo fedele amico, il saggio Tao Chi'en, che la sua memoria era come il ventre della nave su cui si erano conosciuti, buia e spaziosa, zeppa di casse, barili e sacchi in cui si erano accumulati gli episodi di tutta la sua esistenza. Quando era sveglia faticava a trovare qualcosa in quel sommo disordine, ma poteva sempre farlo durante il sonno, proprio come le aveva insegnato Mama Fresia nelle dolci notti dell'infanzia, quando i contorni della realtà non erano che un tratto sottile di inchiostro pallido. Entrava allora nel luogo dei sogni per un sentiero più volte battuto e da lì faceva ritorno con tutta la cautela necessaria per non straziare le tenui visioni alla luce aspra della coscienza. Confidava in tale risorsa come altri confidano nei numeri, e affinò a tal punto l'arte di ricordare che riusciva a vedere Miss Rose china su quella scatola di sapone di Marsiglia che era stata la sua prima culla.

"È impossibile che te ne ricordi, Eliza. I neonati sono come i gatti, non hanno né sentimenti né memoria," sosteneva Miss Rose nelle rare occasioni in cui toccavano quest'argomento.

Tuttavia quella donna che la guardava dall'alto, con un vestito color topazio e uno chignon da cui sfuggivano le ciocche arruffate dal vento, era impressa nella sua memoria, ed Eliza non riuscì mai ad accettare altra spiegazione sulla sua origine.

"Il tuo sangue è inglese, come il nostro," le assicurò Miss Rose quando raggiunse un'età sufficiente per comprendere. "Solamente a qualche membro della colonia britannica poteva venire in mente di metterti in una cesta davanti alla porta della Compagnia Britannica d'Importazione ed Esportazione. Sicuramente sapeva del buon cuore di mio fratello Jeremy e immaginò che ti avrebbe accolta. A quei tempi ero disposta a tutto pur di avere un bambino e tu mi piovesti tra le braccia, mandata dal Signore, per essere educata nei solidi principi della fede protestante e della lingua inglese."

"Tu inglese? Bimba mia, non farti illusioni, hai i capelli da india, come me," ribatteva Mama Fresia alle spalle della padrona.

La nascita di Eliza era un argomento tabù in quella casa e la bambina si abituò al mistero. Di questa, come di altre delicate questioni, non faceva parola con Rose e Jeremy Sommers, ma ne discuteva a bassa voce in cucina con Mama Fresia, che non modificò mai la descrizione della scatola di sapone, mentre con gli anni la versione di Miss Rose si arricchì fino ad assomigliare a una fiaba. A suo dire, la cesta rinvenuta nell'ufficio era fabbricata col vimine più fine e foderata di batista, il camicino di Eliza era ricamato a nido d'ape, le lenzuola erano bordate con pizzi di Bruxelles e, come se non bastasse, la neonata era protetta da una copertina di visone, stramberia mai vista in Cile. Con il tempo vennero aggiunte sei monete d'oro avvolte in un fazzoletto di seta e un bigliettino in inglese in cui si spiegava che la bambina, pur essendo illegittima, discendeva da un ottimo casato, ma Eliza non ebbe mai modo di vedere niente di tutto ciò. Il visone, le monete e il bigliettino sparirono opportunamente e della sua nascita non rimase traccia. La spiegazione di Mama Fresia, invece, si avvicinava di più ai suoi ricordi: una mattina di fine estate, sulla porta di casa, fu trovata una creatura di sesso femminile nuda dentro una scatola.

"Di copertine di visone e di monete d'oro neanche l'ombra. Io c'ero e mi ricordo molto bene. Eri lì che tremavi in un panciotto da uomo, nemmeno un pannolino ti avevano messo ed eri piena di cacca. Una mocciosa rossa come un'aragosta strabollita, con un ciuffetto da pannocchia sul cocuzzolo. Così eri. Non farti illusioni, della principessina non avevi niente e se avessi avuto i capelli neri come adesso, i padroni avrebbero buttato la scatola nella spazzatura," sosteneva la donna.

Quanto meno tutti concordavano nel ritenere che la bambina avesse fatto il suo ingresso nella vita il 15 marzo 1832, un anno e mezzo dopo l'arrivo dei Sommers in Cile, motivo per il quale tale data fu scelta come quella del suo compleanno. Tutto il resto non fu che un cumulo di contraddizioni e alla fine Eliza concluse che non valeva la pena sprecare energie nel tentativo di venirne a capo perché, quale che fosse la verità, non ci si poteva più fare niente. L'importante è quel che si fa al mondo, e non come ci si arriva, era solita dire a Tao Chi'en negli anni della loro splendida amicizia, ma lui non era d'accordo e gli sembrava impossibile immaginare la propria esistenza separata dalla lunga catena degli avi che avevano contribuito non solo a dargli le caratteristiche fisiche e mentali, ma che gli avevano trasmesso anche il karma. Il suo destino, diceva, era determinato dalle azioni dei parenti vissuti prima di lui e per questo era necessario onorarli con preghiere quotidiane e temere quelle figure spettrali quando apparivano a reclamare i loro diritti. Tao Chi'en era in grado di recitare i nomi di tutti i suoi avi fino ai più remoti e venerabili trisavoli morti più di un secolo prima. Ai tempi della corsa all'oro, la sua più grande preoccupazione era riuscire a tornare a morire nel suo paese, in Cina, per essere sepolto insieme ai suoi parenti; diversamente, la sua anima avrebbe vagato per sempre alla deriva in terra straniera. Eliza propendeva naturalmente per la storia della splendida cesta – a nessuno, sano di mente, piacerebbe venire al mondo in una scatola di sapone dozzinale – ma, a onor del vero, non poteva crederci. Il suo naso da segugio ricordava molto bene il primo odore della sua vita e non era quello di linde lenzuola di batista, ma di lana, di sudore d'uomo e di tabacco. Il secondo era stato un selvatico fetore di capra.

Eliza divenne grande guardando il Pacifico dal balcone della residenza dei suoi genitori adottivi. Arrampicata sui pendii di una collina del porto di Valparaíso, la casa cercava di imitare lo stile allora in voga a Londra, ma le caratteristiche del terreno, il clima e la vita in Cile avevano imposto alcune sostanziali modifiche e quella bislacca costruzione ne era il risultato. In fondo al patio, a mano a mano erano spuntate, come tumori organici, numerose stanze senza finestre e con porte da segrete in cui Jeremy Sommers immagazzinava i carichi più preziosi della compagnia, che nelle cantine del porto sarebbero spariti.

"Questo è un paese di ladri, in nessun posto del mondo si spende tanto come qui per assicurare le merci. Sparisce tutto e quel che si salva dai furti si inonda d'inverno, si brucia d'estate o viene distrutto da un terremoto," ripeteva ogni volta che i muli trasportavano nuovi colli da scaricare nel patio di casa.

Dal tanto stare seduta davanti alla finestra a guardare il mare per contare le navi e le balene all'orizzonte, Eliza si convinse di essere figlia di un naufragio e non di quella madre degenere che aveva avuto il coraggio di abbandonarla nuda nell'incertezza di un giorno di marzo. Sul suo diario scrisse che fu un pescatore a trovarla sulla spiaggia tra i resti di una barca ormai a pezzi, ad avvolgerla nel suo panciotto e a deporla davanti alla casa più grande del quartiere degli inglesi. Con gli anni giunse alla conclusione che questa versione non era affatto male: c'è una certa poesia e un alone di mistero in ciò che il mare restituisce. Se l'oceano si ritirasse, rimarrebbe solo sabbia e sabbia, un infinito deserto umido disseminato di sirene e pesci agonizzanti, diceva John Sommers, fratello di Jeremy e Rose, che aveva navigato per tutti i mari del mondo e sapeva descrivere con intensità come l'acqua scendeva in mezzo a un silenzio sepolcrale, per tornare in un'unica onda smisurata, travolgendo tutto al suo passaggio. Orribile, sosteneva, ma almeno c'era tempo per fuggire verso le colline; invece durante i terremoti le campane delle chiese rintoccavano per annunciare la catastrofe quando tutti stavano già scappando tra le macerie.

All'epoca in cui apparve la bambina, Jeremy Sommers aveva trent'anni e stava iniziando a gettare le fondamenta di un brillante futuro nella Compagnia Britannica d'Importazione ed Esportazione. Negli ambienti commerciali e bancari godeva fama di uomo d'onore: la sua parola e una sua stretta di mano equivalevano a un contratto firmato ed erano requisiti indispensabili in qualsiasi transazione, dato che le lettere di credito impiegavano mesi a solcare gli oceani. Per lui, privo di fortuna, il buon nome era più importante della vita stessa. A fatica si era guadagnato una posizione sicura nel remoto porto di Valparaíso, e per la sua esistenza organizzata l'ultimo degli eventi desiderabili era l'arrivo di una neonata a turbare la routine; ma quando Eliza piovve in casa sua non poté fare a meno di accoglierla, perché la vista di sua sorella Rose avvinghiata alla piccola come una madre lo indusse a cedere.

Rose aveva allora solo vent'anni, ma era già una donna con un passato alle spalle e le sue possibilità di contrarre un buon matrimonio erano pressoché nulle. D'altra parte aveva fatto i suoi conti e aveva concluso che il matrimonio, anche nel migliore dei casi, per lei sarebbe stato un pessimo affare; stando con il fratello Jeremy godeva di un'indipendenza che non avrebbe mai avuto con un marito. Era riuscita a far quadrare la sua vita e non si lasciava intimidire dal marchio di zitella, anzi, era decisa a suscitare l'invidia delle maritate – nonostante una teoria in voga sostenesse che alle donne, quando sfuggiva loro il ruolo di madre e sposa spuntassero i baffi, come alle suffragette – ma non aveva figli e questa era l'unica fonte d'angoscia che non riusciva a trasformare in trionfo attraverso l'esercizio disciplinato dell'immaginazione. A volte sognava che le pareti della sua camera fossero coperte di sangue, sangue che inzuppava il tappeto, sangue schizzato fino al soffitto, e lei, in mezzo, nuda e scapigliata come una pazza, stava partorendo una salamandra. Si svegliava gridando e passava il resto della giornata con gli occhi fuori dalle orbite, senza riuscire a liberarsi dall'incubo. Jeremy la osservava preoccupandosi per i suoi nervi e si sentiva in colpa per averla trascinata così lontano dall'Inghilterra, anche se non riusciva a non provare una certa egoistica soddisfazione quando pensava alla sistemazione trovata per entrambi. Siccome l'idea del matrimonio non lo aveva mai nemmeno sfiorato, la presenza di Rose risolveva problemi domestici e sociali, due aspetti importanti per la sua carriera. La sorella compensava la sua natura introversa e solitaria ed era per questo che ne sopportava di buon grado gli sbalzi d'umore e le spese inutili. Quando Eliza apparve e Rose insistette per tenerla, Jeremy non osò opporsi o esprimere meschine esitazioni, perse cavallerescamente tutte le battaglie, da quella per mantenere la bimba a distanza a quella relativa al nome da assegnarle.

"Si chiamerà Eliza, come nostra madre, e porterà il nostro cognome," decise Rose dopo averle dato da mangiare, averle fatto il bagno e averla avvolta nella sua mantiglia.

"Non se ne parla nemmeno, Rose! Hai idea di cosa direbbe la gente?"

"Di questo mi occuperò io. La gente dirà che sei un santo ad accogliere questa povera orfanella, Jeremy. Non c'è peggior disgrazia che non aver famiglia. Che ne sarebbe di me se non avessi un fratello come te?" replicò lei, conscia del terrore che coglieva il fratello al minimo accenno di sentimentalismo.

Le chiacchiere non si poterono evitare, anche a questo si dovette rassegnare Jeremy Sommers dopo aver accettato che la bambina prendesse il nome della madre, dormisse per i primi anni in camera di sua sorella e imponesse la confusione in casa. Rose divulgò l'incredibile storia della lussuosa cesta depositata da mani anonime nell'ufficio della Compagnia Britannica d'Importazione ed Esportazione e nessuno la bevve, ma non potendo accusarla di aver fatto un passo falso, dato che l'avevano vista ogni santa domenica cantare durante la funzione anglicana e il suo vitino di vespa era una sfida alle leggi dell'anatomia, conclusero che il bebé era frutto di una relazione di lui con qualche donna di malaffare e che per questo la stavano allevando come figlia di famiglia. Jeremy non si prese la briga di contraddire le voci maliziose. L'irrazionalità dei bambini lo sconcertava, ma Eliza trovò il modo di conquistarlo. Anche se non l'ammetteva, gli piaceva vederla giocare ai suoi piedi di pomeriggio, quando si sedeva sulla poltrona a leggere il giornale. Tra loro non c'erano dimostrazioni d'affetto, lui si irrigidiva alla semplice vista di una mano umana da stringere e l'idea di un contatto più intimo lo gettava nel panico.

Quando quel 15 marzo la neonata apparve a casa Sommers, Mama Fresia, che faceva le veci di cuoca e di governante, pensò che la dovessero allontanare.

"Se persino sua madre l'ha abbandonata, vuol dire che è maledetta ed è più prudente non toccarla," disse, ma nulla poté di fronte alla determinazione della padrona.

Non appena Miss Rose la prese in braccio, la creatura scoppiò a piangere a pieni polmoni, facendo tremare la casa e mettendo a dura prova i nervi dei suoi abitanti. Incapace di farla tacere, Miss Rose trasformò un cassetto del suo comò in culla, la coprì di coperte, e poi corse fuori sparata come un fulmine in cerca di una balia. Tornò poco dopo con una donna avvistata al mercato che non aveva avuto la prontezza di esaminare nel dettaglio: le era bastato vedere i grandi seni che scoppiavano da sotto la camicetta per assumerla in fretta e furia. Si trattava di una contadina un tantino ritardata che entrò in casa con il suo bebé, un povero bambino lercio quanto lei. Dovettero lasciare a lungo il bimbo a mollo in acqua tiepida per potergli staccare il sudiciume appiccicato sul posteriore e immergere la donna in acqua con candeggina per toglierle i pidocchi. I due neonati, Eliza e il bambino della nutrice, si consumavano in coliche di diarrea biliosa davanti alle quali sia il medico di famiglia sia il farmacista tedesco risultarono impotenti. Vinta dal pianto dei bambini, dettato non solo dalla fame ma anche dal dolore o dalla tristezza, anche Miss Rose piangeva. Alla fine, il terzo giorno, Mama Fresia intervenne controvoglia.

"Ma non vede che quella donna ha i capezzoli marci? Compri una capra per dar da mangiare alla bimba e le dia una tisana di cannella, se non vuole che prima di venerdì abbia tolto il disturbo," brontolò.

A quell'epoca Miss Rose rabberciava uno spagnolo stentato, ma comprese la parola capra, mandò il cocchiere a comprarne una e licenziò la balia. Non appena fu portato l'animale, l'india adagiò Eliza direttamente sotto le mammelle turgide, con orrore di Miss Rose che non aveva mai assistito a uno spettacolo tanto disgustoso, ma il latte tiepido e le infusioni di cannella presto migliorarono la situazione; la bambina smise di piangere, dormì per sette ore di seguito e si svegliò succhiando a vuoto freneticamente. Dopo pochi giorni aveva l'espressione placida dei neonati sani ed era evidente che stava aumentando di peso. Miss Rose comprò un biberon quando si rese conto che, quando la capra belava in cortile, Eliza iniziava ad annusare alla ricerca del capezzolo. Non voleva che la bambina crescesse con l'idea peregrina che quell'animale fosse sua madre. Le coliche furono uno dei rari malesseri di cui Eliza soffrì durante l'infanzia; gli altri vennero debellati ai primi sintomi grazie alle erbe e agli scongiuri di Mama Fresia, compresa la feroce epidemia di morbillo africano con cui un marinaio greco aveva infettato Valparaíso. Per tutto il periodo in cui durò la minaccia, Mama Fresia di notte collocò un pezzo di carne cruda sull'ombelico di Eliza e la fasciò stretta con un panno di lana rossa, rimedio segreto della natura per prevenire il contagio.

Durante gli anni successivi Miss Rose fece di Eliza il suo giocattolo. Per ore si divertiva a insegnarle a cantare e a ballare, a recitarle versi che la bimba imparava a memoria senza fatica, a intrecciarle i capelli e a vestirla con cura, ma non appena le si presentava un altro svago o l'assaliva l'emicrania la mandava in cucina con Mama Fresia. La bambina crebbe tra la stanza del cucito e i cortili sul retro, parlando inglese in una parte della casa e un miscuglio di spagnolo e araucano – la lingua indigena della sua tata – nell'altra, vestita e calzata come una duchessa in certi giorni e in altri scalza e coperta appena da un grembiule da orfana a giocare con i cani e le galline. Miss Rose la presentava nelle sue serate musicali, la portava in carrozza a prendere la cioccolata nella miglior pasticceria, a far spese o a vedere le barche al molo, ma poteva anche trascorrere giorni interi concentrata a scrivere sui suoi misteriosi quaderni o a leggere un romanzo senza pensare minimamente alla protetta. Quando si ricordava di lei correva pentita a cercarla, la copriva di baci, la rimpinzava di leccornie e tornava a farle indossare quelle tenute da bambola per portarla a passeggio. Si preoccupò di darle la più completa educazione possibile, senza trascurare gli insegnamenti adatti a una signorina. In seguito a un ostinato capriccio di Eliza a proposito di alcuni esercizi di piano, la prese per un braccio e, senza attendere il cocchiere, la trascinò giù per la collina per dodici isolati fino a un convento. Sul muro di mattoni crudi, sopra un pesante portone di rovere con ribaditure in ferro, si leggeva a lettere stinte dal vento salino: Casa degli Esposti.

"Ringrazia che io e mio fratello ci siamo fatti carico di te. I bastardi e i bambini abbandonati finiscono qui. È questo che vuoi?"

Ammutolita, la ragazzina fece di no con la testa.

"E allora ti conviene imparare a suonare il pianoforte come una bambina perbene. Mi sono spiegata?"

Eliza imparò a suonare senza talento né stile, ma a forza di disciplina a dodici anni era in grado di accompagnare Miss Rose nelle serate musicali. Non perse tali capacità, nonostante i lunghi periodi senza esercizio, e diversi anni dopo poté guadagnarsi il pane in un bordello itinerante, eventualità che non era mai passata per la testa di Miss Rose quando si impegnava a insegnarle la sublime arte della musica.

Molto tempo dopo, durante uno di quei tranquilli pomeriggi trascorsi a prendere tè cinese e a chiacchierare con l'amico Tao Chi'en nel raffinato giardino che entrambi coltivavano, Eliza giunse alla conclusione che quell'inglese erratica era stata un'ottima madre e che le era grata per gli ampi spazi di libertà interiore che le aveva concesso. Mama Fresia era stata il secondo pilastro della sua infanzia. Attaccata alle sue ampie gonne nere, la accompagnava nei lavori e già che c'era la faceva diventare matta a suon di domande. Fu così che imparò leggende e miti indigeni, a decifrare i segni degli animali e del mare, a riconoscere le abitudini degli spiriti e i messaggi dei sogni e anche a cucinare. Con il suo naso infaticabile era in grado di distinguere a occhi chiusi ingredienti, erbe e spezie e, allo stesso modo in cui ricordava le poesie, ricordava anche come utilizzarli. Ben presto i complicati piatti creoli di Mama Fresia e la fine pasticceria di Miss Rose persero il loro mistero. Possedeva una rara vocazione culinaria, a sette anni poteva togliere senza ribrezzo la pelle a una lingua di vacca o le interiora a una gallina, impastare venti *empanadas* senza il minimo sforzo e passare ore intere a sgranare fagioli, mentre ascoltava a bocca aperta le crudeli leggende indigene di Mama Fresia e le sue colorite versioni delle vite dei santi.

Rose e suo fratello John erano stati inseparabili fin da bambini. Lei passava l'inverno a lavorare ai ferri i panciotti e le maglie per il capitano e lui si sforzava di portarle da ogni viaggio valigie piene di regali e grandi casse di libri, molti dei quali finivano sottochiave nell'armadio di Rose. Jeremy, in quanto padrone di casa e capofamiglia, avrebbe potuto esercitare la facoltà di aprire la corrispondenza della sorella, di leggere il suo diario personale e di esigere una copia delle chiavi dei suoi mobili, ma non dimostrò mai il desiderio di farlo. Jeremy e Rose mantenevano una relazione domestica basata sulla serietà, avevano poco in comune, salvo la reciproca dipendenza che a volte sembrava loro una forma segreta d'odio. Jeremy provvedeva alle necessità di Rose, ma non finanziava i suoi capricci né si chiedeva da dove sbucassero i soldi per i suoi ghiribizzi, dando per buono che glieli lasciasse John. In cambio, lei si occupava della conduzione della casa con efficienza e stile, presentando sempre conti chiari, ma senza tediarlo con i dettagli. Era dotata di un buon gusto sicuro e di una grazia naturale, donava luce alla vita di entrambi e con la sua presenza contraddiceva la credenza, molto diffusa in quelle zone, che un uomo senza famiglia fosse un potenziale degenerato.

"La natura maschile è selvaggia; il destino della donna è preservare i valori morali e la buona condotta," sosteneva Jeremy Sommers.

"Ah, fratello mio! Tu e io sappiamo che la mia natura è più selvaggia della tua," si burlava Rose.

Jacob Todd, un carismatico rosso di capelli, con la più bella voce da predicatore che si fosse mai sentita da quelle parti, sbarcò a Valparaíso nel 1843 con un carico di trecento copie della Bibbia in spagnolo. Vedendolo arrivare nessuno si stupì: era l'ennesimo missionario dei tanti che bazzicavano in ogni angolo predicando la fede protestante. Nel suo caso, tuttavia, la ragione del viaggio andava cercata nella sua curiosità di avventuriero e non nel fervore religioso. In una spacconata da viveur con troppa birra in corpo, a un tavolo da gioco del suo club di Londra aveva scommesso che avrebbe potuto vendere bibbie in qualsiasi punto del pianeta. I suoi amici gli avevano bendato gli occhi, avevano fatto girare un mappamondo e il suo dito era caduto su una colonia del Regno di Spagna, sperduta nell'emisfero meridionale, dove nessuno di quegli allegri camerati sospettava che vi fosse vita. Presto Todd scoprì che la cartina non era aggiornata: la colonia aveva ottenuto l'indipendenza da più di trent'anni e ora costituiva l'orgogliosa Repubblica del Cile, un paese cattolico in cui le idee protestanti non avevano accesso. Ma la scommessa ormai era fatta e lui non era disposto a tirarsi indietro. Celibe, senza legami affettivi o professionali, venne immediatamente attirato dall'eccentricità di un simile viaggio. Considerati i tre mesi di navigazione tra due oceani per l'andata e gli altri tre per il ritorno, il progetto era senz'altro di ampio respiro. Tra le ovazioni degli amici, che gli vaticinarono un finale tragico in mano ai papisti di quell'ignoto e barbaro paese, e con il sostegno finanziario della Società Biblica Britannica e Straniera che gli procurò i libri e il biglietto, iniziò la lunga traversata in bastimento, rotta per il porto di Valparaíso. La sfida consisteva nel vendere le bibbie e tornare allo scadere di un anno con una ricevuta firmata per ognuna di esse. Negli archivi della biblioteca lesse la corrispondenza di uomini illustri, marinai e commercianti che erano stati in Cile e che descrivevano una popolazione meticcia di poco più di un milione di anime e una strana geografia caratterizzata da impressionanti montagne, coste scoscese, fertili valli, boschi millenari e ghiacciai eterni. Stando a quanto assicuravano coloro che l'avevano visitato, in materia religiosa era il paese più intollerante dell'intero continente americano. Malgrado tutto ciò, virtuosi missionari avevano tentato di diffondere il protestantesimo e, senza spiccicare una sola parola di castigliano o della lingua degli indios, erano arrivati a sud, là dove la terraferma si sgrana in un rosario di isole. Alcuni di loro erano morti di fame, di freddo o, si sospettava, divorati dai loro stessi fedeli. Anche nelle città non avevano avuto maggior fortuna: il senso dell'ospitalità, sacro per i cileni, aveva avuto la meglio sull'intolleranza religiosa e solo per cortesia era stato permesso loro di predicare, senza però curarsene più di tanto. Le persone che partecipavano agli incontri con i pochi pastori protestanti erano animate dallo spirito con cui si va a uno spettacolo, divertite dall'originalità di un contatto con gli eretici. Niente di tutto ciò riuscì a scoraggiare Jacob Todd, che non si recava là in qualità di missionario, bensì di venditore di bibbie.

Negli archivi della biblioteca scoprì che dall'anno della sua indipendenza, il 1810, il Cile aveva aperto le porte agli immigranti che, giunti a centinaia, si erano stabiliti in quel lungo e angusto territorio bagnato dalla testa ai piedi dall'Oceano Pacifico. Gli inglesi avevano fatto rapidamente fortuna come commercianti e armatori, e molti di loro si erano portati dietro le famiglie per stabilirsi lì. Di fatto, avevano creato una piccola nazione all'interno del paese che riproduceva abitudini e culti, con i loro giornali, club, scuole e ospedali, ma l'avevano fatto con un garbo tale che, lungi dal suscitare sospetto, venivano considerati un esempio di civiltà. Avevano acquartierato la flotta a Valparaíso per poter controllare il traffico marittimo del Pacifico e così, da misera borgata senza futuro qual era alla nascita della repubblica, Valparaíso in meno di vent'anni si era trasformata in uno scalo importante a cui approdavano i velieri che provenivano dall'Atlantico passando per Capo Horn e più tardi le navi a vapore che attraversavano lo Stretto di Magellano.

Quando Valparaíso apparve ai suoi occhi, per l'esausto viaggiatore fu una vera sorpresa. Nel porto sostava più di un centinaio di imbarcazioni che battevano bandiere di mezzo mondo. Le montagne dai picchi innevati sembravano così vicine che davano l'impressione di emergere direttamente da un mare blu cobalto che sprigionava un'irresistibile fragranza di sirene. Jacob Todd non venne mai a sapere che sotto quella parvenza di pace assoluta c'era una città intera di velieri spagnoli inabissati e scheletri di patrioti con una pietra legata alle caviglie, ancorati laggiù per opera dei soldati del Capitano Generale. L'imbarcazione si ancorò nella baia, tra migliaia di gabbiani affamati che agitavano l'aria con le loro terribili ali e il loro gracchiare. Innumerevoli barche fendevano le onde di prua, alcune di esse cariche di gronghi enormi e di spigole ancora vivi che si dibattevano disperatamente. Valparaíso, gli dissero, era l'emporio commerciale del Pacifico: nelle sue cantine si stoccavano metalli, lana di pecora e di alpaca, cereali e cuoio per i mercati del mondo. Diverse scialuppe trasportarono a terra i passeggeri e il carico del veliero. Una volta sul molo, tra marinai, stivatori, passeggeri, asini e carretti, Jacob Todd si ritrovò in una città incassata in un anfiteatro di colline scoscese, animata e sporca come molte sue rinomate consimili in Europa. Gli parve uno svarione architettonico di case di mattoni e legno in strade strette che il più piccolo incendio poteva in poche ore trasformare in cenere. Un calesse trainato da due cavalli malconci lo condusse con i bauli e le casse del suo bagaglio all'Hotel Inglés. Passò davanti a edifici solidi che sorgevano intorno a una piazza, a diverse chiese piuttosto mediocri e a residenze a un piano circondate da ampi giardini e orti. Contò un centinaio di isolati ma si rese ben presto conto che la città, un dedalo di viuzze e passaggi, ingannava la vista. In lontananza scorse un quartiere di pescatori con casette esposte alle raffiche provenienti dal mare, con le reti appese come a formare gigantesche ragnatele e, oltre, fertili campi coltivati a ortaggi e frutta. Circolavano carrozze moderne come quelle londinesi, barrocci, fiacre e calessi, e anche muli da tiro scortati da bambini straccioni e carretti trainati da buoi proprio nel centro della città. Agli angoli, frati e monache mendicavano elemosine per i poveri tra mute di cani vagabondi e galline disorientate. Vide donne cariche di sporte e ceste che trascinavano i figli, scalze, ma con il capo velato di nero, e molti uomini con cappelli a cono seduti sulle soglie delle case o riuniti in gruppetti a chiacchierare, sempre oziosi.

Un'ora dopo essere sceso dall'imbarcazione, Jacob Todd si trovava seduto nell'elegante salone dell'Hotel Inglés a fumare sigari importati dal Cairo e a sfogliare una rivista britannica non proprio aggiornata in quanto a notizie. Sospirò soddisfatto: a prima vista, aveva la sensazione che non ci sarebbero stati problemi d'adattamento e, amministrando bene la sua rendita, lì avrebbe potuto vivere comodamente come a Londra. Stava attendendo che qualcuno accorresse per servirlo – a quanto pareva, da quelle parti nessuno aveva fretta – quando gli si avvicinò John Sommers, il capitano del veliero sul quale aveva viaggiato. Era un uomo robusto, dai capelli scuri e dalla pelle brunita dal sole come cuoio da scarpe, che si vantava di essere un forte bevitore, donnaiolo e infaticabile giocatore di carte e dadi. Erano diventati buoni amici e il gioco aveva tenuto loro compagnia nelle interminabili notti di navigazione in alto mare e nei giorni tumultuosi e gelati in cui avevano doppiato Capo Horn, nel Sud del mondo. John Sommers era accompagnato da un uomo pallido, dalla barba ben curata, vestito di nero dalla testa ai piedi, che risultò essere suo fratello Jeremy. Trovare due esemplari umani più diversi sarebbe stato difficile. John, il ritratto in carne e ossa della salute e della forza, era franco, rumoroso e amabile, mentre l'altro aveva un'aria da spettro prigioniero di un inverno senza fine. Era una di quelle persone che non sono mai del tutto presenti e che non è facile ricordare poiché prive di contorni precisi, concluse Jacob Todd. Senza attendere di essere invitati, si avvicinarono al suo tavolo con la familiarità dei compatrioti in terra straniera. Alla fine apparve una cameriera e il capitano John Sommers ordinò una bottiglia di whisky, mentre suo fratello ordinava un tè in quel codice inventato dai britannici per farsi capire dalla servitù.

"Come vanno le cose a casa?" indagò Jeremy. Parlava a bassa voce, quasi a mormorii, muovendo appena le labbra e con un accento non privo di affettazione.

"Da trecento anni in Inghilterra non succede niente," disse il capitano.

"Mi scusi per la curiosità, Mr Todd, ma vedendola entrare in albergo non ho potuto fare a meno di notare il suo bagaglio. Mi sembrava che ci fossero svariate casse segnate come bibbie... o mi sbaglio?" chiese Jeremy Sommers.

"Assolutamente no, sono proprio bibbie."

"Ma non eravamo stati avvisati che sarebbe stato mandato un altro pastore..."

"Abbiamo navigato insieme per tre mesi e non mi ero proprio accorto che lei fosse un pastore, Mr Todd!" esclamò il capitano.

"In realtà non lo sono," replicò Jacob Todd, dissimulando l'imbarazzo dietro una boccata di fumo del sigaro.

"Missionario, allora. Pensa di andare nella Terra del Fuoco, immagino. Gli indios patagoni sono pronti per essere evangelizzati. Degli araucani si dimentichi, caro mio: li hanno già catturati i cattolici," commentò Jeremy Sommers.

"Di araucani non ne sarà rimasta che una manciata. Questa gente ha il vizio di farsi massacrare," specificò il fratello.

"Erano gli indigeni più selvaggi d'America, Mr Todd. La maggior parte morì combattendo contro gli spagnoli. Erano cannibali."

"I prigionieri li tagliavano a pezzi da vivi: la cena la gradivano fresca," aggiunse il capitano. "Lei e io faremmo la stessa cosa se qualcuno ci uccidesse la famiglia, mettesse a fuoco il villaggio e ci rubasse la terra."

"Fantastico, John; adesso difendi il cannibalismo!" replicò il fratello, disgustato. "A ogni modo, Mr Todd, le consiglio di lasciare perdere i cattolici. Non dobbiamo provocare i nativi. Questa è gente molto superstiziosa."

"Le credenze altrui sono superstizioni, Mr Todd. Le nostre si chiamano religione. Gli indigeni della Terra del Fuoco, i patagoni, sono molto diversi dagli araucani."

"Ma sono ugualmente selvaggi. Vivono nudi in un clima spaventoso," disse Jeremy.

"Porti loro la sua religione, Mr Todd, vediamo se almeno imparano a usare i pantaloni," aggiunse il capitano.

Todd non aveva mai sentito nominare quegli indigeni e l'ultima cosa che desiderava era andare a predicare qualcosa in cui nemmeno lui credeva, ma non osò confessare che il suo viaggio era il risultato di una scommessa tra ubriachi. Rispose, stando sul vago, che pensava di organizzare una spedizione missionaria, ma che doveva ancora decidere come finanziarla.

"Se avessi saputo che veniva a predicare a questa brava gente i disegni di un dio tirannico, mi sarei sbarazzato di lei in mezzo all'Atlantico, Mr Todd."

Li interruppe la cameriera con il whisky e il tè. Era un'adolescente in fiore stretta in un abito nero con cuffietta e grembiule inamidati. Chinandosi con il vassoio, lasciò nell'aria una perturbante fragranza di fiori essiccati e di stiratura a carbone. Nelle ultime settimane Jacob Todd non aveva visto donne e rimase incantato a guardarla con un groppo di solitudine. John Sommers aspettò che la ragazza si allontanasse.

"Faccia attenzione, mio caro, le cilene ammaliano," disse.

"Non direi. Sono basse, larghe di fianchi e hanno una voce sgradevole," disse Jeremy Sommers tenendo in equilibrio la tazza di tè.

"Ma se per loro i marinai disertano!" esclamò il capitano.

"Lo ammetto, in fatto di donne non sono certo un'autorità. Non ho tempo per dedicarmici. Debbo occuparmi degli affari e di nostra sorella, te ne sei dimenticato?"

"Neanche per un istante, visto che me lo ricordi sempre. Vede, Mr Todd, io sono la pecora nera della famiglia, la testa matta. Se non fosse per la bontà di Jeremy..."

"Quella ragazza sembra spagnola," lo interruppe Jacob Todd seguendo con gli occhi la cameriera, che in quel momento stava servendo a un altro tavolo. "Ho vissuto due mesi a Madrid e ne ho viste molte come lei."

"Qui sono tutti meticci, persino nelle classi alte. Non lo ammettono, ovviamente. Il sangue indio viene nascosto come fosse una calamità. Non li biasimo, gli indigeni hanno fama di essere sporchi, ubriaconi e pigri. Il governo cerca di migliorare la razza chiamando immigranti europei. Nel Sud regalano le terre ai coloni."

"Il loro sport preferito è ammazzare indigeni per prendersi la terra."

"Stai esagerando, John."

"Non sempre è necessario eliminarli con una pallottola, basta farli bere. Ma certo ammazzarli è molto più divertente. A ogni modo, noi britannici non prendiamo parte a questo genere di passatempi, Mr Todd. Perché mai dovremmo piantare patate se possiamo far fortuna senza sfilarci i guanti?"

"Qui le possibilità non mancano per chi ha spirito imprenditoriale. In questo paese c'è ancora tutto da fare. Se preferisce lo sviluppo, vada al Nord. C'è argento, rame, salnitro, guano..."

"Guano?"

"Merda d'uccello," chiarì l'uomo di mare.

"Non è il mio campo, Mr Sommers."

"Far fortuna non interessa a Mr Todd, Jeremy. Lui si occupa di fede cristiana, vero?"

"La colonia protestante è numerosa e prospera, la aiuterà. Domani venga a casa mia. Di mercoledì mia sorella Rose organizza delle serate musicali e sarà una buona occasione per farsi degli amici. Manderò la mia carrozza a prenderla alle cinque. Si divertirà," disse Jeremy Sommers, congedandosi.

Il giorno successivo, rimesso a nuovo da una notte senza sogni e da un lungo bagno che gli tolse la salsedine che gli si era incollata all'animo, ma ancora con il passo barcollante di chi ha navigato a lungo, Jacob Todd uscì a passeggiare per il porto. Percorse senza fretta la strada principale parallela al mare, così vicina alla riva che le onde lo spruzzavano, bevve qualche bicchierino in un caffè e mangiò in un'osteria del mercato. Se n'era andato dall'Inghilterra nel febbraio di un gelido inverno e dopo aver attraversato un eterno deserto di acque e stelle, in cui aveva perso addirittura il filo dei suoi passati amori, era arrivato nell'emisfero meridionale all'inizio di un altro inverno impietoso. Prima di partire non gli era venuto in mente di informarsi sul clima. Aveva immaginato un Cile caldo e umido come l'India, perché pensava che i paesi dei poveri fossero così, e si era ritrovato alla mercé di un vento gelido che gli raschiava le ossa e sollevava mulinelli di sabbia e spazzatura. Si perdette più di una volta nelle strade tortuose, girando e rigirando per ritrovarsi poi nel medesimo punto da cui era partito. Salì per viuzze torturate da scale infinite e orlate da case assurde che non erano appese a nulla, cercando, con discrezione, di non disturbare l'intimità altrui guardando dalle finestre. Incappò in romantiche piazze dall'aspetto europeo coronate da slarghi in cui le bande militari suonavano musica per innamorati e passeggiò per timidi giardini calpestati dagli asini. Ai bordi delle strade principali si innalzavano alberi superbi nutriti dalle fetide acque che scendevano a vista dalle colline. Nella zona commerciale era talmente evidente la presenza dei britannici che si respirava un'atmosfera illusoria di altre latitudini. Le insegne di molti negozi erano in inglese e i suoi compatrioti a passeggio erano vestiti come a Londra, con gli stessi ombrelli neri da becchini. Non appena si allontanò dalle strade centrali, la povertà lo investì con l'imprevedibilità di uno schiaffo; vide gente nuda, sonnolenta, soldati con le uniformi logore e accattoni ovunque. A mezzogiorno esplosero all'unisono le campane delle chiese e immediatamente la confusione cessò, i passanti si fermarono, gli uomini si levarono i cappelli, le poche donne presenti si inginocchiarono e tutti si fecero il segno della croce. La visione durò il tempo di dodici rintocchi e subito dopo nella strada riprese l'attività come non fosse successo nulla.

GLI INGLESI

La carrozza mandata dai Sommers arrivò all'hotel con mezz'ora di ritardo. L'autista aveva alzato parecchio il gomito, ma Jacob Todd non aveva alternative. L'uomo lo portò verso sud. Aveva piovuto per un paio d'ore e le strade erano diventate impraticabili in alcuni tratti in cui le pozzanghere d'acqua e fango celavano trappole fatali, buche certamente in grado di ingoiarsi un cavallo distratto. Sui bordi della strada stazionavano bambini con coppie di buoi pronti a recuperare le carrozze impantanate in cambio di una moneta, ma nonostante la miopia dell'ebbrezza, l'autista riuscì a eludere le buche e presto iniziarono a salire le pendici di una collina. Arrivando a Cerro Alegre, dove viveva la maggior parte della colonia straniera, la città mutava radicalmente d'aspetto e scomparivano le catapecchie e le case brulicanti di gente della parte bassa. La carrozza si fermò davanti a una villa di ampie proporzioni, ma dall'aspetto tormentato, una mostruosità costruita con torrioni pretenziosi e inutili scale, conficcata tra i dislivelli del terreno, illuminata con una quantità tale di torce che alla notte non era rimasto che indietreggiare. Venne ad aprire la porta un servitore indio con indosso una livrea troppo grande, che dopo essersi fatto consegnare soprabito e cappello condusse Todd in una sala spaziosa, arredata con mobili di buona fattura e tendaggi un tantino teatrali di velluto verde, sovraccarica di ornamenti, priva di un centimetro libero su cui far riposare la vista. Immaginò che in Cile, come in Europa, una parete nuda fosse considerata segno di povertà e si ravvide solo molto tempo dopo, quando visitò le case buie dei cileni. I quadri erano stati appesi con un'inclinazione che permettesse di apprezzarli dal basso e la vista si perdeva nella penombra dei soffitti alti. L'imponente camino che bruciava grossi ceppi e i vari bracieri a carbone distribuivano in modo disuguale un calore che lasciava i piedi gelati e rendeva la testa febbricitante. Era presente poco più di una dozzina di persone vestite alla moda europea e diverse cameriere in divisa che giravano con i vassoi. Jeremy e John Sommers gli si fecero incontro per salutarlo.

"Le presento mia sorella Rose," disse Jeremy accompagnandolo in fondo alla sala.

E in quel momento Jacob Todd vide, seduta a destra del caminetto, la donna che avrebbe messo a ferro e fuoco la pace della sua anima. Rose Sommers lo colpì immediatamente; più che per il suo piacevole aspetto, perché gli parve sicura di sé e allegra. Non aveva nulla della grossolana esuberanza del capitano né della fastidiosa solennità del fratello Jeremy, era una donna dall'espressione scintillante che sembrava sempre sul punto di scoppiare in una risata civettuola. Quando ciò avveniva, una rete di rughe sottili le appariva intorno agli occhi e per qualche strana ragione fu soprattutto questo ad attrarre Jacob Todd. Non fu in grado di attribuirle un'età; tra i venti e i trenta probabilmente, ma immaginò che in capo a dieci anni sarebbe stata identica, perché era ben fatta e aveva un portamento regale. Sfoggiava un abito di taffetà color pesca ed era priva di gioielli, fatta eccezione per dei semplici orecchini di corallo. Il più elementare galateo suggeriva di limitarsi ad accennare il gesto di baciarle la mano, senza toccarla con le labbra, ma gli si offuscò il giudizio e senza sapere come ci stampò sopra un bacio. Quel saluto risultò talmente inappropriato che per una pausa lunga un'eternità rimasero in sospeso nell'incertezza, lui trattenendole la mano come chi impugna una spada e lei osservando la traccia di saliva senza osare pulirla per non offendere l'ospite, fino a quando non li interruppe una ragazzina vestita da principessa. Allora Todd reagì all'inquietudine e mentre si raddrizzava riuscì a cogliere l'espressione ironica che i fratelli Sommers si stavano scambiando. Tentando di sviare i sospetti, si girò verso la bambina con un'attenzione esagerata, deciso a conquistarla.

"Questa è Eliza, la nostra protetta," disse Jeremy Sommers.

Jacob Todd commise il secondo errore.

"In che senso protetta?" chiese.

"Vuol dire che non sono della famiglia," spiegò Eliza pazientemente, col tono di chi sta parlando a un tonto.

"Ah no?"

"E che se mi comporto male mi manderanno dalle monache papiste."

"Ma cosa dici, Eliza! Non le faccia caso, Mr Todd. Ai bambini vengono sempre in mente idee strane. Certo che Eliza è della nostra famiglia," si intromise Miss Rose, alzandosi in piedi.

Eliza aveva trascorso la giornata a preparare la cena con Mama Fresia. La cucina si trovava in cortile, ma Miss Rose l'aveva fatta congiungere alla casa mediante una tettoia per evitare l'umiliazione di servire piatti freddi o decorati dalle colombe. Quella stanza annerita dall'unto e dalla fuliggine dei fornelli era il regno indiscusso di Mama Fresia. Gatti, cani, oche e galline passeggiavano a loro piacimento sul pavimento di mattoni rustici non incerati; lì ruminava per tutto l'inverno la capra che aveva allattato Eliza, ormai molto anziana, che nessuno aveva osato sacrificare perché sarebbe stato come uccidere una madre. Alla bambina piaceva l'aroma di pane crudo nelle forme quando il lievito sospirando realizzava il misterioso compito di rendere spugnosa la pasta; quello della glassa di zucchero per la decorazione delle torte; quello delle scaglie di cioccolato che si scioglievano nel latte. I mercoledì dei ritrovi, le due domestiche – giovani indie che vivevano nella casa e lavoravano alla preparazione dei pasti – pulivano l'argento, stiravano le tovaglie e tiravano a specchio i vetri. A mezzogiorno mandavano il cocchiere in pasticceria a comprare i dolci preparati su ricette gelosamente custodite dai tempi della colonia. Mama Fresia ne approfittava per appendere a una guarnizione dei cavalli una borsa di cuoio contenente latte fresco che, trottando all'andata e al ritorno, si trasformava in burro.

Alle tre del pomeriggio Miss Rose chiamava Eliza nella sua camera, dove il cocchiere e il cameriere personale avevano collocato una vasca da bagno di bronzo con piedini di leone; le domestiche la ricoprivano poi con un lenzuolo e la riempivano d'acqua calda, profumata con foglie di menta e rosmarino. Rose ed Eliza sguazzavano come due bambine fino a quando l'acqua non si era raffreddata e a quel punto ritornavano le cameriere con le braccia cariche di indumenti e aiutavano entrambe a indossare calze e stivaletti, pantaloni a mezza gamba, camicia di batista seguita da una sottoveste imbottita sui fianchi per accentuare la snellezza della vita, e subito dopo tre sottovesti inamidate per finire poi con il vestito, che le copriva interamente, lasciando scoperte solo la testa e le mani. Miss Rose utilizzava anche un corsetto rigido fatto con stecche di balena, talmente stretto da non consentirle di respirare in profondità né di sollevare le braccia oltre le spalle;

non riusciva nemmeno a vestirsi da sola né a chinarsi perché le stecche si sarebbero rotte e le si sarebbero conficcate come aghi nel corpo. Questo era l'unico bagno della settimana, una cerimonia paragonabile solamente al lavaggio dei capelli del sabato, che qualsiasi pretesto poteva annullare dal momento che si riteneva pregiudizievole per la salute. Durante la settimana Miss Rose utilizzava il sapone con cautela, preferiva frizionarsi con una spugna imbevuta di latte e rinfrescarsi con dell'*eau de toilette* alla vaniglia, seguendo così, come aveva sentito dire, una moda che in Francia vigeva dai tempi di Madame Pompadour; Eliza era in grado di riconoscerla a occhi chiusi in mezzo a una moltitudine di gente grazie alla sua particolare fragranza da dessert. A trent'anni passati, Miss Rose manteneva la pelle trasparente e fragile tipica di alcune giovani inglesi prima che la luce del mondo e la loro peculiare arroganza la trasformassero in cartapecora. Si prendeva cura del suo aspetto utilizzando acqua di rose e limone per schiarire la pelle, miele di amamelide per ammorbidirla, camomilla per dar luce ai capelli e una collezione di balsami e lozioni esotiche portate da suo fratello John dal lontano Oriente dove, a quanto si diceva, vivevano le donne più belle dell'universo. Si inventava vestiti ispirati alle riviste londinesi e se li faceva da sé nella sua stanza del cucito; con un pizzico d'ingegno e di fantasia modificava il suo abbigliamento grazie agli stessi nastri, fiori e piume che venivano utilizzati per anni senza invecchiare. Quando usciva non usava, come le cilene, un mantello nero per coprirsi, abitudine che le sembrava aberrante, ma preferiva le sue mantelline corte e la sua collezione di cappelli, anche se per strada erano soliti guardarla come fosse una cortigiana.

Felice di vedere un volto nuovo nella riunione settimanale, Miss Rose perdonò a Jacob Todd il bacio impudente e presolo per il braccio lo condusse a un tavolo rotondo situato in un angolo della sala. Gli fece scegliere tra vari liquori, insistendo perché assaggiasse la sua *mistela*, uno strano intruglio di cannella, acquavite e zucchero che lui, non riuscendo a inghiottirlo, versò di nascosto in un vaso di fiori. Poi gli presentò i convenuti: Mr Appelgreen, costruttore di mobili, accompagnato dalla figlia, una giovane scolorita e timida; Madame Colbert, direttrice di una scuola inglese per fanciulle e infine Mr Ebeling, proprietario del miglior negozio di cappelli per uomo e per signora, che si avventò su Todd chiedendogli notizie della famiglia reale inglese come se si stesse parlando dei suoi parenti. Conobbe anche i chirurghi Page e Poett.

"Questi dottori operano con cloroformio," dichiarò con ammirazione Miss Rose.

"Qui è ancora una novità, ma in Europa ha rivoluzionato la pratica della medicina," spiegò uno dei medici.

"A quanto ne so, in Inghilterra si utilizza regolarmente nell'ostetricia. Non lo usò forse la regina Vittoria?" aggiunse Todd, tanto per dire qualcosa visto che non sapeva niente dell'argomento.

"Qui l'opposizione dei cattolici in materia è forte. La maledizione biblica impone alla donna di partorire con dolore, Mr Todd."

"Non vi pare ingiusto, signori? La maledizione dell'uomo è di lavorare col sudore della fronte, ma in questa sala, tanto per non andare troppo lontano, il sudore con cui i gentiluomini si guadagnano da vivere è quello degli altri," replicò Miss Rose arrossendo violentemente.

I chirurghi sorrisero imbarazzati, ma Todd la osservò rapito. Sarebbe rimasto con lei tutta la serata, benché, a quanto ricordava, a Londra l'atteggiamento più consono per un incontro era restare insieme solo una mezz'ora. Si rese conto che in quella riunione la gente sembrava disposta a fermarsi e immaginò che la cerchia sociale dovesse essere molto limitata e che probabilmente quella dai Sommers era l'unica riunione settimanale. Era immerso in simili congetture quando Miss Rose annunciò che si sarebbe dato inizio all'intrattenimento musicale. Le cameriere portarono altri candelabri che illuminarono la sala a giorno, collocarono le sedie intorno al pianoforte, una viella e un'arpa; le donne si sedettero a semicerchio e gli uomini si sistemarono dietro in piedi. Un paffuto gentiluomo si accomodò al piano e mentre dalle sue mani da macellaio si sprigionava un'incantevole melodia, la figlia del fabbricante di mobili interpretò un'antica ballata scozzese con una voce talmente aggraziata che Todd dimenticò completamente il suo aspetto da topino spaventato. La direttrice della scuola per fanciulle recitò un poema eroico, inutilmente lungo; Rose invece cantò un paio di canzoni picare in duetto con il fratello John, nonostante l'evidente disapprovazione di Jeremy Sommers, e poi reclamò da Jacob Todd che li dilettasse con qualche pezzo del suo repertorio. L'ospite ebbe dunque l'opportunità di mettere in mostra la sua bella voce.

"Lei è una vera sorpresa, Mr Todd! Non ci sfuggirà: si consideri condannato a venire tutti i mercoledì!" esclamò lei una volta terminato l'applauso, senza badare all'espressione imbambolata con cui l'ospite la guardava.

Todd sentiva i denti appiccicosi di zucchero e la testa che gli girava, non sapeva se soltanto a causa dell'ammirazione per Rose Sommers o anche per la complicità dei liquori ingurgitati e del potente sigaro cubano fumato in compagnia del capitano Sommers. In quella casa rifiutare un bicchiere o un piatto era un'offesa; presto avrebbe scoperto che quella era una caratteristica nazionale in Cile, paese in cui l'ospitalità si esprimeva obbligando gli invitati a bere e a mangiare oltre i limiti dell'umana possibilità. Alle nove venne annunciata la cena e tutti si trasferirono in processione nella sala da pranzo in cui li attendeva un'altra serie di piatti impegnativi e di nuovi dessert. Verso la mezzanotte le donne si alzarono da tavola e proseguirono la conversazione nel salone, mentre gli uomini degustavano brandy e fumavano in sala da pranzo. Finalmente, quando ormai Todd era sul punto di venir meno, gli invitati iniziarono a chiedere i loro soprabiti e le carrozze. Gli Ebeling, profondamente interessati alla sua presunta missione evangelizzatrice in Terra del Fuoco, si offrirono di accompagnarlo in albergo e lui accettò immediatamente, terrorizzato all'idea di ritornare con il buio pesto per quelle strade da incubo con il cocchiere ubriaco dei Sommers. Il viaggio gli sembrò eterno, si sentiva incapace di concentrarsi sulla conversazione, aveva il mal di mare e lo stomaco sottosopra.

"Mia moglie è nata in Africa, è figlia di missionari che in quelle terre diffondono la vera fede: sappiamo quanti sacrifici tutto ciò comporti, Mr Todd. Speriamo che ci voglia concedere il privilegio di aiutarla nel nobile compito che svolgerà tra gli indigeni," disse con solennità Mr Ebeling quando si congedarono.

Quella notte Jacob Todd non riuscì a dormire; la visione di Rose Sommers lo tormentava con crudeltà e prima dell'alba aveva preso la decisione di corteggiarla sul serio. Non sapeva niente di lei, ma non gliene importava, perché forse il suo destino era di perdere una scommessa e di arrivare fino in Cile per conoscere la sua futura sposa. Ci si sarebbe dedicato dal giorno successivo, ma, in preda a violente coliche, non fu in grado di alzarsi dal letto. Rimase in queste condizioni per un giorno e una notte, passando da intervalli in cui era privo di conoscenza a momenti di agonia, fino a quando non riuscì a radunare le forze per affacciarsi alla porta e invocare aiuto. Su sua richiesta, il direttore dell'albergo fece avvisare i Sommers, gli unici conoscenti che aveva in città, e chiamò un ragazzo per pulire la stanza che puzzava di letamaio. Jeremy Sommers si presentò all'hotel a mezzogiorno, accompagnato dal flebotomo più noto di Valparaíso; questi, che si rivelò padrone di alcuni rudimenti d'inglese, dopo avergli salassato gambe e braccia fino a lasciarlo esangue, gli spiegò che, come mettevano piede per la prima volta in Cile, tutti gli stranieri si ammalavano.

"Non c'è motivo di allarmarsi; a quanto ne so, sono pochissimi quelli che muoiono," lo tranquillizzò.

Gli prescrisse del chinino da prendere in ostie di carta di riso, ma la nausea che lo piegava in due gli impedì di inghiottirle. Era stato in India e conosceva i sintomi della malaria e di altre malattie tropicali curabili con il chinino, ma quest'indisposizione non assomigliava nemmeno lontanamente ad alcuna di esse. Appena il flebotomo se ne fu andato, tornò il ragazzo per portarsi via gli stracci e pulire di nuovo la stanza. Jeremy Sommers aveva lasciato gli estremi dei dottori Page e Poett, ma non si fece in tempo a chiamarli perché due ore più tardi apparve in albergo un donnone che pretese di vedere il malato. L'accompagnava per mano una bambina vestita di velluto blu, con stivaletti bianchi e un cappellino bordato di fiori, simile al personaggio di una favola. Erano Mama Fresia ed Eliza, mandate da Rose Sommers che aveva poca fiducia nei salassi. Irruppero nella stanza con una tale sicurezza che il debilitato Jacob Todd non osò protestare. La prima veniva in qualità di guaritrice e la seconda di interprete.

"La mia *mamita* dice che le toglierà il pigiama. Io non guarderò," spiegò la ragazzina e si girò verso il muro mentre l'india lo denudava con due zampate e procedeva a frizionarlo completamente con acquavite.

Gli misero nel letto mattoni caldi, lo avvolsero nelle coperte e gli diedero da bere a cucchiaiate un infuso di erbe amare dolcificate con miele che doveva placare i dolori dell'indigestione.

"La mia *mamita* adesso si metterà a *romancear* la malattia," disse la ragazzina.

"E cosa sarebbe?"

"Non si preoccupi, non fa male."

Mama Fresia chiuse gli occhi e iniziò a passargli le mani sul torace e sulla pancia sussurrando parole magiche in lingua mapuche. Jacob Todd si sentì invadere da un torpore irresistibile e prima che la donna avesse finito si era addormentato tanto profondamente che non si accorse quando le due donne sparirono.

Dormì per diciassette ore e si svegliò madido di sudore. La mattina successiva Mama Fresia ed Eliza tornarono per somministrargli un'altra vigorosa frizione e una tazza di brodo di gallina. "La mia *mamita* dice che non deve più bere acqua. Prenda solo del tè ben caldo e non mangi frutta, altrimenti le torneranno le voglie di morire," tradusse Eliza.

In capo a una settimana, quando riuscì a reggersi in piedi e si guardò allo specchio, si rese conto che con quell'aspetto non poteva presentarsi a Miss Rose: aveva perso diversi chili, era emaciato e non riusciva a fare più di due passi senza crollare su una sedia boccheggiando. Quando fu in grado di mandare un biglietto a Miss Rose in cui la ringraziava per avergli salvato la vita e dei cioccolatini per Mama Fresia ed Eliza, venne a sapere che la donna era partita con un'amica e la domestica per Santiago, un viaggio rischioso viste le cattive condizioni della strada e del clima. Miss Rose percorreva quel tratto di trentaquattro leghe una volta all'anno, sempre all'inizio dell'autunno o in piena primavera, per andare a teatro, ascoltare buona musica e fare gli acquisti annuali al Grande Magazzino Giapponese, profumato di gelsomino e illuminato con lampade a gas con globi di vetro rosato, in cui comperava le quisquilie difficili da trovare al porto. Questa volta, tuttavia, c'era una buona ragione per recarvisi d'inverno: avrebbe posato per un ritratto. Per far scuola agli artisti nazionali, era arrivato in Cile, su invito del governo, il celebre pittore francese Monvoisin. Il maestro dipingeva solo il volto, il resto era opera dei suoi aiutanti, e sempre per guadagnare tempo venivano applicati direttamente sulla tela i pizzi; ma nonostante questi truffaldini escamotage, niente dava tanto prestigio quanto un ritratto firmato da lui. Jeremy Sommers insistette per averne uno della sorella da far troneggiare nel salone. Il quadro costava sei once d'oro e una supplementare per ogni mano, ma in un caso del genere non si poteva andare al risparmio. Come dicevano i suoi clienti, l'opportunità di avere un'opera autentica del grande Monvoisin non si presentava due volte nella vita.

"Se la spesa non è un problema, allora voglio che mi dipinga con tre mani. Sarà il suo quadro più famoso e finirà esposto in un museo invece di stare appeso sul nostro caminetto," fu il commento di Miss Rose.

Quello fu l'anno delle inondazioni, che rimasero registrate sui libri scolastici e nella memoria dei nonni. Il diluvio rase al suolo centinaia di case e quando alla fine la burrasca si placò e l'acqua iniziò a calare, una serie di piccole scosse, che vennero vissute come un castigo divino, distrussero completamente tutto quello che i rovesci avevano rammollito. Gli sciacalli vagavano fra i detriti approfittando della confusione per rubare nelle case e i soldati ricevettero l'ordine di giustiziare senza indugi chi fosse stato sorpreso a commettere tali soprusi ma, esaltati dalla crudeltà, iniziarono a distribuire sciabolate solo per il gusto di sentire i lamenti delle vittime e si dovette revocare l'ordine prima che perdessero la vita anche gli innocenti. Rinchiuso nell'hotel a curarsi un raffreddore, e ancora indebolito dalla settimana di coliche, Jacob Todd trascorreva le giornate nella disperazione provocata dall'incessante rumore di campane delle chiese che chiamavano a penitenza, intento a leggere vecchi giornali e a cercare qualcuno con cui giocare a carte. Fece un'incursione in farmacia alla ricerca di un tonico che rinvigorisse lo stomaco, ma il negozio si rivelò essere uno stanzino caotico gremito di polverose boccette verdi e blu in cui un commesso tedesco gli offrì olio di scorpione e spirito di lombrichi. Per la prima volta rimpianse di trovarsi tanto lontano da Londra.

Di notte riusciva a malapena a dormire a causa della gazzarra e delle risse tra ubriachi e dei funerali, che si svolgevano tra mezzanotte e le tre di mattina. Il nuovo cimitero si trovava in cima a una collina e si affacciava sulla città. Con il temporale si aprirono dei buchi e alcune tombe rotolarono dai pendii in una confusione d'ossa che livellò tutti i defunti alla medesima indegnità. Molti commentavano che i morti stavano meglio dieci anni prima, quando le persone facoltose venivano sepolte nelle chiese, i poveri nelle scarpate e gli stranieri sulla spiaggia. Questo è un paese bizzarro, concluse Jacob Todd, con un fazzoletto legato sul viso perché il vento trasportava i miasmi nauseabondi della catastrofe che le autorità combattevano con grandi falò di eucalipto. Non appena si sentì meglio, si affacciò per vedere le processioni. In genere non richiamavano l'attenzione perché ogni anno si ripetevano identiche durante i sette giorni della Settimana Santa e nelle altre festività religiose, ma in quell'occasione si trasformarono in vere celebrazioni di massa nelle quali si chiedeva al cielo la fine del diluvio. Dalle chiese uscivano lunghe file di fedeli guidate da confraternite di cavalieri vestiti di nero che trasportavano sulle portantine le statue dei santi vestiti con splendidi abiti ricamati d'oro e tempestati di pietre preziose. Una colonna portava un Cristo in croce con la corona di spine intorno al collo. Gli spiegarono che si trattava del Cristo di Maggio, che era stato trasportato per l'occasione da Santiago, perché era la raffigurazione più miracolosa del mondo, l'unica in grado di modificare il clima. Duecento anni prima, un terribile terremoto aveva raso al suolo la capitale e la chiesa di Sant'Agostino era interamente crollata, salvo l'altare in cui si trovava quel Cristo. La corona era scivolata dalla testa al collo e lì l'avevano lasciata, perché ogni volta che si era cercato di ricollocarla al suo posto la terra aveva ripreso a tremare. Le processioni riunivano una moltitudine di frati e monache, di beate esangui per i numerosi digiuni, di gente umile che pregava e cantava a squarciagola, di penitenti con sai di tela grezza e di flagellanti che si fustigavano le schiene nude con sferze di cuoio alle cui estremità si trovavano affilate borchie metalliche. Alcuni cadevano esanimi e venivano curati da donne che pulivano le piaghe aperte e offrivano loro da bere, ma non appena si riprendevano venivano nuovamente spinti nella processione. Passavano file di indigeni che si martirizzavano con insano fervore e bande di musicisti che suonavano inni religiosi. Il rumore delle suppliche lamentose sembrava un torrente d'acqua impetuosa e l'aria umida sapeva d'incenso e di sudore. Sfilavano processioni di aristocratici vestiti lussuosamente, ma di nero e senza gioielli, e altre del popolino, scalzo e ricoperto di stracci, che si incrociavano nella stessa piazza senza toccarsi né confondersi. A mano a mano che avanzavano, il clamore e le dimostrazioni di compassione aumentavano e si facevano più intense. I fedeli ululavano chiedendo perdono per i loro peccati, certi che il maltempo fosse il castigo divino per le loro mancanze. I pentiti accorrevano in massa, le chiese risultarono poche e per consentire loro di confessarsi alcuni sacerdoti si collocarono in fila sotto tendoni e ombrelli. All'inglese lo spettacolo parve affascinante: in nessuno dei suoi viaggi aveva presenziato a qualcosa di tanto esotico e al contempo lugubre. Abituato alla sobrietà protestante, gli sembrava di essere tornato in pieno Medioevo; i suoi amici di Londra non gli avrebbero mai creduto. Persino da una prudente distanza poteva cogliere il fremito da bestia primitiva e sofferente che percorreva a ondate la massa umana. Si arrampicò a fatica sulla base di un monumento nella piazzetta, di fronte alla chiesa della Matriz, da cui poteva godere una visione panoramica della folla. All'improvviso sentì che veniva tirato per i pantaloni, abbassò lo sguardo e vide una bambina spaventata, con una mantella sul capo e il viso rigato da sangue e lacrime. Si scansò bruscamente ma era troppo tardi, gli aveva già sporcato i pantaloni. Imprecò e cercò di allontanarla a gesti, visto che non ricordava le parole adatte per farlo in spagnolo, ma rimase sorpreso quando lei replicò in perfetto inglese che si era persa e che forse lui poteva accompagnarla a casa. Allora la guardò più attentamente.

"Sono Eliza Sommers. Si ricorda di me?" mormorò la ragazzina.

Approfittando del fatto che Miss Rose si trovava a Santiago per farsi fare il ritratto e che Jeremy Sommers, cui si erano inondate le cantine degli uffici, appariva molto di rado a casa in quei giorni, aveva pensato di andare alla processione e aveva tanto tormentato Mama Fresia che quest'ultima, alla fine, aveva ceduto. I padroni le avevano proibito di menzionare riti cattolici o indigeni davanti alla bambina e meno che meno di farvela assistere, ma anche lei moriva dalla voglia di vedere il Cristo di Maggio almeno una volta nella vita. I fratelli Sommers non sarebbero mai venuti a saperlo, aveva concluso. E quindi le due se l'erano svignata in silenzio da casa, erano scese per la collina a piedi, erano salite su un carro che le aveva lasciate vicino alla piazza e si erano unite a un gruppo di indios penitenti. Tutto sarebbe andato secondo il programma se nel tumulto e nel fervore di quel giorno Eliza non si fosse liberata dalla mano di Mama Fresia che, contagiata dall'isteria collettiva, non se n'era accorta. Aveva iniziato a gridare, ma la sua voce si era persa nel clamore delle invocazioni e dei tristi tamburi della confraternita. Si era messa a correre in cerca della sua tata, ma tutte le donne sembravano identiche sotto le mantelle scure e i suoi piedi scivolavano sull'acciottolato ricoperto di fango, di cera di candele e di sangue. Ben presto le diverse colonne erano confluite in un unico ammasso di persone che si trascinava come un animale ferito, mentre le campane rintoccavano impazzite e le sirene delle barche in porto suonavano. Non fu in grado di capire per quanto tempo fosse rimasta paralizzata dal terrore, poi a poco a poco nella sua mente erano iniziate a schiarirsi le idee. Nel frattempo l'esagitata processione si era calmata, si erano tutti inginocchiati e su un palco di fronte alla chiesa il vescovo in persona stava officiando una messa cantata. Eliza pensò di incamminarsi verso Cerro Alegre, ma temette di essere sorpresa dal buio prima di arrivare a casa; non era mai uscita da sola e non sarebbe stata in grado di orientarsi. Decise di non muoversi fino a quando la folla non si fosse dispersa, allora forse Mama Fresia l'avrebbe trovata. In quel momento i suoi occhi avevano incrociato un uomo dai capelli rossi aggrappato al monumento della piazza e aveva riconosciuto il malato di cui si era presa cura con la tata. Senza esitare si era fatta strada fino a raggiungerlo.

"Che cosa fai qui? Sei ferita?" domandò l'uomo.

"Mi sono persa; mi può riportare a casa?"

Jacob Todd le pulì il viso con un fazzoletto e la esaminò rapidamente, verificando che non aveva riportato ferite evidenti. Concluse che il sangue dovesse essere quello dei flagellanti.

"Ti porterò all'ufficio di Mr Sommers."

Ma lei lo pregò di non farlo, perché se il suo protettore fosse venuto a sapere che era stata alla processione, avrebbe cacciato Mama Fresia. Todd iniziò a cercare una carrozza a nolo, operazione non semplice in quel frangente, mentre la bambina camminava silenziosa stringendogli la mano. Per la prima volta nella sua vita, l'inglese provò un sussulto di tenerezza per quella piccola mano tiepida avvinta alla sua. Di tanto in tanto la guardava di nascosto, commosso da quel viso infantile dai neri occhi a mandorla. Alla fine si imbatterono in un carretto trainato da due muli e il conducente accettò di portarli sulla collina per il doppio della tariffa normale. Fecero il viaggio in silenzio e un'ora dopo Jacob Todd lasciava Eliza di fronte a casa. Lei si congedò ringraziandolo, ma senza invitarlo a entrare. Lui la guardò allontanarsi, piccola e fragile, coperta fino ai piedi dalla mantella nera. All'improvviso la bambina fece mezzo giro, corse verso di lui, gli gettò le braccia al collo e gli stampò un bacio sulla guancia. Grazie, disse ancora una volta. Jacob Todd ritornò all'hotel con lo stesso carretto. Di tanto in tanto si toccava la guancia, sorpreso da quel sentimento dolce e triste che la bambina gli ispirava.

Le processioni servirono non solo ad accrescere il pentimento collettivo, ma anche, come poté verificare lo stesso Jacob Todd, a mettere fine alle piogge, giustificando per l'ennesima volta l'ottima reputazione del Cristo di Maggio. In meno di quarantotto ore il cielo si schiarì e un timido sole spuntò a portare una nota di ottimismo nel concerto di disgrazie di quei giorni. Per colpa delle burrasche e delle epidemie erano passate in tutto nove settimane prima che riprendessero gli incontri del mercoledì dai Sommers, e ne dovettero passare altre ancora prima che Jacob Todd osasse alludere ai suoi romantici sentimenti con Miss Rose. Quando infine si decise, lei finse di non aver sentito, ma messa alle strette dalla sua insistenza se ne uscì con una risposta mortificante.

"L'unica cosa positiva del matrimonio è la vedovanza," disse.

"Un marito è un abito che, per quanto brutto, veste comunque," replicò lui, senza perdere il buonumore.

"Non nel mio caso. Un marito sarebbe un intralcio e non potrebbe darmi niente che io già non abbia."

"Figli, magari..."

"Ma quanti anni mi dà, Mr Todd?"

"Non più di diciassette!"

"Non si prenda gioco di me. Fortunatamente ho Eliza."

"Sono testardo, Miss Rose, non mi do mai per vinto."

"Gliene sono grata, Mr Todd. Ma a vestire non è un marito, sono i molti pretendenti."

Comunque fosse, Rose fu la ragione per cui Jacob Todd si fermò in Cile ben oltre i tre mesi pattuiti per la vendita delle bibbie. I Sommers furono un tramite sociale perfetto e grazie a loro gli si aprirono facilmente le porte della prospera colonia straniera, disposta ad aiutarlo nella presunta missione religiosa in Terra del Fuoco. Si ripromise di documentarsi sugli indios patagoni, ma dopo aver dato uno sguardo sonnolento ad alcuni libercoli in biblioteca, capì che era irrilevante sapere o non sapere, dal momento che a tale proposito l'ignoranza era collettiva. Bastava dire quello che la gente desiderava sentire e per far ciò poteva contare sulla sua comunicativa. Per piazzare il carico di bibbie ai potenziali clienti cileni dovette migliorare il suo spagnolo incerto. Grazie ai due mesi passati in Spagna e al suo buon orecchio, riuscì a imparare meglio e più velocemente di quanto non avessero fatto molti britannici arrivati in Cile vent'anni prima. All'inizio celò le sue idee politiche troppo liberali, ma notò che a ogni riunione sociale lo incalzavano con le domande e che si trovava sempre circondato da un gruppo di ascoltatori stupiti. I suoi discorsi abolizionisti, egualitari e democratici scuotevano dal torpore quelle brave persone, offrivano spunti per interminabili discussioni tra gli uomini e per terrorizzate esclamazioni delle signore mature, ma attiravano irrimediabilmente le più giovani. L'opinione generale lo definiva fanatico e le sue idee incendiarie erano considerate divertenti, mentre il suo dileggiare la famiglia reale britannica non piaceva per niente ai membri della colonia inglese per i quali la regina Vittoria era intoccabile, come Dio e l'Impero. La sua modesta ma più che accettabile rendita gli permetteva di vivere piuttosto agiatamente senza aver mai lavorato sul serio e ciò lo ascriveva alla categoria dei cavalieri. Non appena si scoprì che era libero da legami, non mancarono solerti fanciulle in età da marito che cercarono di acciuffarlo, ma dopo aver conosciuto

Rose Sommers, Todd non aveva occhi che per lei. Si chiese migliaia di volte perché mai la giovane fosse rimasta nubile e l'unica risposta che quell'agnostico razionalista seppe darsi fu che il cielo l'aveva destinata a lui.

"Fino a quando mi tormenterà, Miss Rose? Non ha paura che mi stanchi di inseguirla?" scherzava con lei.

"Non si stancherà, Mr Todd. Inseguire il gatto è molto più divertente che catturarlo," replicava.

L'eloquenza del falso missionario fu una novità in quell'ambiente e non appena si venne a sapere che si era studiato con coscienza le Sacre Scritture, gli venne offerto di predicare. Esisteva un piccolo tempio anglicano, malvisto dalle autorità cattoliche, ma la comunità protestante si riuniva anche nelle case private. "Quando mai si è vista una chiesa senza vergini e diavoli? I gringo sono tutti eretici, non credono nel papa, non sanno pregare, passano il tempo a cantare e non fanno neanche la comunione," borbottava Mama Fresia scandalizzata quando toccava ai Sommers organizzare la funzione domenicale. Todd si preparò a commentare brevemente la fuga degli ebrei dall'Egitto, per poi fare riferimento alla situazione degli immigrati che, come gli ebrei biblici, dovevano ambientarsi in terra straniera, ma Jeremy Sommers lo presentò al pubblico come missionario e gli chiese di parlare degli indios della Terra del Fuoco. Jacob Todd non sapeva né situare la regione né l'origine di quel nome così suggestivo, ma riuscì a commuovere fino alle lacrime l'uditorio con la storia di tre selvaggi catturati da un capitano inglese per essere portati in Inghilterra. In meno di tre anni quei poveri infelici, che vivevano nudi nel freddo glaciale ed erano soliti compiere atti di cannibalismo, disse, giravano vestiti decorosamente, si erano trasformati in buoni cristiani e avevano appreso le buone maniere civilizzate, arrivando persino ad apprezzare la cucina inglese. Non specificò, tuttavia, che non appena furono rimpatriati tornarono immediatamente alle antiche abitudini, come se non fossero mai stati sfiorati dall'Inghilterra o dalla parola di Gesù. Su suggerimento di Jeremy Sommers, venne organizzata all'istante una colletta per finanziare l'impresa della divulgazione della fede; i risultati furono talmente incoraggianti che il giorno successivo Jacob Todd fu in grado di aprire un conto nella succursale di Valparaíso della Banca di Londra. Il conto veniva settimanalmente alimentato dai contributi dei protestanti e continuava ad aumentare, nonostante i frequenti prelievi con cui Todd finanziava le sue spese personali quando la sua rendita non era sufficiente a coprirle. Più denaro veniva depositato, più si moltiplicavano gli ostacoli e i pretesti per rimandare la missione evangelizzatrice. E così passarono due anni.

A Valparaíso Jacob Todd arrivò a sentirsi a suo agio come se vi fosse nato. Cileni e inglesi avevano in comune vari tratti del carattere: risolvevano qualsiasi cosa con avvocati e curatori fallimentari; erano abitudinari e assurdamente legati alla tradizione e ai simboli della patria; si vantavano di essere individualisti e avversi all'ostentazione, che disprezzavano in quanto simbolo dell'arrivismo sociale; erano apparentemente gentili e controllati, ma capaci di grande crudeltà. A differenza degli inglesi, però, i cileni erano terrorizzati dall'eccentricità e non c'era cosa che temessero quanto rendersi ridicoli. Se parlassi un castigliano corretto, pensava Jacob Todd, mi sentirei davvero a casa. Si era sistemato nella pensione di una vedova inglese che offriva protezione ai gatti e sfornava le torte più rinomate del porto. Dormiva con quattro felini sul letto, in buona compagnia come non era mai stato, e tutte le mattine la colazione offriva le torte tentatrici della padrona di casa. Entrò in contatto con cileni di ogni classe sociale, dai più umili, che conosceva durante le scorrerie per i bassifondi del porto, ai più elevati socialmente. Jeremy Sommers lo presentò al Club dell'Unione dove fu accettato come membro invitato. Solo gli stranieri di riconosciuta importanza sociale potevano fregiarsi di tale privilegio, dato che si trattava di una piccola enclave di proprietari terrieri e di politici conservatori, in cui il valore dei soci si misurava dal cognome. Le porte gli si spalancarono grazie alla sua abilità con le carte e i dadi; perdeva con tale grazia che erano in pochi ad accorgersi di quanto guadagnava. Divenne amico di Agustín del Valle, proprietario di terreni agricoli in quella zona e di greggi di pecore nel Sud, dove non aveva mai messo piede, perché poteva contare su fattori giunti appositamente dalla Scozia. Questa nuova amicizia gli consentì di visitare le austere dimore delle famiglie aristocratiche cilene, magioni quadrate e buie dalle ampie stanze semivuote, arredate senza raffinatezza, con mobili pesanti, candelabri funerei e una serie di crocefissi sanguinanti, vergini di gesso e santi vestiti come antichi nobili spagnoli. Erano case proiettate verso l'interno, chiuse verso la strada da alte grate di ferro, scomode e rustiche, ma dotate di freschi corridoi e di pati interni disseminati di gelsomini, aranci e rosai.

Quando sbocciò la primavera, Agustín del Valle invitò i Sommers e Jacob Todd in una delle sue tenute. Il viaggio si rivelò un incubo; un cavaliere poteva coprire quel tragitto a cavallo in quattro o cinque ore, ma la carovana della famiglia e degli ospiti partì all'alba e non arrivò se non a notte inoltrata. I del Valle si spostavano su carri trainati da buoi in cui erano stati collocati tavoli e divani di felpa. Erano poi seguiti da una processione di muli con i bagagli e di braccianti a cavallo armati con primitivi schioppi per difendersi dai banditi che erano soliti tendere agguati alle curve delle strade. Alla snervante lentezza degli animali andavano aggiunte le buche della strada in cui le stanghe dei carri si dissestavano e le frequenti soste per riposare, durante le quali i domestici servivano le vivande contenute nelle ceste in mezzo a un nugolo di mosche. Todd non s'intendeva di agricoltura, ma era sufficiente uno sguardo per capire che su quella terra fertile regnava l'abbondanza; la frutta cadeva dagli alberi e marciva per terra senza che nessuno si prendesse la briga di raccoglierla. Nella proprietà ritrovò lo stesso stile di vita conosciuto anni prima in Spagna: una famiglia numerosa unita da intricati legami di sangue e da un codice d'onore inflessibile. L'anfitrione era un potente patriarca di tipo feudale che teneva in pugno i destini dei suoi discendenti e che ostentava con arroganza un albero genealogico riconducibile fino ai primi conquistatori spagnoli. I miei trisavoli, raccontava, percorsero più di mille chilometri rivestiti di pesanti armature di ferro, attraversarono montagne, fiumi e il deserto più arido del mondo, per fondare la città di Santiago. All'interno della famiglia era simbolo di autorità e dignità, ma al di fuori della sua classe aveva fama di essere una canaglia. Vantava una prole di bastardi e la cattiva fama di aver liquidato più d'un fittavolo in uno dei suoi leggendari accessi di malumore, ma di queste morti, come di tanti altri peccati, non si faceva mai parola. Pur essendo sulla quarantina, la moglie sembrava un'anziana tremula e sottomessa, sempre in gramaglie per i figli morti nell'infanzia e soffocata dal peso del corsetto, dalla religione e da quel marito che la sorte le aveva riservato. I figli maschi trascorrevano la loro vita oziosa tra messe, passeggiate, sieste, giochi e baldoria, mentre le figlie galleggiavano come ninfe misteriose per stanze e giardini, tra fruscii di sottovesti, sempre sotto l'occhio vigile delle governanti. Erano state preparate sin da piccole a un'esistenza di virtù, fede e abnegazione; i loro destini erano matrimoni di convenienza e maternità.

In campagna assistettero a una corrida di tori che non assomigliava neanche lontanamente al brillante spettacolo di coraggio e morte della Spagna; nessun abito ricamato da torero, niente fanfare, passione e gloria, ma solo un'accozzaglia di ubriachi temerari che tormentavano l'animale con lance e insulti e che venivano catapultati nella polvere dalle cornate, tra imprecazioni e risate. Il momento più pericoloso della corrida fu quando si dovette portar fuori dall'arena la bestia infuriata e ferita, ma ancora viva. Todd ringraziò il cielo che al toro venisse risparmiata l'infamia definitiva della pubblica esecuzione perché il suo buon cuore inglese preferiva veder morto il torero piuttosto che l'animale. Di pomeriggio gli uomini giocavano a carte a *tresillo* e a *rocambor,* riveriti come principi da un autentico stuolo di camerieri cupi e umili, i cui sguardi non si levavano da terra e le cui voci non andavano mai al di là di un mormorio. Pur non essendo schiavi, lo sembravano. Lavoravano in cambio di protezione, di un tetto e di parte della semina; in teoria erano liberi, ma rimanevano con il padrone, per quanto fosse un despota e le condizioni di vita fossero dure, perché non sapevano dove andare. La schiavitù era stata abolita dieci anni prima senza tanto chiasso. Il traffico di africani in quelle zone prive di piantagioni non era mai stato redditizio, ma nessuno denunciava il destino degli indios, privati delle loro terre e ridotti in miseria, né degli affittuari dei campi, che come gli animali venivano venduti ed ereditati con la terra. Non si menzionavano neppure i carichi di schiavi cinesi e polinesiani destinati alle guaniere delle Isole Chinchas. Se non sbarcavano, non c'erano problemi: la legge proibiva la schiavitù sulla terraferma, ma non diceva niente a proposito del mare. Mentre gli uomini giocavano a carte, Miss Rose si annoiava discretamente in compagnia della signora del Valle e delle sue numerose figlie. Eliza, invece, galoppava in aperta campagna con Paulina, l'unica figlia di Agustín del Valle che sfuggisse al modello languido delle donne di quella famiglia. Aveva parecchi anni più di Eliza, ma quel giorno con lei si divertì, come se avessero la stessa età, entrambe con i capelli al vento e il viso al sole, intente a spronare le loro cavalcature.

SIGNORINE

Eliza Sommers era una ragazzina piccola e minuta, con lineamenti delicati da disegno al tratto. Nel 1845, quando compì tredici anni e si cominciò a notare un accenno di vita e di seni, sembrava ancora una mocciosa, ma già si intravedeva quella grazia nei modi che sarebbe stata il suo più grande attributo di bellezza. L'implacabile vigilanza di Miss Rose diede alla sua ossatura la dirittura di una lancia: durante le interminabili ore di esercizi di pianoforte e di ricamo la obbligava a stare eretta con una bacchetta metallica fissata alla schiena. Non diventò molto alta e mantenne sempre quell'ingannevole aspetto infantile che più di una volta le salvò la vita. Era talmente bambina che durante la pubertà continuò a dormire raggomitolata nello stesso lettino dell'infanzia, circondata dalle sue bambole e con il dito in bocca. Imitava l'atteggiamento svogliato di Jeremy Sommers, perché pensava che fosse segno di forza interiore. Con gli anni si stancò di fingersi annoiata, ma l'allenamento le servì per imparare a controllarsi. Eliza collaborava ai lavori domestici della servitù: un giorno faceva il pane, un altro macinava il granturco, uno faceva prender aria ai materassi e un altro faceva bollire il bucato bianco. Passava molte ore accucciata dietro alla tenda della sala a divorarsi i classici della biblioteca di Jeremy Sommers, i racconti romantici di Miss Rose, i giornali arretrati e qualsiasi lettura a portata di mano, per quanto noiosa fosse. Da Jacob Todd si fece regalare una delle sue bibbie in spagnolo e cercò di decifrarla con infinita pazienza, perché la sua formazione scolastica era avvenuta in inglese. Si immergeva nell'Antico Testamento morbosamente affascinata dai vizi e dalle passioni dei re che avevano sedotto le spose altrui, dai profeti che castigavano con fulmini terribili e dai padri che procreavano con le loro stesse figlie. Nel ripostiglio dove si accumulavano le anticaglie trovò cartine, libri di viaggio e documenti di navigazione dello zio John, che le servirono per definire i confini del mondo. I precettori assunti da Miss Rose le impartirono lezioni di francese, di scrittura, di storia, di geografia e di un po' di latino, più di quanto venisse inculcato nelle migliori scuole per fanciulle della capitale, in cui, in fin dei conti, non si imparavano che preghiere e buone maniere. Le letture disordinate, come anche i racconti del capitano Sommers, misero le ali alla sua immaginazione. Quello zio navigatore che appariva in casa con il suo carico di regali metteva in moto la fantasia con le sue storie inaudite di imperatori neri su troni di oro massiccio, di pirati malesi che collezionavano occhi umani in scatolette di madreperla, di principesse arse sulle pire funebri dei loro anziani mariti. A ogni sua visita veniva rimandato tutto, dai compiti alle lezioni di piano. L'anno scorreva nell'attesa del suo arrivo e nel collocare spilli sulla cartina, immaginando le latitudini d'alto mare percorse dal suo veliero. Eliza aveva scarsi contatti con i suoi coetanei, viveva nell'universo chiuso della casa dei suoi benefattori, nell'eterna illusione di non trovarsi lì, bensì in Inghilterra. Jeremy Sommers ordinava tutto per catalogo, dal sapone alle scarpe, e si vestita con abiti leggeri d'inverno e con il cappotto in estate, perché si regolava in base al calendario dell'emisfero nord. La ragazzina ascoltava e osservava con attenzione, aveva un temperamento allegro e indipendente, non chiedeva mai aiuto e possedeva il raro dono di diventare invisibile a suo piacimento, perdendosi tra i mobili, le tende e i fiori della tappezzeria. Il giorno in cui si svegliò con la camicia macchiata da una sostanza rossiccia andò da Miss Rose a comunicarle che lì in basso si stava dissanguando.

"Non parlarne con nessuno, è una questione molto privata. Ormai sei una donna e dovrai comportarti come tale, le bambinate sono finite. È ora che tu vada alla scuola per fanciulle di Madame Colbert," fu l'unica spiegazione che la madre adottiva le diede, tutta d'un fiato e senza guardarla, mentre dall'armadio prendeva una dozzina di piccoli asciugamani orlati da lei.

"Bella fregatura, bambina, adesso ti cambierà il corpo, ti si annebbieranno le idee e qualsiasi uomo potrà fare con te quel che gli pare," l'avvertì poi Mama Fresia, cui Eliza non poté non rivelare la novità.

L'india conosceva erbe in grado di bloccare per sempre il flusso mestruale, ma si astenne dal somministrargliele per paura dei padroni. Eliza raccolse il monito con serietà e decise di rimanere vigile per impedire che tutto ciò avvenisse. Si fasciò stretto il busto con una striscia di seta, certa che se per secoli questo metodo aveva prodotto la riduzione dei piedi delle cinesi, come diceva zio John, non c'era motivo per supporre che non funzionasse per schiacciare i seni. Decise anche di dedicarsi alla scrittura; aveva visto per anni Miss Rose scrivere sui suoi quaderni e immaginò che lo facesse per combattere la maledizione delle idee annebbiate. All'ultima parte della profezia – che qualsiasi uomo avrebbe potuto fare con lei quel che gli pareva – non prestò invece la stessa attenzione, semplicemente perché non riusciva a entrare nell'ordine di idee che ci potesse essere qualche uomo nel suo futuro. Erano tutti più grandi di lei di almeno vent'anni; il mondo era sprovvisto di esseri di sesso maschile della sua generazione. Gli unici che le sarebbero piaciuti come mariti, il capitano John Sommers e Jacob Todd, non erano alla sua portata, il primo in quanto zio e il secondo perché innamorato di Miss Rose, come tutta Valparaíso sapeva.

Anni dopo, ricordando la sua infanzia e la sua giovinezza, Eliza pensava che Miss Rose e Jacob Todd avrebbero potuto formare una bella coppia; lei avrebbe potuto addolcire le asperità di Todd e lui l'avrebbe potuta riscattare dalla noia, ma le cose andarono diversamente. Nel giro di alcuni anni, quando ormai la capigliatura di entrambi si era imbiancata e la solitudine era diventata un'abitudine ben consolidata, si sarebbero incontrati nuovamente in California in strane circostanze; allora lui avrebbe ripreso a corteggiarla con la medesima intensità e lei avrebbe ripreso a rifiutarlo con la stessa determinazione. Ma tutto ciò avvenne molto tempo dopo.

Jacob Todd non si lasciava scappare occasione per recarsi dai Sommers; non ci fu ospite più assiduo e puntuale agli incontri, più attento quando Miss Rose cantava con i suoi impetuosi gorgheggi né più pronto a onorare le sue battute, comprese quelle non prive di crudeltà con cui era solita tormentarlo. Era una persona ricca di contraddizioni, ma questo non valeva anche per lui? Non era forse un ateo, venditore di bibbie, che stava abbindolando mezzo mondo con la fola di una presunta missione evangelizzatrice? Si chiedeva perché, pur essendo così attraente, non si fosse sposata; una donna nubile alla sua età non aveva né un futuro né uno spazio nella società. All'interno della colonia inglese si mormorava a proposito di un certo scandalo di anni prima in Inghilterra e ciò poteva spiegare la sua presenza in Cile e il ruolo di governante del fratello, ma lui non volle mai conoscere i dettagli di quella diceria e preferì il mistero alla certezza di qualcosa che forse non avrebbe saputo tollerare. Il passato non aveva molta importanza, si ripeteva. Era sufficiente un unico passo falso o un errore di calcolo per infangare la reputazione di una donna e impedirle di contrarre un buon matrimonio. Avrebbe dato due anni della sua vita pur di vedere corrisposto il suo sentimento, ma lei non dava segnali di voler cedere all'assedio, anche se nemmeno lo incoraggiava a desistere: si divertiva ad allentare le redini per poi frenare all'improvviso.

"Mr Todd è un uccellaccio del malaugurio con strane idee, denti da cavallo e mani sudate. Non mi sposerei mai con lui, neanche se fosse l'ultimo celibe rimasto sulla faccia della terra," Miss Rose confessò ridendo a Eliza.

Alla ragazza il commento non piacque. Si sentiva in debito con Jacob Todd, che non solo l'aveva salvata durante la processione del Cristo di Maggio, ma aveva anche taciuto l'incidente come se non si fosse mai verificato. Le piaceva quello strano alleato che sapeva di cane di grossa taglia come suo zio John. La buona impressione che già ne aveva si trasformò poi in affetto leale quando, nascosta dietro le pesanti tende di velluto verde della sala, ebbe modo di origliare una sua conversazione con Jeremy Sommers.

"Devo prendere una decisione per quanto riguarda Eliza, Jacob. Non ha la più pallida idea del suo posto in società. La gente inizia a fare domande e sicuramente Eliza immagina un futuro diverso da quello che l'aspetta. Non c'è niente di più pericoloso del demone della fantasia acquattato nell'animo femminile."

"Stia tranquillo, amico mio. Eliza è ancora una ragazzina, ma è intelligente e saprà sicuramente trovare il suo posto."

"L'intelligenza è un ostacolo per le donne. Rose vuole mandarla alla scuola per fanciulle di Madame Colbert, ma non sono d'accordo sul fatto che le ragazze vadano tanto educate, diventano intrattabili. Ognuno al suo posto è il mio motto."

"Il mondo sta cambiando, Jeremy. Negli Stati Uniti, gli uomini liberi sono uguali davanti alla legge. Le classi sociali sono state abolite."

"Stiamo parlando di donne, non di uomini. E poi gli Stati Uniti sono un paese di commercianti e di pionieri, senza tradizioni né senso della storia. L'uguaglianza non esiste da nessuna parte, nemmeno tra gli animali, e men che meno in Cile."

"Siamo stranieri, Jeremy, balbettiamo appena il castigliano. Cosa ci importa delle classi sociali cilene? Non apparterremo mai a questo paese..."

"Dobbiamo dare il buon esempio. Se noi britannici non siamo in grado di mantenere l'ordine nelle nostre case, cosa possiamo aspettarci dagli altri?"

"Eliza è stata allevata in questa famiglia. Non credo che Miss Rose accetterebbe di degradarla solo per il fatto che sta crescendo."

E così fu. Rose sfidò il fratello con il repertorio completo delle sue indisposizioni. Dapprima furono le coliche e poi un'allarmante emicrania che dalla sera alla mattina l'accecò. Per diversi giorni la casa entrò in uno stato di quiete: si chiusero le tende, si camminò in punta di piedi e si parlò sussurrando. Si smise di cucinare, perché l'odore del cibo acutizzava i sintomi, Jeremy Sommers mangiava al Club e tornava a casa con l'atteggiamento sconcertato e timido di chi è in visita in un ospedale. La strana cecità e i molteplici malanni di Rose, così come lo scaltro silenzio dei dipendenti della casa, ne minarono rapidamente le solide fondamenta. Come se non bastasse, Mama Fresia, misteriosamente informata delle discussioni private dei fratelli, si trasformò in una straordinaria alleata della padrona. Jeremy Sommers si riteneva uomo colto e pragmatico, invulnerabile alle intimidazioni di una fattucchiera superstiziosa come Mama Fresia, ma quando l'india iniziò ad accendere candele nere e a diffondere fumo di salvia ovunque con il pretesto di spaventare le zanzare, si chiuse in biblioteca, tra l'intimorito e il furioso. Di notte la sentiva dall'altro lato della porta trascinare i piedi nudi e canticchiare a mezza voce cantilene e maledizioni. Quando il mercoledì trovò una lucertola morta nella bottiglia del brandy, decise di agire una volta per tutte. Per la prima volta bussò alla porta della camera della sorella e fu ammesso in quel santuario di misteri femminili che preferiva ignorare, come del resto faceva con la stanza del cucito, la cucina, la lavanderia, le stanzette buie dell'attico in cui dormivano le cameriere e la casupola di Mama Fresia in fondo al patio; il suo mondo erano i saloni, la biblioteca con scaffali di mogano scuro e la sua collezione di incisioni con motivi venatori, la sala da biliardo con il sontuoso tavolo intagliato, la sua camera arredata con semplicità spartana e la piccola stanza con piastrelle italiane destinata all'igiene personale, dove pensava, un giorno o l'altro, di far installare un gabinetto moderno come quello dei cataloghi di New York, perché aveva letto che il sistema di bacinelle e di raccolta degli escrementi umani in secchi da utilizzare come fertilizzanti era fonte di epidemie. Mentre aspettava che i suoi occhi si abituassero alla penombra, aspirava turbato un odore misto di medicine e persistente aroma di vaniglia. Rose si intravedeva appena, dimagrita e sofferente, sdraiata sul letto privo di cuscino, con le braccia conserte sul petto come se si stesse esercitando per la morte. Al suo fianco, Eliza stava strizzando un panno impregnato di un infuso di tè verde da collocarle sugli occhi.

"Lasciaci soli, bambina," disse Jeremy Sommers, accomodandosi su una sedia di fianco al letto.

Eliza accennò a chiedere discretamente permesso e uscì, ma, conoscendo a menadito i punti deboli della casa, con l'orecchio appoggiato al delicato tramezzo divisorio poté sentire quella conversazione, che poi ripeté a Mama Fresia e trascrisse sul suo diario.

"Va bene, Rose. Non possiamo continuare a farci la guerra. Mettiamoci d'accordo. Cos'è che vuoi?" chiese Jeremy, già sconfitto.

"Niente, Jeremy," sospirò lei con una voce che si sentiva appena.

"Non accetteranno mai Eliza nella scuola di Madame Colbert. Lì ci vanno solo le bambine delle classi alte e delle famiglie tradizionalmente costituite. Sanno tutti che Eliza è adottata."

"Ci penserò io a fare in modo che la accettino!" esclamò lei con una passione davvero stupefacente in un'agonizzante.

"Ascoltami, Rose. Eliza non ha bisogno di essere ulteriormente educata. Deve imparare un lavoro per potersi guadagnare da vivere. Cosa ne sarà di lei quando non ci saremo più né tu né io a proteggerla?"

"Se riceverà un'educazione, farà un buon matrimonio," disse Rose, lanciando la pezza di tè verde per terra e tirandosi su dal letto.

"Eliza non è quel che si dice una bellezza, Rose."

"Non l'hai guardata bene, Jeremy. Migliora di giorno in giorno, diventerà graziosa, te l'assicuro. Avrà pretendenti da vendere!"

"Orfana e senza dote?"

"Avrà una dote," replicò Miss Rose, saltando maldestramente giù dal letto e facendo qualche passo da cieca, scapigliata e a piedi nudi.

"Come sarebbe? Non ne avevamo mai parlato..."

"Perché non era giunto il momento, Jeremy. Una ragazza da marito ha bisogno di gioielli, di un corredo di biancheria sufficiente per diversi anni e di tutto il necessario per la casa, oltre a una buona somma di denaro che serva alla coppia per avviare qualche attività."

"E si può sapere quale dovrebbe essere il contributo del fidanzato?"

"La casa e mantenere la donna per il resto dei suoi giorni. A ogni modo, manca ancora parecchio tempo prima che Eliza raggiunga l'età del matrimonio e per quel momento avrà una dote. Io e John ci occuperemo di metterla insieme, non ti chiederemo neanche uno spicciolo, ma non vale proprio la pena di perdere tutto questo tempo a parlarne adesso. Devi considerare Eliza come una figlia."

"Ma non lo è, Rose."

"Allora trattala come fosse figlia mia. Sei d'accordo almeno su questo?"

"Sì," cedette Jeremy Sommers.

Le infusioni di tè si rivelarono miracolose. L'ammalata si rimise completamente, nel giro di quarantotto ore aveva recuperato la vista ed era raggiante. Si dedicò al fratello con incantevole premura; non era mai stata tanto dolce e sorridente con lui. La casa riprese il suo ritmo normale e dalla cucina tornarono a uscire in direzione della sala da pranzo i deliziosi piatti creoli di Mama Fresia, il pane aromatico impastato da Eliza e i raffinati dessert che tanto avevano contribuito alla fama di buoni anfitrioni dei Sommers. A partire da quel momento Miss Rose modificò radicalmente il suo comportamento volubile con Eliza e si impegnò, con una dedizione materna del tutto nuova, a prepararne l'ingresso a scuola, dando inizio al contempo a un irresistibile assedio a Madame Colbert. Aveva deciso che Eliza dovesse avere studi, dote e fama di bella, pur non essendolo, perché la bellezza, secondo lei, era una questione di stile. Sosteneva che qualsiasi donna che si comporti con l'olimpica sicurezza di una vera bellezza, finisce per convincere tutti di esserlo. Il primo passo per emancipare Eliza sarebbe stato un buon matrimonio, visto che la ragazza non poteva contare su un fratello maggiore che le facesse da schermo, come nel suo caso. Miss Rose non vedeva quali vantaggi offrisse un matrimonio: una sposa era una proprietà del marito e i suoi diritti erano inferiori a quelli di un servo e di un bambino; ma, d'altro canto, una donna sola e senza fortuna si trovava alla mercé dei peggiori abusi. Una coniugata, se dotata d'astuzia, quanto meno poteva manovrare il marito e con un po' di fortuna poteva persino ritrovarsi presto vedova.

"Io darei con gioia metà della mia vita pur di godere della stessa libertà di un uomo, Eliza. Ma siamo donne, e siamo spacciate. L'unica cosa che possiamo fare è trarre il massimo profitto dal poco che abbiamo."

Non le disse che l'unica volta che aveva tentato di volare con le sue ali la realtà l'aveva fatta schiantare al suolo, perché non voleva infondere idee sovversive nella testa della ragazzina. Era decisa a darle un destino migliore del suo, l'avrebbe allenata nell'arte della dissimulazione, della manipolazione e degli stratagemmi che sarebbero risultati più utili dell'ingenuità, di questo era certa. Si chiudeva con lei tre ore alla mattina e altre tre nel pomeriggio a studiare i testi scolastici arrivati dall'Inghilterra; intensificò lo studio del francese con un professore, perché nessuna ragazza a modo poteva ignorare quell'idioma. Passava il resto del tempo a supervisionare personalmente ogni punto cucito da Eliza per la sua dote: lenzuola, asciugamani, tovaglie e biancheria intima meravigliosamente ricamata che poi veniva avvolta in teli e profumata con lavanda. Ogni tre mesi il contenuto dei bauli veniva estratto e steso al sole, onde evitare che l'umidità e le tarme lo sciupassero durante gli anni d'attesa che lo separavano dal matrimonio. Comprò uno scrigno per i gioielli della dote e affidò a suo fratello John l'incarico di riempirlo con i regali dei suoi viaggi. Si accumularono zaffiri provenienti dall'India, smeraldi e ametiste brasiliane, collane e braccialetti d'oro veneziano e persino una piccola spilla di diamanti. Jeremy Sommers non fu mai messo al corrente dei dettagli e continuò a ignorare il sistema con cui i fratelli finanziavano tali capricci.

Le lezioni di piano, ora impartite da un professore arrivato dal Belgio che utilizzava una bacchetta per colpire le torpide dita dei suoi studenti, si trasformarono per Eliza in un martirio quotidiano. Iniziò anche a frequentare un'accademia tradizionale di danza e, su suggerimento del maestro, venne obbligata da Miss Rose a camminare per ore mantenendo in equilibrio un libro sulla testa allo scopo di crescere dritta. Eliza ottemperava agli obblighi, faceva gli esercizi di piano e camminava dritta come un fuso anche senza libro sulla testa, ma di notte se la svignava a piedi nudi verso il patio della servitù e spesso l'alba la sorprendeva addormentata su un pagliericcio abbracciata a Mama Fresia.

Due anni dopo le inondazioni il destino mutò: il paese godeva di un buon clima, di tranquillità politica e di benessere economico. I cileni si sentivano comunque sulle spine; erano avvezzi alle disgrazie naturali e tanta bonaccia credevano potesse essere il preludio a una catastrofe di maggiori proporzioni. In quel periodo, a nord, vennero anche scoperti ricchi giacimenti d'oro e d'argento. Durante la Conquista, quando gli spagnoli percorrevano l'America in cerca di questi metalli razziando tutto quanto passava loro tra le mani, il Cile veniva considerato il deretano del mondo, perché, paragonato con le ricchezze del resto del continente, aveva poco da offrire. Durante la marcia forzata sulle sue grandiose montagne e per il deserto lunare del Nord l'avidità nel cuore di quei conquistatori si esauriva e, se qualcosa rimaneva, gli indomiti indios si occupavano di trasformarlo in pentimento. I capitani, poveri e sfiniti, maledicevano quella terra sulla quale l'unica soluzione era piantare le bandiere e lasciarsi morire, perché ritornare senza gloria sarebbe stato peggio. Trecento anni dopo quelle miniere, nascoste agli occhi degli ambiziosi soldati spagnoli e spuntate all'improvviso come per magia, costituirono un premio inatteso per i loro discendenti. Si accumularono grandi ricchezze alle quali si unirono quelle derivanti dall'industria e dal commercio. L'antica aristocrazia terriera che aveva sempre tenuto il coltello per il manico si sentì minacciata nei suoi privilegi e il disprezzo per i ricchi dell'ultima ora diventò il segno di distinzione.

Uno di questi ricconi si innamorò di Paulina, la figlia maggiore di Agustín del Valle. Si trattava di Feliciano Rodríguez de Santa Cruz, divenuto facoltoso in pochi anni grazie a una miniera d'oro sfruttata in compartecipazione con il fratello. Delle sue origini si sapeva poco, ma aleggiava il sospetto che i suoi avi fossero stati ebrei convertiti e che il roboante cognome cristiano fosse stato adottato per sottrarre vittime all'Inquisizione, ragione più che sufficiente per essere apertamente rifiutato dai superbi del Valle. Tra le cinque figlie di Agustín, Jacob Todd prediligeva Paulina perché la sua indole temeraria e allegra gli ricordava Miss Rose. La ragazza aveva un modo franco di ridere che contrastava con i sorrisi delle sorelle nascosti dietro ai ventagli e alle mantiglie. Quando venne a sapere dell'intenzione del padre di chiuderla in un convento di clausura per ostacolarne gli amori, Jacob Todd, infischiandosene dell'opportuna prudenza, decise di aiutarla. Prima che la portassero via, trovò il modo di scambiare da solo con lei un paio di frasi, complice la disattenzione della governante. Sapendo di non disporre del tempo necessario per dare spiegazioni, Paulina estrasse dalla scollatura una lettera piegata e ripiegata talmente tante volte da sembrare un sasso e gli chiese di recapitarla all'innamorato. Il giorno successivo la ragazza partì, sequestrata dal padre, per un viaggio di diversi giorni su strade impossibili alla volta di Concepción, una città del Sud prossima alle riserve indigene, in cui le monache avrebbero portato a termine il compito di restituirle il senno a suon di preghiere e digiuni. Per evitare che le venisse la peregrina idea di scappare o ribellarsi, il padre ordinò che la rapassero. La madre raccolse le trecce, le avvolse in una tela di batista ricamata e le regalò alle beate della chiesa della Matriz perché ne facessero parrucche per i santi. Nel frattempo Todd non solo riuscì a consegnare la missiva, ma grazie ai fratelli della ragazza scoprì l'esatta ubicazione del convento e passò l'informazione al tormentato Feliciano Rodríguez de Santa Cruz. Grato, il pretendente si tolse l'orologio da tasca e relativa catena d'oro massiccio e insistette perché il benemerito complice del suo amore lo accettasse, ma quest'ultimo, offeso, lo rifiutò.

"Non so come ripagarla per quel che ha fatto," mormorò Feliciano, turbato.

"Non deve farlo."

Per parecchio tempo Jacob Todd non seppe nulla della sfortunata coppia, ma, due mesi dopo, la piccante notizia della fuga della signorina era il pettegolezzo al centro di qualsiasi riunione sociale, e l'orgoglioso Agustín del Valle non riuscì a impedire che si impreziosisse sempre più di particolari pittoreschi che lo coprivano di ridicolo. La versione offerta, alcuni mesi più tardi, da Paulina a Jacob Todd, fu che in un pomeriggio di giugno, uno di quei pomeriggi invernali dalla pioggia fina e dal precoce imbrunire, era riuscita a eludere la sorveglianza e a fuggire dal convento vestita con l'abito da novizia, portandosi via i candelabri dell'altare maggiore. Grazie alle informazioni di Jacob Todd, Feliciano Rodríguez de Santa Cruz si era trasferito a sud e si era mantenuto in segreto contatto con lei fin dall'inizio, in attesa dell'occasione in cui incontrarsi. Quel pomeriggio l'attendeva in prossimità del convento e quando la vide arrivare gli ci volle qualche secondo per riconoscere quella novizia mezza calva che franava tra le sue braccia senza mollare i candelabri.

"Non guardarmi così, su, i capelli ricrescono," disse lei baciandolo in piena bocca.

Feliciano la riportò a Valparaíso in una carrozza chiusa e la sistemò provvisoriamente in casa della madre vedova, il più rispettabile nascondiglio che gli venne in mente, con l'intenzione di proteggere il suo onore fin dove possibile, benché non ci fosse modo di impedire che lo scandalo li travolgesse. Il primo impulso di Agustín fu di affrontare in duello il seduttore della figlia, ma quando si decise a farlo, venne a sapere che costui si trovava in viaggio d'affari a Santiago. Si dedicò allora alla ricerca di Paulina, aiutato da figli e nipoti armati e decisi a vendicare l'onore della famiglia, mentre la madre e le sorelle recitavano in coro il rosario per la figlia depravata. Lo zio vescovo, che aveva consigliato di mandare Paulina dalle monache, cercò di infondere un pizzico di saggezza negli animi, ma quei primitivi non avevano orecchie per prediche da buon cristiano. Il viaggio di Feliciano faceva parte del progetto architettato con il fratello e Jacob Todd. Lui era partito per la capitale senza fare tanto chiasso, mentre gli altri due mettevano in moto il piano d'azione a Valparaíso facendo pubblicare su un giornale liberale la notizia della scomparsa della signorina Paulina del Valle, indiscrezione che la famiglia si era guardata bene dal divulgare. Fu questo a salvare la vita agli innamorati.

Alla fine Agustín si rassegnò al fatto che non erano più tempi in cui sfidare la legge e, più che con un doppio omicidio, era meglio lavare l'onore con un pubblico matrimonio. Si stipularono gli accordi per una pace forzata e una settimana dopo, quand'era tutto pronto, Feliciano tornò. I fuggitivi si presentarono alla residenza del Valle accompagnati dal fratello dello sposo, da un avvocato e dal vescovo. Jacob Todd rimase discretamente assente. Paulina fece la sua comparsa vestita con un abito molto semplice, ma quando si tolse il mantello tutti poterono notare che, con gesto di sfida, portava un diadema da regina. Procedeva al braccio della futura suocera, che era disposta a farsi garante della sua virtù, ma cui non fu data l'opportunità di svolgere il suo ruolo. Siccome l'ultimo dei desideri della famiglia era un'altra notizia sul giornale, Agustín del Valle non poté far altro che accogliere la figlia ribelle e l'indesiderato pretendente. Li ricevette circondato da figli e nipoti nella sala da pranzo, trasformata per l'occasione in tribunale, mentre le donne della famiglia, recluse dall'altra parte della casa, venivano informate dei particolari dalle cameriere, che sbirciavano da dietro le porte e correvano a riferire ogni singola parola. Dissero che la ragazza si era presentata con tutti quei diamanti che brillavano tra i capelli dritti della sua testa da tignosa e aveva affrontato il padre senz'ombra di modestia o di timore, annunciando che conservava ancora i candelabri, sottratti, per la verità, solo per fare un dispetto alle monache. Agustín del Valle aveva agitato un frustino da cavalli, ma lo sposo si era frapposto per ricevere la punizione, e allora il vescovo, ormai stanco, ma con intatta autorità, era intervenuto adducendo l'irrefutabile argomentazione che non ci sarebbe potuto essere un matrimonio pubblico che tacitasse le chiacchiere se gli sposi si fossero presentati con il viso segnato.

"Fai servire una tazza di cioccolata, Agustín, e sediamoci a parlare come persone civili," aveva proposto il dignitario della Chiesa.

E così fecero. Ordinarono alla figlia e alla vedova Rodríguez de Santa Cruz di attendere fuori perché era una questione da uomini, e dopo aver consumato diverse brocche di schiumosa cioccolata giunsero a un accordo. Venne redatto un documento nel quale i termini economici furono messi ben in chiaro e l'onore delle due parti in salvo; si firmò davanti al notaio e si procedette alla definizione dei particolari delle nozze. Un mese dopo Jacob Todd presenziò a un ricevimento indimenticabile in cui la prodiga ospitalità della famiglia del Valle superò ogni limite; ci furono balli, canti e abbuffate fino al giorno successivo e gli invitati se ne andarono commentando la bellezza della sposa, la felicità dello sposo e la fortuna dei suoceri che sposavano la figlia con un solido, se pur recente, capitale. Gli sposi partirono immediatamente per il Nord del paese.

CATTIVA REPUTAZIONE

Jacob Todd soffrì per la partenza di Feliciano e Paulina: con il milionario delle miniere e la sua vivace sposa aveva stretto una bella amicizia. Si trovava molto bene tra i giovani imprenditori, tanto quanto iniziava a non sentirsi a proprio agio tra i membri del Club dell'Unione. Come lui, i giovani imprenditori erano imbevuti di idee europee, erano moderni e liberali, diversamente dalla vecchia oligarchia terriera che rimaneva immobile nel suo mezzo secolo di ritardo. Gli restavano ancora centosettanta bibbie stoccate sotto il letto delle quali si era dimenticato perché tanto aveva perso la scommessa già da tempo. Era riuscito a padroneggiare lo spagnolo tanto da potersi arrangiare senza bisogno di aiuto e, nonostante non venisse corrisposto, continuava a essere innamorato di Rose Sommers: due buone ragioni per rimanere in Cile. I continui sgarbi della giovane si erano trasformati in una dolce abitudine e non sortivano più l'effetto di umiliarlo. Imparò ad accettarli con ironia e a renderli senza malizia, come in un gioco a palla di cui solo loro due conoscevano le misteriose regole. Entrò in contatto con alcuni intellettuali e trascorse intere serate a discutere di filosofi francesi e tedeschi, così come di scoperte scientifiche che aprivano nuovi orizzonti al sapere umano. Aveva a disposizione lunghe ore per pensare, leggere e discutere.

Si era progressivamente appassionato a idee che annotava su un grosso quaderno sgualcito dal tanto uso e spendeva buona parte della sua rendita in libri che ordinava a Londra e in testi che acquistava nella Libreria Santos Tornero, nel quartiere El Almendral, dove risiedevano i francesi e dove era altresì ubicato il miglior bordello di Valparaíso. La libreria era il punto d'incontro di intellettuali e aspiranti scrittori. Todd soleva trascorrere giornate intere a leggere; poi passava i libri ai suoi compagni, che li traducevano in qualche modo e li pubblicavano in modesti opuscoli che facevano passare di mano in mano.

Del gruppo degli intellettuali, il più giovane era Joaquín Andieta che, nonostante i suoi diciotto anni, era in grado di compensare la mancanza d'esperienza con una naturale vocazione alla leadership. La sua personalità elettrizzante risultava ancora più sorprendente proprio se messa in relazione alla sua giovane età e alle ristrettezze economiche in cui viveva. Joaquín non era uomo di molte parole ma d'azione, uno dei pochi dotato di lucidità e coraggio sufficienti per trasformare in impulso rivoluzionario le idee dei libri; gli altri preferivano discuterne all'infinito attorno a una bottiglia nel retrobottega della libreria. Fin dall'inizio Todd aveva provato simpatia per Andieta, c'era in lui qualcosa di inquietante e di patetico che lo attraeva. Aveva notato quanto fosse malandata la sua valigetta e sdrucita la stoffa dei suoi abiti, trasparente e inconsistente come le tuniche di una cipolla. Per celare i buchi sulle suole degli stivali, non si sedeva mai in modo da sollevare i piedi; come del resto non si levava mai la giacca perché, come Todd immaginava, la camicia probabilmente era un cimitero di toppe e rammendi. Non possedeva un cappotto decente, ma d'inverno era il primo ad alzarsi all'alba per andare a distribuire i volantini e ad attaccare gli striscioni con cui si invitavano i lavoratori a ribellarsi agli abusi dei padroni, i marinai a quelli dei capitani e delle imprese di navigazione; un'attività spesso inutile, dato che i destinatari erano per la maggior parte analfabeti e i suoi appelli alla giustizia rimanevano dunque alla mercé del vento e dell'indifferenza della gente.

Mediante indagini svolte con discrezione, Jacob Todd scoprì che il suo amico era impiegato presso la Compagnia Britannica d'Importazione ed Esportazione. Registrava gli articoli che passavano per gli uffici del porto in cambio di un misero stipendio e di un orario sfiancante. Gli venivano altresì richiesti colletto inamidato e scarpe lustre. La sua vita trascorreva in una sala non aerata e mal illuminata, in cui le scrivanie si allineavano una dopo l'altra all'infinito e in cui si accatastavano fascicoli e libracci impolverati che non venivano revisionati praticamente mai. Todd chiese di lui a Jeremy Sommers, ma quest'ultimo non riuscì a metterlo a fuoco; lo vedeva sicuramente ogni giorno, disse, ma non intratteneva rapporti personali con i suoi dipendenti e difficilmente poteva individuarli per nome. Per altre vie seppe che Andieta viveva con la madre, ma del padre non riuscì ad acquisire informazione alcuna; immaginò che fosse un marinaio di passaggio e la madre una di quelle donne sfortunate che non rientravano in nessuna categoria sociale, forse illegittima o ripudiata dalla propria famiglia. Joaquín Andieta aveva tratti andalusi e la grazia virile di un giovane torero e in lui tutto suggeriva risolutezza, flessuosità, controllo; i suoi movimenti erano precisi, il suo sguardo intenso e il suo orgoglio commovente. Agli ideali utopici di Todd contrapponeva un freddo senso della realtà. Todd predicava la creazione di una società comunitaria, senza sacerdoti né poliziotti, governata democraticamente da una legge morale unica e inappellabile.

"Lei vive nel mondo dei sogni, Mr Todd. Sono talmente tante le cose da fare, che non abbiamo tempo da perdere per parlare di fantasie," lo interrompeva Joaquín Andieta.

"Ma se non cominciamo almeno con l'immaginarcela una società perfetta, come possiamo pensare di crearla?" replicava Todd facendo sventolare il suo quaderno ogni giorno più voluminoso, al quale aveva aggiunto piantine di città ideali in cui ogni abitante era capace di provvedere al proprio fabbisogno alimentare e dove tutti i bambini crescevano sani e felici sotto la protezione della comunità, perché se non esisteva la proprietà privata, non si poteva certo reclamare il possesso di figli.

"Dobbiamo migliorare le condizioni disastrose in cui viviamo qui. La prima cosa da fare è unire i lavoratori, i poveri e gli indios, dare la terra ai contadini e togliere potere ai preti. Bisogna modificare la costituzione, Mr Todd. Qui votano solamente i proprietari; insomma, sono i ricchi a governare. I poveri non contano nulla."

In un primo momento Jacob Todd architettò complesse manovre pur di aiutarlo, ma ben presto dovette desistere perché le sue iniziative offendevano l'amico. Gli commissionava lavoretti in modo da avere un pretesto per dargli dei soldi, ma Andieta, dopo averli svolti coscienziosamente, era irremovibile nel rifiutare qualsiasi forma di pagamento. Se Todd gli offriva una sigaretta, una coppa di brandy o il suo ombrello in una sera di pioggia, Andieta reagiva con gelida arroganza, lasciandolo sconcertato e a volte risentito. Il giovane non faceva mai cenno alla sua vita privata o al suo passato, si materializzava brevemente per condividere qualche ora di conversazione rivoluzionaria o qualche infiammata lettura nella libreria, per poi svanire come fumo alla fine delle serate. Non aveva spiccioli a disposizione per andare con gli altri all'osteria e non accettava inviti che non potesse ricambiare.

Una sera Todd, incapace di convivere oltre con l'incertezza, lo seguì per il labirinto di strade del porto che gli consentivano di nascondersi nell'ombra degli androni o agli angoli di quel dedalo di viuzze che, stando alla gente, erano tortuose non a caso, ma per impedire che le imboccasse il Diavolo. Vide Joaquín Andieta arrotolarsi i calzoni, togliersi le scarpe, avvolgerle in un foglio di giornale e riporle con cura nella sua logora valigetta da dove estrasse dei sandali da contadino. A quell'ora tarda, in giro vagavano solamente gatti sfaccendati che frugavano nella spazzatura e qualche anima persa. Sentendosi una sorta di ladro, Todd avanzò nel buio praticamente incollato ai talloni dell'amico; poteva cogliere il suo respiro agitato e il frusciare delle mani che strofinava in continuazione per combattere il vento gelido e pungente. I suoi passi lo condussero a un grande edificio, cui si accedeva grazie a uno di quei vicoli stretti tipici della città. Un fetore di urina ed escrementi lo investì in pieno viso; per quei quartieri passavano di rado gli uomini del servizio di igiene con i loro lunghi uncini per sgorgare i canali di scolo. Comprese la ragione per cui Andieta si era tolto il suo unico paio di scarpe: non poteva sapere cosa stava calpestando, i piedi sprofondavano in un brodo pestilenziale. Nella notte senza luna, la scarsa luce filtrava dalle imposte sgangherate delle finestre, molte delle quali, prive di vetri, erano state tappate con assi o cartoni. All'interno si potevano scorgere, attraverso le fessure, stanze miserabili illuminate da candele. La lieve foschia dava alla scena un tocco irreale. Vide Joaquín Andieta accendere un fiammifero, proteggerlo con il corpo dall'aria, estrarre una chiave e aprire una porta alla tremula luce della fiamma. "Sei tu, figliolo?" sentì pronunciare nitidamente da una voce femminile, più chiara e giovane di quanto si aspettasse. Immediatamente la porta si chiuse. Todd rimase a lungo al buio a osservare la casupola con l'incontenibile desiderio di bussare alla porta, desiderio dettato non solo dalla curiosità, ma anche dall'infinito affetto che provava per l'amico. Diavolo, sono diventato scemo, borbottò alla fine. Fece dietrofront e si diresse verso il Club dell'Unione per bere un goccio e per leggere i giornali, ma prima ancora di arrivarci se ne pentì, incapace di affrontare lo scarto tra la povertà che si era appena lasciato alle spalle e quei saloni con mobili di cuoio e lampadari di cristallo. Ritornò nella sua camera, consumato da un fuoco di compassione del tutto simile a quella febbre che l'aveva messo in pericolo di vita durante la sua prima settimana in Cile.

Così stavano le cose alla fine del 1845, quando la flotta commerciale marittima della Gran Bretagna assegnò a Valparaíso un cappellano che si occupasse delle esigenze spirituali dei protestanti. Quest'ultimo si mostrò seriamente intenzionato a sfidare i cattolici, a costruire una solida chiesa anglicana e a infondere nuova forza alla comunità. Il suo primo atto ufficiale fu la disamina dei conti del progetto di missione in Terra del Fuoco, di cui non si intravedeva alcun risultato. Jacob Todd si fece invitare in campagna da Agustín del Valle, sperando di dare così tempo sufficiente al nuovo pastore per scoraggiarsi, ma quando ritornò, due settimane dopo, constatò che il cappellano non si era dimenticato della faccenda. Per un certo periodo Todd inventò nuovi pretesti per evitarlo, ma alla fine dovette affrontare un revisore e poi una commissione della Chiesa anglicana. Si aggrovigliò in spiegazioni che divennero sempre più fantasiose a mano a mano che i numeri provavano con disarmante evidenza l'ammanco. Restituì i soldi rimasti sul conto, ma la sua reputazione subì un irrimediabile tracollo. Le riunioni del mercoledì a casa Sommers per lui erano finite, e nessuno della colonia straniera tornò a invitarlo; per strada lo evitavano e chi aveva affari in corso con lui li diede per conclusi. La notizia della frode raggiunse gli amici cileni che gli suggerirono in modo discreto, ma risoluto, di non frequentare più il Club dell'Unione, se desiderava evitare l'onta dell'espulsione. Non lo accettarono più alle partite a cricket né al bar dell'Hotel Inglés; si trovò improvvisamente isolato e persino i suoi amici liberali gli voltarono le spalle. La famiglia del Valle in blocco gli tolse il saluto, salvo Paulina, con la quale Todd mantenne uno sporadico rapporto epistolare.

Paulina aveva avuto il primo figlio al Nord e dalle sue lettere trapelava soddisfazione per la vita coniugale. Feliciano Rodríguez de Santa Cruz – sempre più ricco, stando a quanto si diceva – si era rivelato un marito fuori dal comune. Era convinto che l'audacia da lei dimostrata nella fuga dal convento e nel modo in cui aveva piegato la famiglia per poterlo sposare non andasse diluita in faccende domestiche, bensì sfruttata a beneficio di entrambi. Quella moglie, educata come una vera signorina, che a stento sapeva leggere e far di conto, aveva sviluppato un'autentica passione per gli affari. In un primo momento, il suo interessarsi ai particolari dei processi di estrazione e di trasporto dei minerali, così come all'andamento della Borsa, avevano stupito Feliciano, che però aveva presto imparato a tenere in considerazione lo straordinario intuito della moglie. Grazie ai suoi consigli, dopo sette mesi di matrimonio, realizzò ingenti guadagni speculando sullo zucchero. Con gratitudine la omaggiò di un servizio da tè d'argento lavorato in Perù, che pesava diciannove chili. Paulina, che a causa della compatta protuberanza del ventre costituita dal primo figlio riusciva a muoversi a malapena, rifiutò il regalo senza sollevare gli occhi dalle scarpine che stava lavorando a maglia.

"Preferisco che tu apra un conto corrente a mio nome in una banca di Londra e che da adesso in poi versi il venti per cento dei profitti che otterrò per te."

"Ma perché? Non ti do forse tutto quello che desideri e molto di più?" chiese Feliciano piccato.

"La vita è lunga e piena di imprevisti. Non vorrei mai essere una vedova povera, e per di più con prole," spiegò lei, toccandosi la pancia.

Feliciano uscì sbattendo la porta, ma il suo innato senso della giustizia ebbe la meglio sulla contrarietà del marito offeso. Inoltre, pensò, quel venti per cento per Paulina sarebbe stato un efficace incentivo. Fece quello che chiedeva, nonostante non avesse mai sentito parlare di una donna maritata con un patrimonio a proprio nome. Se una sposa non poteva viaggiare da sola, firmare documenti legali, ricorrere alla giustizia, vendere o comprare senza l'autorizzazione del marito, men che meno poteva disporre di un conto corrente da usare a suo piacimento. In banca e ai soci non sarebbe stato semplice da spiegare.

"Venga al Nord con noi, il futuro è nelle miniere e lì può iniziare da capo," suggerì Paulina a Jacob Todd quando, durante una delle sue brevi visite a Valparaíso, venne a sapere che era caduto in disgrazia.

"Amica mia, e lì cosa potrei fare?" mormorò quest'ultimo.

"Vendere bibbie," disse Paulina in tono burlone, ma immediatamente commossa dalla profonda tristezza di Todd gli offrì la sua casa, la sua amicizia e un lavoro nelle imprese del marito.

Todd tuttavia era talmente scoraggiato per la cattiva sorte e la pubblica vergogna che non trovò le forze per intraprendere una nuova avventura al Nord. La curiosità e l'inquietudine che prima lo sospingevano erano state sostituite dall'ossessione di recuperare il buon nome perduto.

"Sono rovinato, signora, non lo vede? Un uomo privo d'onore è un uomo morto."

"I tempi sono cambiati," lo rincuorò Paulina. "Prima l'onore infangato di una donna si lavava solo con il sangue. Ma come ben sa, Mr Todd, nel mio caso è stato lavato da una brocca di cioccolata. L'onore degli uomini è molto più resistente del nostro. Non si disperi."

Feliciano Rodríguez de Santa Cruz, che non aveva dimenticato il suo intervento ai tempi dell'amore frustrato con Paulina, decise di prestargli del denaro affinché potesse restituire fino all'ultimo centesimo i soldi delle missioni, ma Todd pensò che tra essere in debito con un amico o con il cappellano protestante preferiva esserlo con quest'ultimo, visto che comunque la sua reputazione era già andata in pezzi. Nel giro di poco tempo fu costretto a congedarsi dai gatti e dalle torte, perché la vedova inglese della pensione lo cacciò con una sequela interminabile di recriminazioni. La buona signora aveva raddoppiato gli sforzi in cucina per finanziare la diffusione della fede in quelle regioni dall'inverno sempiterno, dove un vento spettrale ululava giorno e notte, come diceva Jacob Todd, ebbro di eloquenza. Quando venne a sapere che la destinazione dei suoi risparmi erano le mani del falso missionario, giustamente montò su tutte le furie e lo sbatté fuori di casa. Grazie all'aiuto di Joaquín Andieta, che gli trovò un altro alloggio, si trasferì in una camera piccola, ma con vista sul mare, in uno dei modesti quartieri del porto. La casa era di proprietà di una famiglia cilena e non aveva le pretese europee di quella precedente; si trattava di un vecchio edificio, di mattoni imbiancati a calce e dal tetto di tegole rosse, composto da un ingresso, una grande stanza quasi priva di mobili che fungeva da sala, tinello e camera da letto dei genitori, una più piccola e senza finestre in cui dormivano tutti i bambini e un'altra, in fondo, da affittare. Il proprietario era maestro di scuola e la moglie contribuiva al bilancio fabbricando artigianalmente candele in cucina. L'odore di cera impregnava la casa. Todd ritrovava quell'aroma dolciastro nei libri, negli abiti, nei capelli e perfino nell'anima; gli era talmente penetrato nella pelle che ancora molti anni più tardi, dall'altra parte del mondo, avrebbe continuato a sapere di candele. Frequentava solo i bassifondi del porto, dove a nessuno poteva interessare la reputazione buona o cattiva di un gringo dai capelli rossi. Mangiava nelle osterie dei poveri e passava intere giornate con i pescatori, ad affannarsi con reti e scialuppe. L'esercizio fisico gli faceva bene e per qualche ora riusciva a dimenticare l'orgoglio ferito. Solamente Joaquín Andieta continuava a fargli visita. Si chiudevano in camera a discutere di politica e a scambiarsi testi di filosofi francesi, mentre dall'altro lato della porta i figli del maestro scorrazzavano e la cera delle candele si liquefaceva come un filo d'oro fuso. Joaquín Andieta non accennò mai ai soldi delle missioni, per quanto non potesse ignorare la faccenda, dato che per settimane lo scandalo era stato commentato a gran voce. Quando Todd cercò di spiegargli che non aveva mai avuto intenzione di truffare qualcuno e che era stato semplicemente vittima della sua scarsa predisposizione per i numeri, del suo proverbiale disordine e della sua cattiva stella, Joaquín Andieta, ricorrendo al codice universale, si portò un dito alla bocca e l'invitò a tacere. In un attacco di vergogna e affetto, Jacob Todd lo abbracciò goffamente e l'altro lo strinse per un attimo, ma immediatamente si separò in modo brusco, arrossendo fino alle orecchie. Entrambi indietreggiarono simultaneamente, frastornati, incapaci di comprendere come avessero potuto violare l'elementare regola di comportamento che proibisce ogni sorta di contatto fisico tra uomini, salvo che in battaglia o negli sport violenti. Durante i mesi successivi l'inglese andò alla deriva, si disinteressò del suo aspetto e iniziò a vagare con una barba di più giorni, emanando odore di candele e di alcol. Quando con il gin passava la misura, inveiva come un ossesso, senza prendere fiato, contro i governi, la famiglia reale inglese, i militari e i poliziotti, il sistema dei privilegi di classe, paragonato a quello indiano delle caste, la religione in generale e il cristianesimo in particolare.

"Deve andarsene di qui, Mr Todd, sta uscendo di senno," osò dirgli un giorno Joaquín Andieta, dopo averlo recuperato in una piazza proprio quando una guardia stava per portarselo via.

Esattamente in queste condizioni, mentre predicava come un demente in una strada, lo trovò il capitano John Sommers che già da diverse settimane era sbarcato in porto dalla sua goletta. L'imbarcazione aveva subito gravi danni durante la traversata per Capo Horn e doveva essere sottoposta a lunghe riparazioni. John Sommers aveva trascorso un mese intero in casa dei fratelli Jeremy e Rose. Ciò lo fece decidere a cercare lavoro su uno di quei moderni bastimenti a vapore non appena fosse tornato in Inghilterra, perché non era disposto a ripetere l'esperienza di prigionia nella gabbia famigliare. Amava i suoi cari, ma li preferiva a una certa distanza. Fino ad allora aveva resistito alla tentazione dei piroscafi perché non concepiva l'avventura per mare senza la sfida delle vele e del clima che mettesse alla prova la buona stoffa di un capitano, ma alla fine dovette ammettere che il futuro stava nelle nuove imbarcazioni, più grandi, sicure e rapide. Quando si accorse che stava perdendo colpi, naturalmente diede la colpa alla vita sedentaria. Ben presto la noia iniziò a pesargli come un'armatura e prese a fuggire da casa pur di passeggiare per il porto con l'impazienza di un animale in gabbia. Quando riconobbe il capitano, Jacob Todd abbassò l'ala del cappello e finse di non vederlo per risparmiarsi l'umiliazione dell'ennesima dimostrazione di disprezzo, ma l'uomo di mare lo trattenne con decisione e lo salutò con affettuose pacche sulle spalle.

"Mio caro amico, andiamo a farci un goccetto!" e lo trascinò in un bar vicino.

Si rivelò essere uno di quei posticini del porto noto tra gli avventori per le bevande oneste, dove tra l'altro veniva offerto un piatto unico dalla fama ben meritata: grongo fritto con patate e insalata di cipolla cruda. Todd, che in quei giorni si dimenticava spesso di mangiare ed era sempre al verde, odorò il delizioso profumo del cibo e fu sul punto di svenire. Un'ondata di gratitudine e piacere gli inumidì gli occhi. Cortesemente, John Sommers sviò lo sguardo mentre questi divorava fino all'ultima briciola nel piatto.

"Quella faccenda delle missioni tra gli indios non mi è mai sembrata una buona idea," disse, proprio quando Todd iniziava a chiedersi se il capitano fosse al corrente dello scandalo finanziario. "Quei poveretti non si meritano la disgrazia di essere evangelizzati. Ora cosa pensa di fare?"

"Ho restituito quello che c'era sul conto, ma sono ancora in debito di una bella somma."

"E non sa come pagarla, vero?"

"Al momento no, però..."

"Però un bel niente... Lei aveva offerto a quei buoni cristiani un pretesto per sentirsi virtuosi e adesso gli ha dato un motivo per scandalizzarsi per un certo periodo. Li ha fatti divertire a poco prezzo. Quando le ho chiesto cosa pensava di fare, mi riferivo al suo futuro, non ai debiti."

"Non ho progetti."

"Torni con me in Inghilterra. Qui non c'è posto per lei. Quanti stranieri ci sono in questo porto? Quattro poveri cristi e si conoscono tutti. Mi creda, non la lasceranno in pace. In Inghilterra, invece, può confondersi nella folla."

Jacob Todd rimase a guardare il fondo del bicchiere con un'espressione talmente disperata che il capitano liberò una delle sue grasse risate.

"Non mi dica che rimane qui per mia sorella Rose!"

Era vero. Il ripudio generale sarebbe stato certamente più sopportabile per Todd se Miss Rose avesse dimostrato un minimo di lealtà o di comprensione, ma lei si era rifiutata di riceverlo e gli aveva rispedito senza averle aperte le lettere con cui lui aveva cercato di restituire onorabilità al proprio nome. Non venne mai a sapere che neanche una volta le sue missive erano giunte nelle mani della destinataria perché Jeremy Sommers, violando l'accordo di reciproco rispetto con la sorella, aveva deciso di proteggerla dal suo stesso buon cuore e di impedirle di commettere un'altra irreparabile stupidaggine. Nemmeno il capitano ne era al corrente, ma intuì che tipo di precauzioni Jeremy avesse preso e concluse che certamente anche lui in tali circostanze si sarebbe comportato così. L'immagine del patetico venditore di bibbie trasformato in aspirante alla mano della sorella Rose gli sembrava inaccettabile: per una volta si trovava in completo accordo con Jeremy.

"Erano così evidenti le mie intenzioni verso Miss Rose?" chiese Jacob Todd, turbato.

"Diciamo che non sono un mistero, caro amico."

"Temo di non avere la minima speranza che un giorno possa accettarmi..."

"Lo temo anch'io."

"Mi farebbe l'immenso favore di intercedere per me, capitano? Se Miss Rose mi ricevesse almeno una volta, potrei spiegarle..."

"Non faccia conto su di me come mezzano, Todd. Se Rose contraccambiasse i suoi sentimenti, ne sarebbe già informato. Mia sorella non è timida, glielo assicuro. Le ripeto che l'unica cosa che può fare è andarsene da questo maledetto porto, qui finirà per diventare un mendicante. La mia nave parte fra tre giorni per Hong Kong e da lì per l'Inghilterra. La traversata sarà lunga, ma lei non ha fretta. L'aria fresca e il lavoro duro sono rimedi infallibili contro la stupidità dell'amore. Glielo dico io, che mi innamoro in ogni porto e guarisco non appena torno per mare."

"Non ho i soldi per il biglietto."

"Dovrà lavorare come marinaio e di pomeriggio giocare a carte con me. Se da quando l'ho portata in Cile tre anni fa non ha dimenticato come si fa a barare, senz'altro mi lascerà al verde durante il viaggio."

Pochi giorni dopo, quando Jacob Todd si imbarcò, era molto più povero di quando era arrivato. L'unico che lo accompagnò al molo fu Joaquín Andieta. Il malinconico giovane aveva chiesto di potersi assentare per un'ora dal lavoro. Si congedò da Jacob Todd con una decisa stretta di mano.

"Ci rivedremo, amico," disse l'inglese.

"Non credo," replicò il cileno, che quanto a destino aveva intuizioni più realistiche.

I PRETENDENTI

Due anni dopo la partenza di Jacob Todd, si compì la definitiva metamorfosi di Eliza Sommers. L'ossuto animaletto che era stata durante l'infanzia si trasformò in una ragazza dai morbidi profili e dal viso delicato. Sotto la tutela di Miss Rose, trascorse gli anni ingrati della pubertà tenendo un libro in equilibrio sulla testa e studiando pianoforte, mentre al contempo coltivava nell'orto di Mama Fresia le erbe del luogo e con esse imparava a preparare le antiche ricette per curare malattie note e ancora da conoscere; tra queste, la senape come rimedio all'indifferenza per le occupazioni quotidiane, le foglie d'ortensia per portare a maturazione i tumori e restituire il riso, la violetta per sopportare la solitudine e la verbena con cui condiva la zuppa di Miss Rose, perché questa nobile pianta cura gli eccessi di malumore. Miss Rose non riuscì a fugare l'interesse della sua protetta per la cucina e alla fine si rassegnò a vederle perdere ore preziose tra le pentole annerite di Mama Fresia. Riteneva che il possesso di nozioni culinarie fosse semplicemente un di più nell'educazione di una ragazza; metterla in grado di impartire ordini alla servitù, proprio come faceva lei, era un conto, ma da qui a insudiciarsi con tegami e padelle c'era una bella differenza. Una dama non poteva profumare d'aglio e cipolla; ma alla teoria Eliza preferiva la pratica e si rivolgeva alle sue amicizie a caccia di ricette che prima copiava su un quaderno e poi migliorava preparandole. Poteva trascorrere intere giornate a macinare spezie e noci per le torte o granturco per i pasticci alla creola, a pulire tortore da marinare e frutta con cui fare conserve. A quattordici anni aveva già superato Miss Rose nella sua timida pasticceria e aveva appreso il repertorio di Mama Fresia; a quindici era responsabile dei banchetti nelle serate di mercoledì e quando i piatti cileni smisero di costituire una sfida, si interessò alla raffinata cucina francese, su cui la illuminò Madame Colbert, e alle spezie esotiche provenienti dall'India che zio John era solito portare e che lei, non conoscendo i nomi, identificava dall'odore. Quando il cocchiere lasciava un messaggio agli amici dei Sommers, la busta veniva accompagnata da una leccornia appena uscita dalle mani di Eliza, che aveva fatto assurgere alla categoria di arte l'abitudine locale di inviarsi intingoli e dessert. La sua dedizione era tale che Jeremy Sommers arrivò a immaginarsela proprietaria di una sala da tè, progetto che, come peraltro tutti quelli elaborati dal fratello per la ragazza, era stato scartato da Miss Rose senza essere minimamente vagliato. Una donna che si guadagna da vivere, per quanto rispettabile possa essere la sua attività, è destinata a scendere nella scala sociale, pensava. Lei invece puntava a un buon marito per la sua protetta, e si era concessa un lasso di tempo di due anni per trovarlo in Cile, altrimenti avrebbe condotto Eliza in Inghilterra; certo non poteva correre il rischio che arrivasse a vent'anni senza fidanzato e che rimanesse zitella. Il candidato doveva essere capace di sorvolare sulle sue oscure origini ed entusiasmarsi per le sue virtù. Un cileno non andava neanche preso in considerazione, gli aristocratici si sposavano tra cugini e la classe media non la interessava, non voleva vedere Eliza alle prese con problemi economici. Talvolta entrava in contatto con imprenditori del ramo commerciale o minerario in affari con il fratello Jeremy, ma questi ultimi erano alla ricerca dei cognomi e dei blasoni dell'oligarchia. Era poco probabile che si interessassero a Eliza, visto che il suo fisico non poteva accendere molte passioni: era piccola e magra, e non possedeva il pallore latteo o il busto e i fianchi opulenti prescritti dalla moda. Solamente a un secondo sguardo rivelava la sua bellezza discreta, la grazia dei modi e l'espressione intensa degli occhi; sembrava una bambola di porcellana portata dalla Cina dal capitano Sommers. Miss Rose cercava un pretendente in grado di apprezzare la lucida assennatezza della sua protetta, come anche l'indole risoluta e quella capacità di rigirare le situazioni a suo favore che Mama Fresia chiamava fortuna e lei preferiva denominare intelligenza; un uomo economicamente solido e dal buon carattere che le offrisse sicurezza e rispetto, ma che Eliza potesse agevolmente manovrare. A tempo debito, pensava di insegnarle la sottile disciplina delle attenzioni quotidiane che alimentano nell'uomo l'assuefazione alla vita domestica; il sistema delle carezze temerarie come premio e del silenzio sornione per punizione; i segreti con cui privarlo della volontà, che lei non aveva avuto modo di mettere in pratica, e anche l'arte millenaria dell'amore fisico. Di questo non avrebbe mai avuto il coraggio di parlare apertamente con Eliza, ma poteva contare su diversi libri seppelliti a doppia mandata nel suo armadio, che le avrebbe prestato quando fosse arrivato il momento. Per iscritto si può dire qualunque cosa, questa era la sua teoria, e in fatto di teoria non aveva rivali. Miss Rose poteva salire in cattedra a proposito di tutte le forme possibili e impossibili di fare l'amore.

"Devi adottare Eliza legalmente affinché porti il nostro cognome," pretese da suo fratello Jeremy.

"Lo usa da anni, cosa vuoi di più, Rose?"

"Che possa sposarsi a testa alta."

"Sposarsi con chi?"

Miss Rose non glielo rivelò in quell'occasione, ma aveva già in mente qualcuno. Si trattava di Michael Steward, ventottenne ufficiale della flotta navale inglese di stanza nel porto di Valparaíso. Grazie a suo fratello John, aveva appurato che il militare apparteneva a un'antica famiglia. Che non avrebbe certamente visto di buon occhio il figlio maggiore e unico erede sposato con una sconosciuta priva di fortuna proveniente da un paese il cui nome non si era mai sentito nominare. Era indispensabile che Eliza potesse contare su una dote allettante e che Jeremy la adottasse, così, perlomeno, il problema dei suoi natali non sarebbe stato un ostacolo.

Michael Steward aveva un portamento atletico, uno sguardo innocente di iridi azzurre, baffi e basette biondi, denti sani e naso aristocratico. Il mento sfuggente lo penalizzava in prestanza e Miss Rose sperava di entrare in confidenza per suggerirgli di celarlo facendosi crescere la barba. Secondo il capitano Sommers, il giovane era un esempio di moralità e il suo impeccabile foglio di servizio gli garantiva una brillante carriera in marina. Agli occhi di Miss Rose, il fatto che passasse tanto tempo per mare rappresentava un enorme vantaggio per chi l'avesse sposato. Più ci pensava e più si convinceva di aver scoperto l'uomo ideale, ma Eliza, visto il suo carattere, non lo avrebbe mai accettato solo per convenienza, doveva innamorarsene. Speranze ce n'erano: l'uomo faceva un'ottima figura in uniforme e nessuno l'aveva ancora visto senza.

"Steward non è altro che uno stupidotto dalle buone maniere.

Eliza morirebbe dalla noia se si sposasse con lui," sentenziò il capitano Sommers quando gli rivelò i suoi piani.

"Tutti i mariti sono noiosi, John. Nessuna donna con un briciolo di cervello sposandosi spera di divertirsi; piuttosto di farsi mantenere."

Eliza sembrava ancora una bambina, ma la sua educazione era stata portata a termine e presto avrebbe raggiunto l'età da marito. C'era ancora un po' di tempo davanti, concluse Miss Rose, ma bisognava muoversi con determinazione per impedire che nel frattempo un'altra più sveglia le portasse via il candidato. Una volta presa la decisione, si concentrò sull'obiettivo di attirare l'ufficiale ricorrendo a ogni sorta di pretesto che riuscì a immaginare. Organizzò le serate musicali in modo tale che coincidessero con le occasioni in cui Michael Steward sbarcava, trascurando gli altri ospiti che per anni avevano riservato il mercoledì a questa sacra attività. Infastiditi, alcuni di loro smisero di partecipare. Ed era proprio questo lo scopo che lei voleva raggiungere per trasformare le tranquille serate musicali in allegri ricevimenti e rinnovare la lista degli invitati inserendo giovani scapoli e signorine in età da matrimonio della colonia straniera al posto dei noiosi Ebeling e Applegreen, che stavano assumendo l'aspetto di fossili. I recital di poesia e canto lasciarono il posto a giochi di società, balli informali, gare d'intelligenza e sciarade. E organizzava anche ricercati pranzi campestri e passeggiate sulla spiaggia. Partivano in carrozza, preceduti all'alba da pesanti carri con il fondo in cuoio e coperture di paglia che trasportavano la servitù addetta a installare le innumerevoli ceste delle vettovaglie sotto tende e parasoli. Alla loro vista si dispiegavano fertili valli punteggiate di alberi da frutta, vigneti, campi di grano e mais, ripide coste contro cui l'Oceano Pacifico si infrangeva in nubi di schiuma e in lontananza il superbo profilo della cordigliera innevata. In qualche maniera Miss Rose riusciva sempre a far sì che Eliza e Steward viaggiassero sulla stessa carrozza, sedessero vicini e fossero compagni nei giochi a palla e di pantomima, ma a carte e a domino cercava sempre di separarli perché Eliza si rifiutava categoricamente di lasciarsi battere.

"Devi fare in modo che l'uomo si senta superiore, bambina mia," le spiegò pazientemente Miss Rose.

"È molto faticoso," replicò Eliza risoluta.

Jeremy Sommers non riuscì a metter freno all'ondata di spese della sorella. Miss Rose comprava stoffe all'ingrosso e aveva destinato due delle ragazze di servizio a confezionare tutto il giorno nuovi vestiti copiati dalle riviste. Si indebitava oltre ogni sensato limite con i marinai del contrabbando affinché non mancassero profumi, rossetti della Turchia, belladonna e kajal per accentuare il mistero degli occhi e crema di perle vive per schiarire la pelle. Per la prima volta in vita sua le mancava il tempo per scrivere, affannata com'era nel circondare di attenzioni l'ufficiale inglese, attenzioni che prevedevano anche la preparazione di biscotti e conserve da portarsi in alto mare, il tutto fatto in casa e offerto in deliziose bottigliette. "Eliza ha preparato questo per lei, ma è troppo timida per consegnarglielo personalmente," gli diceva, senza spiegare che Eliza cucinava quello che le veniva chiesto senza domandare a chi fosse destinato e rimaneva pertanto sorpresa quando lui la ringraziava.

Michael Steward non rimase indifferente alla campagna di seduzione. Misurato nelle parole, manifestava la sua riconoscenza con lettere brevi e formali su carta intestata della marina e quando era a terra generalmente si presentava con omaggi floreali. Aveva studiato il linguaggio dei fiori, ma questa finezza cadeva nel vuoto, perché né Miss Rose né altri in quei paraggi, così lontani dall'Inghilterra, avevano sentito parlare della differenza tra una rosa e un garofano, e il colore del nastro a loro non suggeriva nulla. Risultarono dunque assolutamente vani gli sforzi di Steward per trovare fiori che dal rosa pallido salissero progressivamente di tono passando per tutte le gradazioni del rosso fino ad arrivare a quello più acceso, quali indizi della sua crescente passione. Con il tempo l'ufficiale riuscì a superare la timidezza e dal silenzio patetico che all'inizio lo caratterizzava passò a una loquacità fastidiosa per chi l'ascoltava. Esponeva con enfasi le sue opinioni morali riguardo a ogni minima inezia ed era solito perdersi in inutili spiegazioni a proposito di correnti marine e carte nautiche. Dove riusciva davvero a far bella figura era negli sport virili, che mettevano in luce la sua baldanza e la sua buona muscolatura. Miss Rose lo provocava affinché facesse dimostrazioni acrobatiche appeso a un albero del giardino e, non senza dover insistere, ottenne da lui che li dilettasse ballando lo *zapateado* e compiendo le flessioni e i salti mortali di una danza ucraina imparata da un collega marinaio. Miss Rose applaudiva ogni esibizione con entusiasmo eccessivo, mentre Eliza osservava silenziosa e compunta senza fare alcun commento. Passarono così alcune settimane, durante le quali Michael Steward soppesava e misurava le conseguenze del gesto che meditava di fare e si manteneva in contatto epistolare con il padre per discutere i suoi progetti. Gli inevitabili ritardi della posta prolungarono l'incertezza per diversi mesi. Si trattava della decisione più importante della sua vita e per prenderla doveva fare appello a un coraggio più grande di quello necessario a far fronte ai potenziali nemici dell'Impero britannico nel Pacifico. Finalmente, durante una delle serate musicali, dopo aver provato cento volte davanti allo specchio, riuscì a radunare l'audacia che gli si sfilacciava e a rinfrancare la voce che la paura rendeva flautata, e acciuffò Miss Rose nel corridoio.

"Ho bisogno di parlarle in privato," le sussurrò.

Lei lo condusse nella stanza del cucito. Presentiva il contenuto della conversazione e si sorprese della sua stessa emozione, sentì le guance arrossire e il cuore galoppare. Si sistemò un ricciolo che le sfuggiva dallo chignon e si terse delicatamente il sudore della fronte. Michael Steward pensò che non gli era mai sembrata così bella.

"Credo che abbia già intuito cosa le debbo dire, Miss Rose."

"Indovinare è pericoloso. Sono qui ad ascoltarla..."

"Si tratta dei miei sentimenti. Senz'altro lei sa di cosa parlo. Desidero comunicarle che le mie intenzioni sono assolutamente serissime."

"Non mi aspetto niente di meno da una persona come lei. Crede di essere corrisposto?"

"Soltanto lei può rispondere a questa domanda," balbettò il giovane ufficiale.

Rimasero a guardarsi, lei con le sopracciglia sollevate in segno d'attesa e lui con il timore che il soffitto stesse per crollargli sulla testa. Deciso ad agire prima che la magia del momento andasse in fumo, il corteggiatore le posò le mani sulle spalle e si chinò per baciarla. Paralizzata dalla sorpresa, Miss Rose non riuscì a muoversi. Sentì sulla bocca le labbra umide e i morbidi baffi dell'ufficiale senza riuscire a capire che cosa diavolo non avesse funzionato, e quando alla fine fu in grado di avere una reazione lo allontanò bruscamente.

"Ma cosa fa? Non vede quanti anni ho più di lei?" esclamò, asciugandosi la bocca con il dorso della mano.

"Che importanza ha l'età?" farfugliò l'ufficiale sconcertato, perché in effetti aveva calcolato che Miss Rose potesse avere più o meno ventisette anni.

"Come osa? Ha perso il senno?"

"Ma lei... lei mi ha lasciato intendere... no, non posso essermi sbagliato così!" mormorò il poveretto stordito dalla vergogna.

"Sì, certo, ma per Eliza, non per me," esclamò Miss Rose spaventata e uscì di corsa per andare a chiudersi in camera, mentre lo sfortunato pretendente chiedeva mantello e copricapo e se ne andava senza congedarsi da quella casa in cui non avrebbe più messo piede.

Da un angolo del corridoio Eliza aveva sentito tutto attraverso la porta socchiusa della stanza del cucito. Anche lei era stata confusa dalle premure usate all'ufficiale. Miss Rose aveva sempre dimostrato un'indifferenza tale nei riguardi dei suoi pretendenti che si era abituata a considerarla una signora in età. Solo negli ultimi mesi, quando l'aveva vista dedicarsi anima e corpo ai giochi di seduzione, aveva notato il suo magnifico portamento e la sua pelle luminosa. Aveva immaginato che fosse perdutamente innamorata di Michael Steward e non le era mai passato per la testa che i bucolici pranzi campestri sotto parasoli giapponesi e i biscotti al burro con cui mitigare i malesseri della navigazione fossero stratagemmi della sua protettrice per acchiappare l'ufficiale e servirlo a lei su un piatto d'argento. L'idea la ferì come un pugno in pieno petto e le tolse il respiro, perché l'ultima cosa al mondo che desiderava era un matrimonio combinato alle sue spalle. Da poco era preda del vortice del primo amore e aveva giurato, con irremovibile convinzione, che non avrebbe sposato nessun altro.

Eliza Sommers aveva visto Joaquín Andieta per la prima volta un venerdì di maggio del 1848, quando era arrivato a casa tenendo le redini di un carro tirato da diversi muli stracarico di colli della Compagnia Britannica di Importazione ed Esportazione. Contenevano tappeti persiani, lampadari a gocce e una collezione di statue di marmo ordinati da Feliciano Rodríguez de Santa Cruz per abbellire la dimora che si era costruito nel Nord; uno di quei carichi preziosi che in porto correva dei rischi ed era più prudente mettere in deposito nella casa dei Sommers fino a quando non fosse stato spedito ai destinatari finali. Quando il resto del viaggio avveniva via terra, Jeremy assumeva guardie armate per proteggerlo, ma in questo caso doveva farlo pervenire a destinazione su una goletta cilena che sarebbe salpata nel giro di una settimana. Andieta sfoggiava il suo unico vestito, passato di moda, scuro e logoro, non portava né cappello né ombrello. Il pallore funereo contrastava con gli occhi lampeggianti e i capelli neri brillavano grazie all'umidità di una delle prime pioggerelle autunnali. Miss Rose uscì a riceverlo e Mama Fresia, che portava sempre le chiavi di casa appese a un anello in vita, lo guidò fino all'ultimo patio, dove si trovava il magazzino. Il giovane mise i giornalieri in fila e il carico passò di mano in mano percorrendo le asperità del terreno impervio, le scale ritorte, le terrazze sovrapposte e gli inutili spiazzi. Mentre contava, spuntava e prendeva appunti sul suo quaderno, Eliza, sfruttando la sua capacità di rendersi invisibile, riuscì a osservarlo a suo piacimento. Aveva compiuto sedici anni due mesi prima ed era pronta per l'amore. Quando vide le mani dalle dita allungate macchiate d'inchiostro di Joaquín Andieta e sentì la sua voce, profonda ma chiara e fresca come il gorgoglio di un fiume, impartire secchi ordini agli scaricatori, provò una profondissima commozione, e l'incontenibile desiderio di avvicinarsi e di sentirne l'odore l'obbligò ad abbandonare il nascondiglio dietro le palme di un grande vaso. Brontolando perché i muli del carretto avevano sporcato l'ingresso e indaffarata con le chiavi, Mama Fresia non notò niente, ma Miss Rose riuscì a cogliere con la coda dell'occhio il rossore della ragazza. Non gli diede molta importanza, il dipendente del fratello le sembrò un povero diavolo insignificante, un'ombra tra le tante di quel giorno nuvoloso. Eliza sparì in cucina e dopo pochi minuti tornò con i bicchieri e con una brocca di succo d'arancia addolcito con miele. Per la prima volta in vita sua, lei, che aveva passato anni a tenere in equilibrio un libro sulla testa senza pensare a quello che stava facendo, fu cosciente dei propri passi, dell'ondulazione dei fianchi, dell'oscillazione del corpo, dell'angolo delle braccia, della distanza tra le spalle e il mento. Desiderò essere bella come lo era stata Miss Rose quando, splendida giovane, l'aveva riscattata dalla sua culla improvvisata in una scatola di sapone di Marsiglia; desiderò poter cantare con la voce da usignolo con cui la signorina Applegreen intonava le ballate scozzesi; desiderò saper ballare con l'impareggiabile grazia della maestra di danza e desiderò morire in quel momento, sconfitta da un sentimento tagliente e inflessibile come una spada, che le riempiva di sangue caldo la bocca e che, ancor prima di essere formulato, la opprimeva con il peso terribile dell'amore idealizzato. Molti anni dopo, davanti alla testa di un uomo conservata in un fiasco di gin, Eliza avrebbe ricordato quel primo incontro con Joaquín Andieta e avrebbe nuovamente provato la stessa insopportabile angoscia. Si sarebbe chiesta mille volte nel corso del suo cammino se avesse avuto la possibilità di fuggire da quell'opprimente passione destinata a piegarle la vita; se in quei brevi istanti fosse stato forse possibile girarsi e salvarsi, ma ogni volta che avrebbe formulato questa domanda sarebbe giunta alla conclusione che il suo destino era stato tracciato fin dall'inizio dei tempi. E quando il saggio Tao Chi'en le aveva prospettato la poetica possibilità della reincarnazione, si era convinta che in ognuna delle sue vite si sarebbe ripetuto il medesimo dramma: se fosse nata mille volte nel passato e altre mille nel futuro, sarebbe sempre venuta al mondo con la stessa identica missione di amare quell'uomo. Per lei non c'era via di fuga. Tao Chi'en le avrebbe poi insegnato le formule magiche capaci di disfare i nodi del karma e di liberare dalla coazione a ritrovarsi a ogni incarnazione nella stessa lacerante incertezza amorosa.

Quel giorno di maggio Eliza posò il vassoio su una panca e offrì la bibita prima ai lavoratori, per guadagnare tempo mentre rinsaldava le ginocchia e cercava di controllare la rigidità da mula cocciuta che le paralizzava il petto impedendo al respiro di passare, e poi a Joaquín Andieta, che continuava a essere assorto nel suo lavoro e che alzò appena lo sguardo quando lei gli porse il bicchiere. Nel tenderglielo Eliza si avvicinò il più possibile, calcolando la direzione della brezza che le doveva restituire l'aroma di quell'uomo che, ormai era deciso, le apparteneva. A occhi socchiusi aspirò il suo profumo di biancheria umida, di sapone a buon mercato e di sudore fresco. Un fiume di lava incandescente prese a scorrere dentro di lei, le gambe le cedettero e in un attimo di panico credette davvero di essere sul punto di morire. Quei secondi furono talmente intensi che a Joaquín Andieta cadde il quaderno di mano, come se una forza incontenibile glielo avesse portato via, mentre il calore del rogo raggiungeva anche lui, bruciandolo di riflesso. Guardò Eliza senza vederla, il viso della ragazza era uno specchio pallido in cui credette di intravedere la sua stessa immagine. Si fece appena una vaga idea delle dimensioni del suo corpo e dell'aureola scura della capigliatura; ma un'idea più precisa l'avrebbe avuta solamente al loro secondo incontro, qualche giorno più tardi, quando avrebbe potuto finalmente immergersi fino all'annullamento nei suoi occhi neri e nella grazia liquida dei suoi gesti. Si chinarono contemporaneamente per raccogliere il quaderno, le spalle si toccarono e il contenuto del bicchiere finì sul vestito di lei.

"Guarda cosa combini, Eliza!" esclamò Miss Rose in allarme,

perché l'impatto di quell'amore repentino aveva colpito anche lei.

"Vai a cambiarti e sciacqua l'abito in acqua fredda e vediamo se la macchia va via," aggiunse in tono secco.

Ma Eliza, prigioniera degli occhi di Joaquín, tremante, con le narici dilatate che lo annusavano in modo evidente, non si mosse fino a quando Miss Rose non la prese per un braccio e la condusse in casa.

"Te l'avevo detto, bambina, che qualsiasi uomo, anche il più miserabile, può fare di te quello che vuole," le ricordò l'india quella notte.

"Non so di cosa stai parlando, Mama Fresia," replicò Eliza.

Quando quella mattina d'autunno Eliza conobbe Joaquín Andieta nel patio di casa sua, pensò di aver incontrato il proprio destino: sarebbe stata sua schiava per sempre. Non aveva ancora vissuto a sufficienza per poter capire cosa era successo, per esprimere a parole il subbuglio che la soffocava o per approntare un piano, ma l'intuito non le nascose l'ineluttabilità. In modo confuso, ma doloroso, si rese conto di essere in trappola ed ebbe una reazione fisica simile alla peste. Per una settimana, finché non lo rivide, si contorse in coliche strazianti contro le quali nulla poterono le erbe miracolose di Mama Fresia né le polveri d'arsenico diluite in liquore di ciliegie del farmacista tedesco. Calò di peso e le ossa divennero leggere come quelle di una tortora, con sgomento di Mama Fresia che passava il tempo a chiudere le finestre onde evitare che il vento marino trascinasse la ragazza portandosela via verso l'orizzonte. L'india produsse diversi intrugli e scongiuri tratti dal suo vasto repertorio e, quando capì che niente sortiva effetto, ricorse all'agiografia cattolica. Dal fondo del suo baule prelevò i miseri risparmi, comprò dodici candele e si recò a trattare con il prete. Dopo averle fatte benedire durante la messa principale della domenica, ne accese una davanti a ogni santo nelle cappelle laterali della chiesa, otto in tutto, e ne collocò tre davanti all'immagine di sant'Antonio, protettore delle giovani zitelle senza speranza, delle spose infelici e di altre cause perse. Quella rimasta la portò, insieme a una ciocca di capelli e a una camicia di Eliza, alla *machi* più accreditata dei dintorni. Era una vecchia mapuche, cieca dalla nascita, strega di magia bianca, famosa per le sue predizioni inappellabili e per il suo talento nel curare i mali del corpo e le inquietudini dell'anima. Mama Fresia aveva passato gli anni dell'adolescenza a servire questa donna e a fare apprendistato, ma non aveva potuto proseguire su quella strada, come tanto desiderava, perché non possedeva il dono. Non ci si poteva fare nulla: col dono si nasce oppure no. Una volta, quando tentò di chiarirlo a Eliza, l'unica spiegazione che seppe offrirle fu che il dono consisteva nella facoltà di vedere dietro gli specchi. In mancanza di tale misteriosa inclinazione, Mama Fresia aveva dovuto rinunciare alle sue aspirazioni di guaritrice e mettersi a servizio dagli inglesi.

La *machi* viveva sola in fondo a una gola tra due colline, in una capanna di fango dal tetto di paglia che sembrava sul punto di crollare. Intorno regnava un disordine di pietraglia, legna, piante rinvasate, cani pelle e ossa e uccellacci neri che raspavano inutilmente al suolo alla ricerca di qualcosa da mangiare. Lungo il sentiero di accesso si levava un boschetto di offerte e amuleti piantati dai clienti soddisfatti a testimonianza dei favori ricevuti. L'odore della donna sapeva dell'insieme di tutte le cotture preparate nell'arco della sua vita; indossava una mantella dello stesso color terra secca del paesaggio, era scalza e sporca, ma adornata da una profusione di collane d'argento di bassa lega. Il suo viso era una maschera scura di rughe, con due soli denti in bocca e gli occhi privi di vita. Ricevette la vecchia discepola senza mostrare di riconoscerla, accettò i regali, il cibo e la bottiglia di liquore d'anice, le fece cenno di sedersi di fronte a lei e rimase in silenzio, in attesa. In mezzo alla capanna stavano bruciando dei tizzoni vacillanti e il fumo fuoriusciva da un buco del tetto. Dalle pareti annerite dalla fuliggine pendevano pignatte di coccio e di ottone, piante e una collezione di animali essiccati. La fragranza densa di erbe secche e di cortecce medicinali si mescolava al fetore delle carcasse animali. Parlarono in mapudungo, la lingua dei mapuche. La maga ascoltò a lungo la storia di Eliza, dal suo arrivo nella scatola di sapone di Marsiglia alla sua recente crisi, poi prese la candela, i capelli e la camicia e congedò la visitatrice ordinandole di tornare quando avesse portato a termine gli incantesimi e i riti divinatori.

"Si sa che a questo non c'è rimedio," annunciò due giorni dopo non appena Mama Fresia ebbe varcato la soglia della capanna.

"Morirà, allora, la mia bambina?"

"A questo non so dare risposta, ma so per certo che dovrà soffrire molto."

"Ma cos'ha?"

"Ostinazione in amore. È un male molto deciso. Sicuramente ha lasciato aperta la finestra in una notte chiara e le è penetrato nel corpo durante il sonno. Non c'è scongiuro che tenga."

Mama Fresia tornò a casa rassegnata: se l'arte di quella *machi* così saggia non era sufficiente a cambiare il destino di Eliza, nulla potevano le sue scarse conoscenze o le candele ai santi.

MISS ROSE

Miss Rose osservava Eliza più con curiosità che con compassione, perché conosceva bene i sintomi e per sua esperienza diretta sapeva che il tempo e le contrarietà spengono anche i più pericolosi incendi d'amore. Aveva appena diciassette anni quando si era innamorata di folle passione di un tenore viennese. Allora viveva in Inghilterra e sognava di diventare una diva, nonostante l'opposizione tenace di sua madre e del fratello Jeremy, capofamiglia dalla morte del padre. Nessuno dei due riteneva che cantare l'opera fosse un'attività adatta a una signorina, specialmente perché si svolgeva in teatro, di sera, e con abiti scollati. Non poteva contare nemmeno sull'appoggio del fratello John, che si era arruolato nella marina mercantile e faceva capolino in casa due volte all'anno, e sempre di fretta. Arrivava e scombussolava la routine della piccola famiglia, esuberante e abbronzato dal sole di altre latitudini, facendo mostra di qualche nuovo tatuaggio o cicatrice. Distribuiva regali, stordiva i famigliari con i suoi racconti esotici e spariva immediatamente verso i quartieri delle donne di malaffare, dove rimaneva fino al momento del nuovo imbarco. I Sommers erano gentiluomini di provincia, senza grandi ambizioni. Per diverse generazioni avevano posseduto della terra, ma in seguito il padre, stanco di stupide pecore e di magri raccolti, preferì tentare la fortuna a Londra. Pur senza l'avidità del vero collezionista, era talmente appassionato di libri da essere capace di privare del pane la sua famiglia e di indebitarsi pur di acquistare le prime edizioni firmate dei suoi autori preferiti. Dopo infruttuosi tentativi nel campo del commercio, decise di lasciar spazio alla sua autentica vocazione e finì con l'aprire un negozio di libri usati e di testi editi da lui. Nel retrobottega installò una piccola macchina da stampa a cui lavorava con due aiutanti, mentre su un soppalco del medesimo locale fioriva a passo di lumaca il commercio di volumi rari. Dei tre figli, solamente Rose era interessata al suo lavoro; la bambina diventò grande coltivando la passione per la musica e per la lettura e quando non era seduta al piano o intenta agli esercizi di vocalizzo, la si poteva trovare in un angolo a leggere. Il padre soffriva del fatto che fosse lei innamorata dei libri, piuttosto che Jeremy o John, che avrebbero ereditato l'attività. Alla sua morte, i figli maschi liquidarono libreria e stamperia, John si diede al mare e Jeremy si fece carico della madre vedova e della sorella. Disponeva di un modesto stipendio come dipendente della Compagnia Britannica di Importazione ed Esportazione, di una modica rendita lasciata dal padre e degli sporadici contributi del fratello John, che non sempre arrivavano sotto forma di denaro contante e sonante, bensì come merce di contrabbando. Jeremy, scandalizzato, riponeva quelle casse peccaminose nel solaio senza aprirle, se non alla visita successiva del fratello che si occupava di venderne il contenuto. La famiglia si trasferì in un appartamento piccolo e costoso per il suo bilancio, ma ben situato nel cuore di Londra, perché lo ritenne un investimento. Dovevano far contrarre un buon matrimonio a Rose.

A diciassette anni, la bellezza della ragazza iniziò a fiorire e di pretendenti dalla buona posizione economica disposti a morire d'amore ne aveva da vendere, ma mentre le sue amiche si affannavano alla ricerca di un marito, lei cercava un professore di canto. Conobbe così Karl Bretzner, un tenore viennese giunto a Londra per interpretare diverse opere di Mozart; quella di *Le nozze di Figaro* sarebbe stata la sua serata clou, con tanto di partecipazione della famiglia reale. Il suo aspetto non tradiva minimamente il prodigioso talento: sembrava un macellaio. Il suo fisico, rachitico dalle ginocchia in giù, ma dalla pancia voluminosa, era privo di eleganza, e il suo viso sanguigno, incoronato da un cespuglio di riccioli smorti, risultava piuttosto volgare; tuttavia, quando apriva la bocca per dilettare il mondo con il torrente della sua voce, si trasformava in un altro essere, cresceva in altezza, il ventre spariva nell'ampio petto e la rossa faccia teutonica veniva pervasa da una luce olimpica. Per lo meno, così lo vedeva Rose Sommers, che fece in modo di trovare i biglietti per ogni spettacolo. Arrivava al teatro molto prima dell'apertura e, sfidando gli sguardi scandalizzati dei passanti, poco avvezzi a vedere una ragazza della sua condizione da sola, attendeva per ore nei pressi dell'ingresso degli attori per intravedere il maestro che scendeva dalla carrozza. La sera della domenica, l'uomo notò la bellezza appostata per la strada e si avvicinò per parlarle. Tremando, lei rispose alle domande e confessò la sua ammirazione per lui e il desiderio di seguire i suoi passi nell'impervio, ma divino sentiero del *bel canto,* come affermò letteralmente.

"Dopo lo spettacolo venga nel mio camerino e vedremo cosa posso fare per lei," le disse con la sua voce incantevole e un forte accento austriaco.

E così lei fece, toccando il cielo con un dito. Non appena il pubblico, levatosi in piedi, ebbe concluso l'ovazione, un usciere mandato da Karl Bretzner la condusse dietro alle quinte. Lei non aveva mai visto le viscere di un teatro, ma non perse tempo ad ammirare gli ingegnosi macchinari con cui simulare i temporali né i paesaggi dipinti sui fondali: suo unico obiettivo era conoscere l'idolo. Lo trovò avvolto in una vestaglia di velluto blu reale bordata d'oro, il viso ancora truccato e un'elaborata parrucca di riccioli bianchi. L'usciere li lasciò soli e chiuse la porta. La stanza, stipata di specchi, mobili e tendaggi, sapeva di tabacco, belletti e muffa. In un angolo era collocato un paravento dipinto con scene di donne rubiconde in un harem turco e alle pareti erano appesi sulle grucce i costumi dell'opera. Quando vide il suo idolo da vicino, per alcuni momenti l'entusiasmo di Rose si raffreddò, ma lui seppe immediatamente recuperare il terreno perduto. Le prese le mani tra le sue, se le portò alla bocca e le baciò a lungo, poi emise un do di petto che fece sussultare il paravento con le odalische. Gli ultimi accenni di ritrosia vennero rasi al suolo, come le mura di Gerico, nella nube di polvere che la parrucca sprigionò una volta che l'artista, con un gesto appassionato e virile, l'ebbe lanciata su una poltrona, dove rimase inerte come un coniglio senza vita. I capelli schiacciati da una fitta retina, sommati al trucco, gli davano un'aria da cortigiana decrepita.

Sulla medesima poltrona su cui era atterrata la parrucca, un paio di giorni dopo Rose gli avrebbe offerto la sua verginità, esattamente alle tre e un quarto del pomeriggio. Il tenore le aveva dato appuntamento con la scusa di mostrarle il teatro quel martedì, giorno di riposo. Si incontrarono segretamente in una pasticceria in cui lui assaporò con delicatezza cinque *éclaires* di crema e due tazze di cioccolata, mentre lei rigirava il suo tè senza riuscire a inghiottirlo per la paura e per ciò che presentiva. Subito dopo si recarono al teatro. A quell'ora era frequentato unicamente da un paio di donne che pulivano la sala e da un operaio che preparava le lampade a olio, le torce e le candele per il giorno successivo. Karl Bretzner, esperto in materia d'amore, con un colpo di magia fece apparire una bottiglia di champagne, e riempì due calici che bevvero immediatamente brindando a Mozart e a Rossini. Poi sistemò la giovane nel palco di felpa imperiale in cui prendeva posto solamente il re, decorato dall'alto in basso con paffuti amorini e rose di gesso, e si diresse verso il palcoscenico. In piedi su un pezzo di colonna di cartone dipinto, illuminato dalle torce appena accese, cantò solo per lei un'aria da *Il barbiere di Siviglia*, facendo bella mostra di tutta la sua agilità vocale e del morbido delirio della sua voce in interminabili fioriture. Quando si spense l'ultima nota del suo omaggio, sentì i singhiozzi lontani di Rose Sommers, corse verso di lei con inattesa scioltezza, attraversò la sala, scavalcò con due salti il palco e cadde ai suoi piedi in ginocchio. Senza fiato, posò la testa sulla gonna della ragazza, sprofondando il viso tra le pieghe di seta color muschio. Piangeva insieme a lei perché, senza volerlo, anche lui si era innamorato; quella che era cominciata come una delle tante conquiste passeggere, in poche ore si era trasformata in passione incandescente.

Rose e Karl si alzarono, appoggiandosi l'uno all'altra, titubanti e atterriti dall'ineluttabilità, procedettero, senza sapere come, per un lungo corridoio in penombra, salirono una breve scalinata e raggiunsero la zona dei camerini. Il nome del tenore appariva scritto in corsivo su una delle porte. Entrarono in quella stanza zeppa di mobili e costumi di lusso, impolverati e sudati, dove due giorni prima erano stati da soli per la prima volta. Non c'erano finestre e per un attimo si immersero nel rifugio dell'oscurità, dove ritrovarono il fiato perduto in singhiozzi e sospiri, mentre lui accendeva prima un fiammifero e poi le cinque candele di un candelabro. Alla tremula luce gialla delle fiamme si contemplarono, in modo goffo e confuso, investiti da un torrente di emozioni senza sfogo, senza riuscire ad articolare una sola parola. Rose non resse agli sguardi che la trafiggevano e nascose il volto tra le mani, ma lui gliele allontanò con la stessa delicatezza con cui prima aveva sminuzzato i pasticcini alla crema. Iniziarono a scambiarsi lacrimevoli bacetti sul viso simili a becchettii di colombe che, con naturalezza, sfociarono poi in baci veri e propri. Rose, che aveva avuto teneri incontri, incerti e fuggevoli, con alcuni dei propri spasimanti, in cui un paio di loro erano arrivati a sfiorarle la guancia con le labbra, non poteva certo immaginare che fosse possibile arrivare a un tale grado d'intimità, che la lingua di un uomo potesse attorcigliarsi alla sua come una biscia furtiva e che la saliva altrui potesse bagnarla esternamente e invaderla internamente, ma la ripugnanza iniziale fu immediatamente vinta dallo slancio della sua giovane età e dall'entusiasmo per la lirica. Non solo restituì le carezze con pari intensità, ma prese persino l'iniziativa di liberarsi del cappello e della mantellina di astrakan grigio che le copriva le spalle. Da lì a farsi slacciare la giacchetta e poi la camicetta passò solo il tempo di un paio di assestamenti. La fanciulla seppe seguire passo per passo la danza della copula guidata dall'istinto e dalle infuocate letture proibite che aveva sottratto segretamente dagli scaffali del padre. Quello fu il giorno più memorabile della sua vita e negli anni a venire l'avrebbe ricordato nei minimi particolari, abbelliti ed enfatizzati. Quella sarebbe stata la sua unica fonte d'esperienza e conoscenza, l'unico motivo ispiratore che avrebbe alimentato le sue fantasie e creato, anni dopo, un'arte che l'avrebbe resa famosa in alcuni circoli molto riservati. Quel giorno meraviglioso poteva essere paragonato solamente a un altro giorno di marzo di due anni dopo, a Valparaíso, quello in cui Eliza, neonata, le era piovuta tra le braccia per consolarla dei figli che non avrebbe avuto, degli uomini che non avrebbe potuto amare e del focolare che non avrebbe mai costituito.

Il tenore viennese si rivelò un amante raffinato. Amava e conosceva a fondo le donne, ma fu capace di cancellare dalla memoria gli sparsi amori del passato, la frustrazione dei molteplici addii, gelosie, eccessi e inganni di altre relazioni, per consegnarsi con totale innocenza alla breve passione per Rose Sommers. La sua esperienza non proveniva da patetici abbracci con squallide prostitute; Bretzner si pregiava di non aver mai dovuto pagare per il piacere, perché donne di svariate condizioni, dalle umili cameriere alle altere contesse, gli si erano arrese incondizionatamente non appena lo avevano sentito cantare. Le arti dell'amore le aveva imparate insieme a quelle del canto. Aveva dieci anni quando si era innamorata di lui colei che avrebbe funto da mentore, una francese dagli occhi di tigre e i seni di puro alabastro, che in quanto a età poteva essere sua madre e che a sua volta, all'età di tredici anni, in Francia, era stata iniziata da Donatien-Alphonse-François de Sade. Figlia di un secondino della Bastiglia, aveva conosciuto il famoso marchese nella cella immonda in cui egli, alla luce di una candela, scriveva le sue storie perverse.

Lei andava a guardarlo dalle sbarre semplicemente per infantile curiosità, senza sapere che il padre l'aveva venduta al prigioniero in cambio di un orologio d'oro, l'ultima proprietà del nobile caduto in miseria. Una mattina, mentre guardava dallo spioncino, il padre si tolse il mazzo di grandi chiavi dalla cintura, aprì la porta e con uno spintone scaraventò la ragazzina nella cella quasi fosse il pasto per i leoni. Cosa accadde lì, non era in grado di ricordarlo, ma di fatto rimase insieme a Sade, lo seguì dal carcere alla miseria, peggiore della libertà, e apprese tutto ciò che lui poté insegnarle. Quando nel 1803 il marchese venne internato nel manicomio di Charenton, lei si ritrovò sulla strada, senza un soldo, ma con un bagaglio di sapienza amatoria che le fruttò un marito più vecchio di lei di cinquantadue anni e molto ricco. L'uomo morì dopo poco, sfinito dall'intemperanza della giovane moglie che si trovò finalmente libera e con i mezzi per fare tutto ciò che desiderava. Aveva trentaquattro anni, era sopravvissuta al brutale apprendistato con il marchese, alla miseria dei tozzi di pane secchi della giovinezza, alla baraonda della Rivoluzione francese, alla paura delle guerre napoleoniche, e ora doveva sopportare la repressione dittatoriale dell'Impero. Era stanca e il suo spirito chiedeva una tregua. Decise di cercarsi un luogo sicuro in cui passare in pace il resto dei suoi giorni e scelse Vienna. In quel periodo della sua vita conobbe Karl Bretzner, figlio di una coppia di vicini: era un bambino di soli dieci anni e già cantava come un usignolo nel coro della cattedrale. Grazie a lei, diventata amica e confidente dei Bretzner, quell'anno il ragazzino non venne castrato allo scopo di preservare la sua voce da cherubino, come aveva suggerito il direttore del coro.

"Non toccatelo e in poco tempo sarà il tenore più pagato d'Europa," pronosticò la bella. Non si sbagliò.

Nonostante l'enorme differenza d'età, tra lei e il piccolo Karl si instaurò un insolito legame. Lei ammirava la purezza di sentimenti e la dedizione del bambino alla musica; lui aveva trovato la musa che non solo aveva salvato la sua virilità, ma che gli avrebbe insegnato anche a usarla. All'epoca in cui cambiò definitivamente la voce e iniziò a radersi, aveva sviluppato la proverbiale abilità degli eunuchi di soddisfare una donna in modi non previsti dalla natura e dall'abitudine, ma con Rose Sommers non corse rischi. Decise che non era proprio il caso di assalirla con focosità in un baccanale di carezze troppo audaci, perché non si trattava di stupirla con trucchi da serraglio, e non poteva certo sospettare che in meno di tre lezioni pratiche l'alunna l'avrebbe superato in inventiva. Era un uomo attento ai dettagli e conosceva il potere di seduzione della parola giusta nel momento dell'amore. Con la mano sinistra liberò a uno a uno i piccoli bottoni di madreperla sulla schiena, mentre con quella destra le sfilava le forcine dell'acconciatura, senza perdere il ritmo dei baci intercalati a una litania di complimenti. Le parlò della snellezza della sua vita, del biancore antico della sua pelle, della classicità della curva del collo e delle spalle, che provocavano in lui un incendio, un'eccitazione incontrollabile.

"Mi fai impazzire... Non so cosa mi stia succedendo, non ho mai amato e non amerò mai più nessuno come amo te. Questo è un incontro voluto dagli dèi, siamo destinati ad amarci," mormorava a più riprese.

Le recitò il suo repertorio completo, ma lo fece senza malizia, profondamente convinto della propria onestà, abbagliato com'era da lei. Sciolse i lacci del corsetto e la spogliò della sottoveste per lasciarle unicamente indosso i lunghi pantaloni di batista e una camicetta trasparente che rivelava le fragole dei capezzoli. Non le tolse gli stivaletti di cordovano dai tacchi ritorti né le calze bianche sostenute alle ginocchia da giarrettiere ricamate. A quel punto si trattenne, ansimando, con un fragore tellurico nel petto, convinto che Rose Sommers fosse la donna più bella dell'universo, un angelo, e che se non si fosse calmato il cuore gli sarebbe scoppiato come un petardo. Senza fatica la sollevò tra le braccia, attraversò la stanza e la collocò in piedi davanti a un grande specchio dalla cornice dorata. La luce baluginante delle candele e i costumi di scena appesi ai muri, in un tripudio di broccati, piume, velluti e pizzi scoloriti, davano alla scena un tocco di irrealtà.

Inerme, ebbra di emozioni, Rose si guardò allo specchio e non riconobbe la donna in biancheria intima, coi capelli arruffati e le guance in fiamme, cui un uomo, altrettanto sconosciuto, baciava il collo e accarezzava i seni a piene mani. La pausa di desiderio diede tempo al tenore per recuperare il fiato e parte della lucidità perduta durante i primi assalti. Iniziò a denudarsi senza pudore davanti allo specchio e, va detto, nudo faceva miglior figura che vestito. Ha bisogno di un buon sarto, pensò Rose, che non aveva mai visto un uomo nudo, nemmeno i suoi fratelli nell'infanzia, e che faceva provenire le sue conoscenze dalle esagerate descrizioni dei libri piccanti e da alcune cartoline giapponesi che aveva trovato nel bagaglio di John in cui gli organi maschili avevano dimensioni francamente ottimiste. Il biribissi ritto e rosato che apparve ai suoi occhi non la spaventò, come temeva Karl Bretzner, ma le provocò un'incontenibile e allegra risata. E ciò diede il tono a quel che poi seguì. Al posto della solenne e piuttosto dolorosa cerimonia solitamente rappresentata dalla deflorazione, essi si dilettarono in giocosi inarcamenti, si inseguirono nella stanza saltando sopra i mobili come bambini, bevvero il resto dello champagne e ne aprirono un'altra bottiglia per versarsi addosso fiotti spumeggianti, si dissero sconcezze tra risate e promesse d'amore in sussurri, si morsicarono, si leccarono e nella palude senza fondo dell'amore appena inaugurato si perlustrarono con sfrenatezza per tutto il pomeriggio e fino a sera avanzata, completamente dimentichi dell'ora e del resto dell'universo. Esistevano solo loro due. Il tenore viennese condusse Rose ad altitudini epiche e lei, da allieva diligente, lo seguì senza esitare e una volta sulla cima iniziò a volare da sola con un sorprendente talento naturale, lasciandosi guidare dall'istinto e chiedendo ciò che non riusciva a indovinare, lasciando sconcertato il maestro e superandolo infine con la sua improvvisata abilità e lo sconcertante dono del suo amore. Quando riuscirono a separarsi e ad atterrare nella realtà, l'orologio segnava le dieci di sera. Il teatro era vuoto, fuori regnava l'oscurità e oltretutto era scesa una nebbia fitta come albume a neve.

Per tutta la durata della stagione lirica londinese gli amanti si scambiarono freneticamente missive, fiori, cioccolatini, versi copiati e piccole reliquie sentimentali. Si incontravano non appena potevano; la passione fece perder loro di vista qualsiasi prudenza. Per guadagnare sul tempo cercavano camere d'albergo vicine al teatro, per nulla impensieriti dalla possibilità di essere riconosciuti. Rose scappava da casa con scuse ridicole e sua madre, terrorizzata, non confessava nessuno dei suoi sospetti a Jeremy e pregava affinché l'intemperanza della figlia fosse passeggera e si dileguasse senza lasciare traccia. Karl Bretzner arrivava tardi alle prove e dal tanto spogliarsi a qualsiasi ora si buscò un raffreddore che gli impedì di cantare in due spettacoli, ma lungi dal dispiacersene, ne approfittò per fare l'amore esaltato dai brividi della febbre. Si presentava nelle stanze a ore con fiori per Rose, champagne per brindare e farsi il bagno, pasticcini alla crema, poesie scritte al volo da leggere a letto, oli profumati con cui strofinarsi in luoghi fino ad allora inesplorati, libri erotici da sfogliare alla ricerca delle scene più ispiratrici, piume di struzzo con cui farsi il solletico e un'infinità di altri ammennicoli destinati ai loro giochi. La ragazza sentì di aprirsi come un fiore carnivoro, di esalare aromi di perdizione per attirare l'uomo come un insetto, triturarlo, inghiottirlo, digerirlo e infine sputare i suoi ossicini trasformati in schegge. Si sentiva dominata da un'energia incontenibile, le sembrava di soffocare, non poteva rimanere quieta nemmeno un istante, divorata com'era dall'impazienza. Nel frattempo Karl Bretzner sguazzava nella confusione, a tratti esaltato fino al delirio e a tratti esangue; cercava di mantener fede agli impegni musicali, ma le prestazioni stavano peggiorando a vista d'occhio e i critici, implacabili, dissero che sicuramente Mozart si rivoltava nella tomba a ogni esecuzione – in senso letterale – delle sue composizioni da parte del tenore viennese.

Gli amanti vedevano avvicinarsi con terrore il momento della separazione ed entrarono nella fase dell'amore osteggiato. Presero in considerazione l'ipotesi di fuggire in Brasile o di suicidarsi insieme, ma non menzionarono mai la possibilità di sposarsi. Alla fine la voglia di vivere ebbe la meglio sulle inclinazioni tragiche e dopo l'ultimo spettacolo presero una carrozza e se ne andarono in vacanza nell'Inghilterra del Nord in una locanda di campagna. Avevano deciso di godersi quei giorni di anonimato prima che Karl Bretzner si recasse in Italia per onorare altri contratti. Rose l'avrebbe poi raggiunto a Vienna una volta che lui avesse trovato un appartamento appropriato, si fosse organizzato e le avesse spedito i soldi per il viaggio.

Stavano facendo colazione sotto una tenda nella terrazza dell'alberghetto, con le gambe avvolte da una coperta di lana, perché il vento della costa era freddo e tagliente, quando vennero interrotti da Jeremy Sommers, indignato e solenne come un profeta. Rose aveva lasciato un tale numero di indizi che per il fratello maggiore non era stato difficile localizzarla e raggiungerla fino a quella remota stazione balneare. Quando lo vide, Rose gridò di sorpresa più che di spavento, perché era ringalluzzita dall'agitazione dell'amore. In quell'istante si rese conto per la prima volta di ciò che aveva commesso, e il peso delle conseguenze le si rivelò in tutta la sua enormità. Si levò in piedi, decisa a difendere il diritto a vivere come meglio credeva, ma il fratello non le diede tempo di parlare e si rivolse direttamente al tenore.

"Lei deve una spiegazione a mia sorella. Immagino non le abbia detto che è sposato e che ha due figli," affrontò il seduttore.

Questa era l'unica cosa che Karl Bretzner aveva omesso di raccontare a Rose. Avevano parlato fino alla sazietà, lui le aveva affidato persino i più intimi particolari degli amori precedenti, senza tralasciare le stranezze del marchese di Sade raccontategli dal suo mentore, la francese dagli occhi di tigre, perché Rose aveva dimostrato una curiosità morbosa nel voler sapere quando, con chi e specialmente come aveva fatto l'amore, dai dieci anni fino al giorno in cui aveva conosciuto lei. E lui le aveva rivelato tutto senza scrupoli non appena si era accorto di quanto le piacesse ascoltare tutto ciò e di come lo includesse nella propria teoria e nella pratica. Ma della sposa e dei figli non aveva fatto parola per compassione nei confronti di quella bella vergine che si era data a lui senza condizioni. Non voleva distruggere la magia di quell'incontro: Rose Sommers meritava di godersi il suo primo amore a piene mani.

"Deve riparare l'offesa," lo sfidò Jeremy Sommers attraversandogli il volto con un ceffone.

Karl Bretzner era un uomo di mondo e non aveva intenzione di commettere la barbarie di battersi in duello. Capì che era giunto il momento di battere in ritirata e si dispiacque di non poter stare qualche momento da solo con Rose per spiegarle la situazione. Non voleva lasciarla con il cuore a pezzi e con l'idea che lui l'avesse sedotta in cattiva fede per poi abbandonarla. Aveva bisogno di dirle ancora una volta quanto davvero l'amava e che gli dispiaceva di non essere libero per realizzare i loro sogni, ma lesse sul volto di Jeremy Sommers che non glielo avrebbe concesso. Jeremy prese per un braccio la sorella, che sembrava inebetita, e la condusse con decisione alla carrozza, senza darle l'opportunità di congedarsi dall'amante né di prendere il suo poco voluminoso bagaglio. La portò in Scozia, a casa di una zia, dove sarebbe dovuta rimanere fino a quando non fosse stato chiaro il suo stato. Se si fosse trattata della peggiore delle disgrazie, come Jeremy Sommers aveva definito una gravidanza, la sua vita e l'onore della famiglia sarebbero stati distrutti per sempre.

"Non una parola a nessuno a questo proposito, né alla mamma, né a John, intesi?" fu l'unica cosa che disse durante il viaggio.

Rose trascorse alcune settimane nell'incertezza, finché constatò di non essere incinta. La notizia le portò un soffio di indicibile sollievo, come se il cielo l'avesse assolta. Passò altri tre mesi di punizione a lavorare a maglia per i poveri, a leggere e a scrivere di nascosto, senza versare una sola lacrima. Durante quel periodo rifletté sul suo destino e qualcosa le si mosse dentro perché, terminata la clausura in casa della zia, era un'altra persona.

Solo lei si rese conto del cambiamento. Ricomparve a Londra identica a come se n'era andata, allegra, tranquilla, interessata al canto e alla lettura, senza il minimo accenno di rancore nei confronti di Jeremy per averla strappata alle braccia dell'amante o di nostalgia per l'uomo che l'aveva ingannata, serafica nella sua capacità di ignorare la maldicenza e i visi contriti dei famigliari. Superficialmente sembrava la stessa ragazza di prima; nemmeno sua madre riuscì a scoprire una crepa nel suo contegno perfetto che lasciasse spazio a un rimprovero o a un consiglio. D'altronde, la vedova non era in grado di aiutare la figlia o di proteggerla; un cancro la stava divorando rapidamente. L'unico mutamento nel comportamento di Rose fu quella fisima di passare ore intere a scrivere chiusa in camera. Riempiva con la sua minuscola grafia dozzine di quaderni che teneva sotto chiave. Siccome non cercò mai di spedire una lettera, Jeremy Sommers, che temeva sopra ogni cosa lo scherno, smise di preoccuparsi per il vizio della scrittura e immaginò che la sorella avesse avuto il buon senso di dimenticare il nefasto tenore viennese. Lei, invece, non solo non l'aveva dimenticato, ma ricordava con precisione certosina ogni minimo dettaglio di quanto era successo e ogni parola detta o sussurrata. L'unica cosa che aveva cancellato dalla sua mente era la delusione di essere stata ingannata. La moglie e i figli di Karl Bretzner semplicemente sparirono, senza trovare posto nell'immenso affresco dei suoi ricordi d'amore.

Il ritiro in casa della zia in Scozia non fu sufficiente a evitare lo scandalo, ma siccome non si poterono confermare i sospetti, nessuno osò fare apertamente uno sgarbo alla famiglia. A uno a uno riapparvero i numerosi pretendenti che la tormentavano prima, ma Rose li allontanò con il pretesto della malattia della madre. Ciò che si tace è come non fosse mai accaduto, sosteneva Jeremy Sommers, disposto a sopprimere con il silenzio qualsiasi vestigia di quell'episodio. L'imbarazzante fuga di Rose rimase sospesa nel limbo delle cose da non nominare, per quanto a volte i fratelli facessero riferimenti che, pur mantenendo vivo il rancore, li univano nel segreto da condividere. Alcuni anni dopo, quando ormai a nessuno la vicenda importava più, Rose trovò la forza di raccontarla a John, agli occhi del quale aveva sempre svolto il ruolo di bambina viziata e innocente. Poco dopo la morte della madre, a Jeremy Sommers fu offerto di farsi carico dell'ufficio della Compagnia Britannica d'Importazione ed Esportazione in Cile. Partì con la sorella Rose, portandosi dietro il segreto, intatto, dall'altra parte del mondo.

Arrivarono in Cile verso la fine dell'inverno del 1830, quando Valparaíso era ancora un villaggio, ma esistevano già compagnie e famiglie europee. Rose considerò il Cile la sua penitenza e l'assunse stoicamente, rassegnata a pagare l'errore con quell'esilio irrimediabile, senza consentire a nessuno, e men che meno al fratello Jeremy, di sospettare quanto fosse disperata. La disciplina che le impediva di lamentarsi e di parlare, anche nel sonno, dell'amante perduto, la sostenne quando le difficoltà la sopraffecero. Cercò di sistemarsi nell'hotel il meglio possibile, decisa a stare al riparo dalle raffiche di vento e dall'umidità, perché si era diffusa un'epidemia di difterite che i barbieri del posto combattevano con inutili quanto crudeli operazioni chirurgiche praticate a coltellate. La primavera e poi l'estate placarono in parte la cattiva impressione che aveva del paese. Decise di dimenticare Londra e di trarre profitto dalla nuova situazione, malgrado l'ambiente provinciale e il vento di mare che le perforava le ossa anche nei mezzogiorni di sole. Convinse il fratello, e quest'ultimo la compagnia, della necessità di comprare una casa decente a nome dell'impresa e di farsi mandare i mobili dall'Inghilterra. La pose come una questione di autorevolezza e prestigio: non era possibile che il rappresentante di un ufficio così importante alloggiasse in un albergo da quattro soldi. Diciotto mesi dopo, quando la piccola Eliza entrò nella loro vita, i due fratelli vivevano in una grande casa sul Cerro Alegre, Miss Rose aveva relegato l'amante in un compartimento stagno della memoria e si dedicava completamente a conquistare un posto di privilegio nella società in cui viveva. Negli anni successivi Valparaíso si ampliò e si modernizzò alla stessa velocità con cui lei si lasciava alle spalle il passato e si trasformava nella donna esuberante e dall'aria felice che undici anni dopo avrebbe conquistato Jacob Todd. Il falso missionario non fu il primo a essere rifiutato, ma lei non aveva interesse a sposarsi. Aveva scoperto una formula straordinaria per continuare l'idilliaca storia d'amore con Karl Bretzner, rivivendo ognuno dei momenti della loro incendiaria passione e altri deliri inventati nel silenzio delle sue notti nubili.

L'AMORE

Nessuno meglio di Miss Rose poteva sapere cosa stava succedendo nell'anima ammalata d'amore di Eliza. Indovinò immediatamente l'identità dell'uomo, perché solamente un cieco poteva non accorgersi della correlazione tra lo stato confusionale della ragazza e la visita dell'impiegato di suo fratello con le casse del tesoro per Feliciano Rodríguez de Santa Cruz. Il suo primo impulso fu di scartare senza pensarci due volte un giovane tanto insignificante e spiantato, ma ben presto si rese conto di averne sentito anche lei il fascino pericoloso e di non riuscire a toglierselo dalla testa. Certo, al primo sguardo si era fissata sugli abiti rammendati e sul lugubre pallore, ma una seconda occhiata le era stata sufficiente per farle apprezzare l'aura tragica da poeta maledetto. Mentre ricamava furiosamente nella stanza del cucito, si scervellava su questo rivolgimento del destino che scombinava i suoi progetti di trovare a Eliza un marito compiacente e danaroso. I suoi pensieri erano una trama di macchinazioni per stroncare questo amore prima che nascesse, che andavano dal mandare Eliza come interna in una scuola per signorine in Inghilterra, o in Scozia dalla sua vecchia zia, al vuotare il sacco con il fratello affinché si disfacesse dell'impiegato. Tuttavia nel fondo del suo cuore, e suo malgrado, covava il segreto desiderio che Eliza vivesse la sua passione fino all'estenuazione e compensasse così il tremendo vuoto che il tenore aveva lasciato diciotto anni prima nella sua vita.

Nel frattempo, per Eliza le ore trascorrevano con terribile lentezza in un vortice di sentimenti confusi. Non sapeva se fosse giorno o notte, martedì o venerdì, se da quando aveva conosciuto quel giovane fossero passate ore o anni. Improvvisamente sentì che il sangue le diventava schiumoso e la pelle le si riempiva di pomfi che si dileguavano rapidamente e inspiegabilmente nello stesso modo in cui erano comparsi. Vedeva l'amato ovunque: nelle ombre degli angoli, nelle forme delle nuvole, nella tazza del tè e soprattutto nei sogni. Non sapeva come si chiamasse e non osava chiederlo a Jeremy Sommers perché temeva di scatenare un'ondata di sospetti, ma per ore indugiava a immaginare un nome adatto a lui. Avvertiva un disperato bisogno di parlare con qualcuno del suo amore, di analizzare ogni particolare della breve visita del giovane, di speculare su ciò che si erano taciuti, su ciò che probabilmente si erano detti e su quanto si erano trasmessi con lo sguardo, con i rossori e le intenzioni, ma non c'era nessuno di cui fidarsi. Agognava una visita del capitano John Sommers, quello zio con la vocazione da filibustiere che era stato il personaggio più affascinante della sua infanzia, l'unico in grado di capirla e di aiutarla in un simile frangente. Non aveva il minimo dubbio circa il fatto che se Jeremy Sommers fosse venuto a conoscenza della situazione, avrebbe dichiarato una guerra senza quartiere al modesto impiegato della sua ditta, e, quanto al comportamento di Miss Rose, non era prevedibile. Decise che meno si sapeva in casa, più libertà di movimento avrebbero avuto lei e il futuro fidanzato. Non valutò mai la possibilità di non essere corrisposta con la stessa intensità di sentimenti, perché le pareva semplicemente impossibile che un amore di tali proporzioni avesse stordito solamente lei. La logica e la giustizia più elementari suggerivano che, in qualche luogo della città, anche lui fosse vittima del medesimo delizioso tormento.

Eliza si nascondeva per toccarsi il corpo in zone segrete, prima mai esplorate. Chiudeva gli occhi e allora era la mano di lui ad accarezzarla con la delicatezza di un uccello, erano sue le labbra che lei baciava allo specchio, sua la vita che abbracciava con il cuscino, suoi i sussurri d'amore che il vento le portava. Lo vedeva apparire come una gigantesca ombra che si avventava su di lei per divorarla in mille modi stravaganti e sconvolgenti. Innamorato, demonio, arcangelo, non lo sapeva. Non voleva svegliarsi e metteva in pratica con fanatica determinazione il dono appreso da Mama Fresia di entrare e uscire dai sogni a suo piacimento. Arrivò a dominare talmente quest'arte che l'amante illusorio appariva come una presenza reale, poteva toccarlo, sentirne il profumo e la voce in modo perfetto, nitida e vicina. Se avesse potuto rimanere sempre addormentata, non avrebbe avuto bisogno d'altro: avrebbe potuto continuare ad amarlo dal suo letto per sempre, pensava. Si sarebbe estinta nel delirio di quella passione se Joaquín Andieta non si fosse presentato una settimana dopo per ritirare i colli del tesoro che andavano spediti a nord al cliente.

La sera prima lei seppe che sarebbe venuto, e non per istinto o premonizione, come alcuni anni dopo avrebbe insinuato raccontandolo a Tao Chi'en, ma perché all'ora di cena aveva sentito Jeremy Sommers dare istruzioni a sua sorella e a Mama Fresia.

"Verrà a ritirare la merce lo stesso impiegato che l'ha portata," aggiunse poi, senza sospettare quale uragano di emozioni le sue parole, per motivi diversi, stessero scatenando nelle tre donne.

La ragazza passò la mattina sulla terrazza a scrutare la strada che dalla collina portava a casa loro. Circa a mezzogiorno vide arrivare il carro trainato da sei muli seguito dai lavoratori armati a cavallo. Sentì una pace gelida, come fosse morta, e non si accorse che Miss Rose e Mama Fresia la stavano osservando dalla casa.

"Tanta fatica per educarla e si innamora del primo sfaccendato che passa per strada," borbottò tra i denti Miss Rose.

Aveva deciso di fare il possibile per impedire il disastro, ma senza tanta convinzione, perché conosceva fin troppo bene l'irriducibile tempra del primo amore.

"Consegnerò io la merce. Di' a Eliza di entrare in casa e non lasciarla uscire per nessun motivo," ordinò.

"E come pensa che possa impedirglielo?"

"Rinchiudila, se è necessario."

"La rinchiuda lei, se è capace. Non mi metta in mezzo," replicò e uscì trascinando le ciabatte.

Risultò impossibile impedire che la ragazza si avvicinasse a Joaquín Andieta e gli consegnasse una lettera. Agì a viso aperto, guardandolo negli occhi, e con una determinazione talmente fiera che Miss Rose non ebbe il fegato di intercettarla e Mama Fresia quello di frapporsi. Le due donne capirono allora che il maleficio era ben più potente di quanto avessero immaginato e che non ci sarebbero state porte sprangate o candele benedette sufficienti per scongiurarlo. Anche il giovane aveva trascorso quella settimana con l'ossessione del ricordo della ragazza che credeva figlia del datore di lavoro, Jeremy Sommers, e di conseguenza assolutamente inaccessibile. Non sospettava di averla tanto impressionata e non gli era passato per la mente che, offrendogli quel memorabile bicchiere di succo durante l'incontro precedente, lei gli stesse dichiarando il suo amore; per questo si prese uno spavento formidabile quando lei gli consegnò una busta chiusa. Sconcertato, la mise in tasca e continuò a sorvegliare le operazioni di carico della merce sul carro, con le orecchie in fiamme, gli abiti madidi di sudore e brividi di febbre che gli percorrevano la schiena. In piedi, immobile e in silenzio, Eliza lo guardava fisso a pochi passi di distanza, facendo finta di non notare l'espressione furibonda di Miss Rose e quella compunta di Mama Fresia. Quando l'ultima cassa venne assicurata sul carro e i muli ebbero fatto mezzo giro per iniziare la discesa della collina, Joaquín Andieta si scusò con Miss Rose per il disturbo, salutò Eliza inclinando appena la testa e se ne andò più in fretta che poté.

La missiva di Eliza recava solo due righe in cui indicava dove e come incontrarsi. Lo stratagemma era di una semplicità e audacia tali da poterla tranquillamente far confondere con una fuoriclasse della sfacciataggine: Joaquín si doveva presentare dopo tre giorni alle nove di sera all'eremo della Vergine del Perpetuo Soccorso, una cappella eretta sul Cerro Alegre, non lontana da casa Sommers, per proteggere i viandanti. Eliza aveva scelto il luogo per la vicinanza, e la data perché cadeva di mercoledì. Miss Rose, Mama Fresia e la servitù sarebbero stati impegnati con la cena e se si fosse allontanata per un attimo nessuno lo avrebbe notato. Dalla partenza del risentito Michael Steward non c'era più motivo per i balli, né l'inverno prematuro si accordava a tali attività, ma Miss Rose aveva mantenuto vivo il rituale per tacitare le chiacchiere che circolavano sul suo conto e su quello dell'ufficiale di marina. Sospendere le serate musicali in assenza di Steward equivaleva a confessare che l'unico motivo per organizzarle era lui.

Alle sette Joaquín Andieta si era già appostato e attendeva con impazienza. Da lontano vide il fulgore della casa illuminata, la sfilata di carrozze con gli invitati e i lumi accesi dei cocchieri che aspettavano sulla strada. Un paio di volte si dovette nascondere dalle guardie che passavano a controllare le lampade dell'eremo spente dal vento. Si trattava di una piccola costruzione rettangolare di mattoni che culminava in una croce di legno dipinto, appena un po' più grande di un confessionale, e che custodiva un'immagine in gesso della Vergine. C'era un vassoio con file di candele votive spente e un'anfora con fiori secchi. Era una notte di luna piena, ma il cielo era attraversato da nuvoloni che a tratti coprivano completamente il chiarore lunare. Alle nove in punto avvertì la presenza della ragazza e ne distinse la sagoma avvolta dalla testa ai piedi da una mantella scura.

"La stavo aspettando, signorina," fu l'unica frase che gli venne in mente di farfugliare, sentendosi un idiota.

"Io ti ho sempre aspettato," replicò lei senza la minima esitazione.

Si tolse la mantella e Joaquín vide che era vestita da festa, portava la gonna arrotolata e sandali ai piedi. In mano teneva le calze bianche e le scarpe di camoscio che non voleva infangare per strada. I capelli neri, con la riga in mezzo, erano raccolti ai lati della testa in trecce legate con nastri di raso. Si sedettero in fondo all'eremo, sulla mantella che lei appoggiò per terra, nascosti dietro alla statua, in silenzio, molto vicini ma senza toccarsi. Per un lungo momento non osarono guardarsi nella dolce penombra, storditi dalla reciproca vicinanza, respirando la stessa aria e sentendosi ardere nonostante le raffiche di vento che minacciavano di lasciarli al buio.

"Mi chiamo Eliza Sommers," disse infine.

"E io Joaquín Andieta," rispose lui.

"Pensavo che ti chiamassi Sebastián."

"Perché?"

"Perché assomigli a san Sebastián, il martire. Non frequento la chiesa papista, sono protestante, ma qualche volta Mama Fresia mi ci ha portata ad assolvere i voti."

E lì si concluse la conversazione perché non seppero cos'altro dirsi; si scambiavano sguardi di sbieco e arrossivano contemporaneamente. Eliza percepiva il suo odore di sapone e sudore, ma non osava avvicinare il naso come avrebbe desiderato. Gli unici rumori nell'eremo erano il sussurro del vento e dei loro respiri agitati. Dopo pochi minuti lei annunciò che doveva tornare a casa prima che notassero la sua assenza e si congedarono stringendosi la mano. Lì si sarebbero incontrati nei mercoledì successivi, sempre a orari diversi e per brevi intervalli. In ognuno di questi entusiasmanti incontri procedettero a passi da gigante nei deliri e nei tormenti d'amore. Si raccontarono il minimo indispensabile frettolosamente perché le parole sembravano una perdita di tempo, e presto si presero le mani continuando a parlare, i corpi sempre più vicini a mano a mano che si avvicinavano le anime, fino a che, la sera del quinto mercoledì, si baciarono sulla bocca, dapprima a tentoni, poi esplorando e alla fine perdendosi nel piacere fino a liberare completamente il fervore che li consumava. A quel punto si erano già scambiati succinti riassunti dei diciassette anni di Eliza e dei ventuno di Joaquín. Avevano dibattuto dell'improbabile cesta con lenzuola di batista e copertina di visone come anche della scatola di sapone di Marsiglia, e per Andieta era stato un sollievo sapere che non era figlia di nessuno dei Sommers e che le origini di Eliza erano incerte quanto le sue, anche se, comunque, un abisso sociale ed economico li separava. Eliza venne a sapere che Joaquín era il frutto di un amore passeggero; il padre aveva tagliato la corda alla stessa velocità con cui aveva piantato il seme e il bambino era cresciuto senza conoscerne il nome, con il cognome della madre e marchiato dalla condizione di bastardo che lo avrebbe limitato a ogni passo della sua vita. La famiglia aveva espulso dal suo seno la figlia disonorata e aveva ignorato il bambino illegittimo. I nonni e gli zii, commercianti e funzionari di una classe media impantanata in pregiudizi, vivevano nella stessa città, a pochi isolati di distanza, ma non si incrociavano mai. La domenica si recavano alla stessa chiesa, ma a orari diversi, perché i poveri non assistevano alla messa di mezzogiorno. Segnato da quello stigma, Joaquín non aveva giocato negli stessi giardini né era stato educato nelle stesse scuole dei cugini, ma aveva utilizzato i vestiti e i giocattoli che loro scartavano e che una zia compassionevole faceva pervenire per strade tortuose alla sorella ripudiata. La madre di Joaquín Andieta era stata meno fortunata di Miss Rose e aveva pagato molto più cara la sua debolezza. Le due donne avevano quasi la stessa età, ma mentre l'inglese mostrava un aspetto giovanile, l'altra era consumata dalla miseria, dal deperimento e dalla sua triste occupazione, ricamare corredi da sposa a lume di candela. La cattiva sorte non ne aveva intaccato la dignità e aveva quindi educato il figlio sugli inflessibili codici dell'onore. Joaquín aveva imparato molto presto a camminare a testa alta e a sfidare qualsiasi accenno di scherno o di compatimento.

"Un giorno riuscirò a portar via mia madre da quella casaccia," si ripromise Joaquín nei sussurri dell'eremo. "Le darò una vita dignitosa, come quella che aveva prima di perdere tutto..."

"Non ha perso tutto. Ha un figlio," replicò Eliza.

"Io sono stato una disgrazia."

"La disgrazia è stata innamorarsi di un uomo cattivo. Tu sei la redenzione," affermò lei con risolutezza.

Gli appuntamenti dei due giovani erano molto brevi e non si svolgevano mai alla stessa ora, così Miss Rose non riuscì mai a scoprirli, non potendo mantenere la vigilanza notte e giorno. Sapeva che alle sue spalle stava succedendo qualcosa ma non arrivò a essere tanto perfida da chiudere Eliza sotto chiave o da mandarla in campagna, come il dovere le suggeriva, e si astenne dal confidare i suoi sospetti al fratello Jeremy. Immaginava che Eliza e l'innamorato si scambiassero delle lettere, ma non riuscì a intercettarne nessuna, nonostante avesse messo in allerta tutta la servitù. Le lettere c'erano davvero ed erano di un'intensità tale che se Miss Rose le avesse viste sarebbe rimasta di stucco. Joaquín non le spediva, ma le consegnava a Eliza a ogni incontro. In esse dichiarava con espressioni febbrili ciò che a quattr'occhi non osava, per orgoglio e per pudore. Lei le nascondeva in una scatola, trenta centimetri sotto terra, nel piccolo orto di casa, dove giornalmente si fingeva occupata con le piante di erbe medicinali di Mama Fresia. Quelle pagine, rilette migliaia di volte nelle pause rubate, costituivano il principale alimento della sua passione, perché mettevano in luce un aspetto di Joaquín Andieta che non si rivelava quando erano insieme. Sembravano scritte da un'altra persona. Quel giovane altero, sempre sulla difensiva, ombroso e tormentato, che l'abbracciava con foga e immediatamente la respingeva come se toccandola si fosse scottato, per iscritto dischiudeva la propria anima e descriveva i propri sentimenti con l'intensità di un poeta. Più tardi, quando Eliza avrebbe seguito per anni le tracce imprecise di Joaquín Andieta, quelle lettere sarebbero state il suo unico aggancio alla verità, la prova inconfutabile che quell'amore sfrenato non era stato un parto delle sue fantasie d'adolescente ma era realmente esistito, come breve benedizione e lungo supplizio.

Dopo il primo mercoledì all'eremo, sparirono in Eliza gli attacchi di colica, e niente nel suo comportamento e nell'aspetto lasciò trasparire il suo segreto, salvo il folle luccichio degli occhi e il ricorrere più frequentemente al dono di diventare invisibile. A volte dava la sensazione di trovarsi in diversi luoghi contemporaneamente, lasciava tutti confusi e incapaci di ricordare dove e quando l'avessero vista ma, appena iniziavano a chiamarla, lei si materializzava con l'aria di chi ignora di essere cercato. In altre occasioni, invece, si trovava nella stanza del cucito con Miss Rose o a preparare una pietanza con Mama Fresia, ma era diventata talmente trasparente che nessuna delle due donne aveva la sensazione di vederla. La sua presenza era leggera, quasi impercettibile, e quando si assentava nessuno se ne accorgeva se non diverse ore dopo.

"Sembri uno spirito! Sono stufa di cercarti. Non voglio che tu esca di casa e che ti allontani dalla mia vista," le ordinava ripetutamente Miss Rose.

"Non mi sono mossa da qui in tutto il pomeriggio," replicava Eliza, impavida, apparendo dolcemente in un angolo con un libro o un ricamo in mano.

"Fai un po' di rumore, bambina mia, per carità! Come faccio a vederti se sei più silenziosa di un coniglio?" aggiungeva a sua volta Mama Fresia.

Lei diceva di sì e poi faceva quel che le pareva, ma si ingegnava di sembrare ubbidiente per rimanere nelle loro grazie. In pochi giorni acquisì una sorprendente perizia nell'ingarbugliare la realtà, come se avesse passato tutta la vita a occuparsi di arti magiche. Vista l'impossibilità di coglierla in contraddizione o di mettere a nudo una bugia, Miss Rose optò per guadagnarne la confidenza e iniziò ad alludere spesso ad argomenti amorosi. Di pretesti non ne mancavano: pettegolezzi sulle amiche, letture romantiche condivise o libretti delle nuove opere italiane che imparavano a memoria, ma Eliza non si lasciava scappare una sola parola che tradisse i suoi sentimenti. Miss Rose cercò allora invano per la casa indizi delatori; frugò tra la biancheria e nella camera della ragazza, mise sottosopra la sua collezione di bambole e di carillon, i libri e i quaderni, ma non riuscì a trovare il suo diario. Se anche ci fosse riuscita, sarebbe rimasta delusa perché in quelle pagine non c'era menzione alcuna di Joaquín Andieta. Eliza scriveva solo per ricordare. Il diario conteneva di tutto, dai sogni ricorrenti all'infinita lista di ricette di cucina e di consigli domestici quali il modo di ingrassare una gallina o di togliere una macchia d'unto. C'erano anche speculazioni sulla sua nascita, sul corredino lussuoso e la scatola di sapone di Marsiglia, ma non una parola su Joaquín Andieta. Non aveva bisogno di un diario per ricordarlo. Solo diversi anni dopo avrebbe cominciato a raccontare su quelle pagine il suo amore del mercoledì.

Finalmente, una sera, i due giovani non si trovarono all'eremo, bensì nella residenza dei Sommers. Per giungere a quella decisione Eliza passò attraverso il tormento di dubbi infiniti, perché capiva che si trattava di un passo definitivo. Solo per il fatto di trovarsi in segreto senza vigilanza avrebbe perso l'onore, il più prezioso tesoro di una ragazza senza il quale non c'era futuro possibile. "Una donna senza virtù non vale nulla, non potrà mai diventare una sposa e una madre, tanto vale che si leghi una pietra al collo e si butti in mare" era un chiodo su cui avevano battuto e ribattuto. Pensò che non avrebbe avuto attenuanti per l'errore che stava commettendo, perché agiva con calcolo e premeditazione. Alle due del mattino, quando tutta la città era sprofondata nel sonno, fatta eccezione per le guardie che facevano la ronda scrutando nel buio, Joaquín Andieta trovò il modo di introdursi come un ladro dalla terrazza della biblioteca, dove c'era Eliza ad attenderlo in camicia da notte, scalza, tremante di freddo e di ansia. Presolo per mano lo condusse alla cieca per la casa fino a un guardaroba in cui veniva riposto in grandi armadi il vestiario della famiglia e, in diverse scatole, i materiali per abiti e cappelli, usati e riusati da Miss Rose nel corso degli anni. Per terra, avvolti in lenzuola, venivano mantenuti distesi i tendaggi del salone e della sala da pranzo in attesa della stagione successiva. A Eliza parve il luogo più sicuro, lontano dalle altre camere. A ogni modo, per precauzione, aveva aggiunto della valeriana nel bicchiere d'anisetta che Miss Rose beveva prima di andare a letto e nel brandy che Jeremy sorseggiava mentre fumava un sigaro cubano dopo cena. Conosceva ogni centimetro della casa, sapeva esattamente dove il pavimento scricchiolava e come aprire le porte senza che cigolassero, poteva guidare Joaquín al buio senza altra luce che quella della memoria, e lui la seguì, docile e pallido per la paura, sordo alla voce della coscienza, mescolata a quella della madre che gli ricordava implacabile il codice d'onore di un uomo perbene. Non farò mai a Eliza quello che mio padre ha fatto a mia madre, si ripeteva mentre avanzava a tastoni per mano alla ragazza, sapendo che qualsiasi scrupolo era inutile perché già era stato vinto da quel desiderio imperioso che non lo lasciava in pace da quando l'aveva vista per la prima volta. Nel frattempo Eliza si dibatteva tra le voci ammonitrici che le rimbombavano in testa e l'impulso dell'istinto, con la sua straordinaria capacità di ammaliare. Non aveva le idee chiare circa quello che sarebbe successo nella stanza degli armadi, ma vi si dirigeva sapendo di essersi già arresa.

La casa dei Sommers, sospesa nell'aria come un ragno alla mercé del vento, non la si riusciva a mantenere calda, nonostante i bracieri a carbone che la servitù teneva accesi per sette mesi all'anno. Le lenzuola erano sempre umide a causa del vento continuo proveniente dal mare e si dormiva con bottiglie d'acqua calda vicino ai piedi. L'unico luogo sempre tiepido era la cucina, dove il forno a legna, un enorme marchingegno dai molteplici usi, non veniva mai spento. D'inverno il legno scricchiolava, le assi si sollevavano e lo scheletro della casa sembrava sul punto di iniziare a navigare, come un'antica fregata. Miss Rose non familiarizzò mai con le tempeste del Pacifico, come del resto non riuscì mai ad abituarsi ai tremori. I veri terremoti, quelli che mandavano la terra a gambe all'aria, si verificavano più o meno ogni sei anni e in quelle occasioni lei aveva dimostrato un sorprendente sangue freddo, ma quelle scosse giornaliere che davano una scrollata alla vita la mettevano di pessimo umore. Non volle mai collocare la porcellana e le stoviglie su mensole rasoterra, come facevano i cileni, e quando il mobile della sala da pranzo traballava e i piatti cadevano in pezzi, malediceva a squarciagola il paese. Il guardaroba in cui Eliza e Joaquín si amarono sopra il grande involto di tende di cretonne a fiori, che d'estate sostituivano i pesanti tendaggi di velluto verde del salone, si trovava a pianterreno. Fecero l'amore circondati da armadi solenni, scatole di cappelli e involti contenenti i vestiti primaverili di Miss Rose. Né il freddo né l'odore di naftalina li scoraggiarono perché viaggiavano più in alto degli inconvenienti pratici, del timore delle conseguenze e della loro stessa goffaggine da cuccioli. Non sapevano come fare, ma se lo inventarono strada facendo, frastornati e confusi, in completo silenzio, guidandosi reciprocamente senza molta scioltezza. A ventun anni lui era vergine come lei. A quattordici aveva deciso di farsi sacerdote per compiacere sua madre, ma a sedici si era iniziato alle letture liberali, si era dichiarato nemico dei preti, anche se non della religione, e aveva deciso di mantenersi casto fino a quando non avesse realizzato il proposito di togliere la madre dalla casaccia. Gli sembrava una ricompensa minima per gli innumerevoli sacrifici di lei. Nonostante la verginità e la terribile paura di essere sorpresi, i giovani furono in grado di trovare al buio quanto stavano cercando. Slacciarono bottoni, sciolsero nodi, si spogliarono dei pudori e si ritrovarono nudi a bere l'aria e la saliva dell'altro. Aspirarono fragranze straordinarie, cercarono di far ordine nel coscienzioso affanno di decifrare gli enigmi, di raggiungere la profondità dell'altro e di perdersi insieme nello stesso abisso. Le tende estive vennero macchiate dal sudore caldo, dal sangue verginale e dal seme, ma nessuno dei due notò questi segni dell'amore. Al buio riuscivano a malapena a distinguere la sagoma dell'altro e a misurare lo spazio disponibile per non far franare le pile di scatole e gli appendiabiti nel fragore dei loro abbracci. Erano grati al vento e alla pioggia sui tetti che dissimulavano gli scricchiolii del pavimento, ma il galoppare dei loro cuori e l'impeto del loro ansimare e dei sospiri d'amore erano talmente assordanti che non si capacitavano di come l'intera casa non si svegliasse.

All'alba Joaquín Andieta uscì dalla stessa finestra della biblioteca da cui era entrato, ed Eliza tornò esangue a letto. Mentre lei dormiva protetta da diverse coperte, lui fece due ore di strada per scendere la collina sotto il temporale. Attraversò con cautela la città senza richiamare l'attenzione della guardia e giunse a casa giusto quando le campane della chiesa rintoccavano annunciando la prima messa. Aveva progettato di entrare con discrezione, di rinfrescarsi, di cambiare il collo della camicia e di dirigersi al lavoro con l'abito bagnato visto che non ne possedeva un altro, ma sua madre lo attendeva, sveglia, con l'acqua bollente per il *mate* e il pane vecchio tostato, come tutte le mattine.

"Dove sei stato, figliolo?" gli chiese con tanta tristezza che lui non ebbe cuore di ingannarla.

"A scoprire l'amore, mamma," confessò, abbracciandola raggiante.

Joaquín Andieta viveva tormentato da un romanticismo politico senza eco in quel paese di gente pratica e prudente. Era diventato un fanatico delle teorie di Lamennais, che leggeva in mediocri e confuse traduzioni dal francese, esattamente come leggeva gli enciclopedisti. Al pari del suo maestro, auspicava il liberalismo cattolico in politica e la separazione tra Stato e Chiesa. Si dichiarava un cristiano primitivo, come gli apostoli e i martiri, ostile però ai preti che tradivano Gesù e la sua vera dottrina e che era solito definire sanguisughe nutrite dalla credulità dei fedeli. Si guardava bene, tuttavia, dal lasciarsi andare a tali ragionamenti davanti a sua madre, che sarebbe potuta morire dal dispiacere. Si riteneva anche nemico di quell'oligarchia così inetta e decadente, e del governo, che invece di rappresentare gli interessi del popolo faceva quelli dei ricchi, come dimostravano con innumerevoli esempi i suoi compagni delle riunioni alla Libreria Santos Tornero e come lui spiegava pazientemente a Eliza, anche se lei lo ascoltava a malapena, interessata com'era a sentire il suo odore più che i suoi discorsi. Il ragazzo era disposto a giocarsi la vita per l'inutile gloria di un lampo di eroismo, ma aveva una paura viscerale di guardare Eliza negli occhi e di parlare dei propri sentimenti. Presero l'abitudine di fare l'amore almeno una volta alla settimana nella stanza degli armadi, diventata il loro nido. Erano così pochi e preziosi i momenti da trascorrere insieme che a lei sembrava assurdo perderli a filosofare; se si trattava di parlare, allora preferiva che l'argomento fossero i suoi gusti, il suo passato, sua madre e i progetti di sposarsi con lei un giorno o l'altro. Avrebbe dato qualsiasi cosa pur di sentirlo pronunciare le magnifiche frasi che le scriveva nelle lettere. Pur di sentirgli dire, per esempio, che sarebbe stato più facile misurare le intenzioni del vento o la costanza delle onde sulla spiaggia che non l'intensità del suo amore; che non c'era notte invernale in grado di raffreddare la fiamma inestinguibile della sua passione; che trascorreva la giornata a sognare e la notte a vegliare, nel tormento senza tregua della follia dei ricordi, a contare, con l'angoscia di un condannato, le ore che mancavano al loro prossimo abbraccio; "sei il mio angelo e la mia perdizione, in tua presenza raggiungo l'estasi divina e in tua assenza sprofondo all'inferno, qual è la natura del potere che eserciti su di me, Eliza? Non parlarmi di domani e di ieri, vivo solamente per questo istante dell'oggi in cui torno a inabissarmi nella notte infinita dei tuoi occhi scuri". Infervorata dai romanzi di Miss Rose e dai poeti romantici i cui versi conosceva a memoria, la ragazza si perdeva nel piacere intossicante di sentirsi adorata come una dea e non coglieva l'incongruenza tra quelle dichiarazioni infiammate e la vera essenza di Joaquín Andieta. Nelle lettere si trasformava in un amante perfetto dotato degli strumenti per descrivere la sua passione con tale angelico afflato che la colpa e il timore sparivano per far strada all'esaltazione totale dei sensi. Nessuno prima di loro si era amato in quel modo, erano stati scelti tra i mortali per vivere una passione irripetibile, diceva Joaquín nelle lettere, e lei gli credeva. Tuttavia faceva l'amore con ansia e smania, senza assaporarlo, come chi soccombe a un vizio, con il tormento della colpa. Non si concedeva il tempo per conoscere il corpo di lei né per rivelare il suo; veniva vinto dall'urgenza del desiderio e del segreto. Aveva la sensazione che il tempo non fosse mai sufficiente, nonostante Eliza lo tranquillizzasse spiegandogli che nessuno andava in quella stanza di notte e che i Sommers dormivano sotto l'effetto della droga, che Mama Fresia faceva altrettanto nella sua casupola in fondo al patio e che le stanze del resto della servitù si trovavano all'ultimo piano. L'istinto attizzava l'audacia della ragazza incitandola a scoprire le molteplici possibilità dell'amore, ma imparò presto a reprimersi. Le sue iniziative nel gioco dell'amore mettevano Joaquín sulla difensiva; si sentiva criticato, ferito o minacciato nella sua virilità. I peggiori sospetti lo tormentavano, perché non riusciva a immaginare una tale naturale sensualità in una fanciulla di diciassette anni il cui unico orizzonte erano le quattro pareti di casa. La paura di una gravidanza peggiorava la situazione, perché nessuno dei due sapeva come evitarla. Joaquín aveva una vaga idea della meccanica della fecondazione e supponeva che se si fosse ritratto in tempo sarebbero stati in salvo, ma non sempre ci riusciva. Si rendeva conto della frustrazione di Eliza, ma non sapeva come consolarla e invece di provarci si rifugiava immediatamente nel suo ruolo di guida intellettuale in cui si sentiva sicuro. Mentre lei anelava di essere accarezzata o almeno di poter riposare sulla spalla dell'amato, lui si separava, si vestiva e sciupava il tempo prezioso che ancora rimaneva nel vagliare nuovi argomenti per le stesse idee politiche ripetute centinaia di volte. Quegli abbracci lasciavano Eliza sui carboni ardenti, ma non osava ammetterlo nemmeno nel recesso più nascosto della sua coscienza, perché sarebbe stato come mettere in dubbio la qualità di quell'amore. Allora cadeva nella trappola dell'indulgenza e giustificava l'amante pensando che, se avessero avuto più tempo e un luogo sicuro, si sarebbero amati meglio. Molto più belle dei momenti di fisicità erano le ore successive, trascorse a inventare quel che non era successo, e le notti passate a sognare ciò che forse sarebbe successo al prossimo incontro nella stanza degli armadi.

Con quella serietà di cui investiva tutte le sue azioni, Eliza si dedicò al compito di idealizzare l'innamorato fino a trasformarlo in un'ossessione. Desiderava solo poterlo servire incondizionatamente per il resto dei suoi giorni e soffrire per dimostrare la sua abnegazione, e morire per lui, se si fosse reso necessario. Annebbiata dalla malia della prima passione, non si rendeva conto di non essere corrisposta con la medesima intensità. Il suo cavaliere non era mai del tutto presente. Perfino durante gli impetuosi abbracci sul cumulo di tende il suo spirito vagava per altri lidi, pronto a partire o già assente. Si rivelava solo per metà, fugacemente, in un gioco esasperante di ombre cinesi, ma al momento del commiato, quando lei era sul punto di scoppiare a piangere per fame d'amore, le consegnava una delle sue favolose lettere. Per Eliza, allora, il mondo intero si trasformava in uno specchio, il cui unico scopo era riflettere i suoi sentimenti. Soggiogata dall'arduo proposito dell'amore assoluto, non dubitava della propria capacità di darsi senza riserve e proprio per questo non riconosceva l'ambiguità di Joaquín. Aveva inventato un amante perfetto e nutriva quella chimera con indomabile testardaggine; e la sua immaginazione la compensava degli ingrati abbracci dell'amante che la lasciavano sperduta nel limbo oscuro del desiderio insoddisfatto.

SECONDA PARTE
1848-1849

LA NOTIZIA

Il 21 settembre, primo giorno di primavera secondo il calendario di Miss Rose, ventilarono le camere, fecero prendere aria ai materassi e alle coperte, incerarono i mobili di legno e cambiarono le tende della sala. Mama Fresia lavò quelle di cretonne a fiori senza scomporsi, convinta che le macchie secche fossero d'orina di topo. Nel patio preparò grandi tinozze da bucato d'acqua calda con corteccia di *quillay*, lasciò in ammollo le tende per un giorno intero, le inamidò con acqua di riso e le fece asciugare al sole; poi due donne le stirarono e, tornate come nuove, furono appese, per dare il benvenuto alla nuova stagione. Nel frattempo Eliza e Joaquín, indifferenti alla turbolenza primaverile di Miss Rose, se la spassavano sulle tende di velluto verde, più morbide di quelle di cretonne. Ormai non faceva più freddo e le notti erano chiare. Gli incontri proseguivano da tre mesi e le lettere di Joaquín Andieta, costellate da locuzioni poetiche e da infocate dichiarazioni, si erano notevolmente diradate. Eliza coglieva l'assenza dell'innamorato, a volte abbracciava un fantasma. Nonostante l'angoscia del desiderio insoddisfatto e del peso opprimente di tanti segreti, la ragazza aveva recuperato una calma apparente. Trascorreva le ore del giorno impegnata nelle occupazioni di prima, dedicandosi ai suoi libri e agli esercizi di piano o indaffarata in cucina e nella stanza del cucito, senza dimostrare il minimo desiderio di uscire di casa, ma se Miss Rose glielo chiedeva, l'accompagnava con la buona disposizione di chi non ha niente di meglio da fare. Si coricava e si alzava presto, come sempre; aveva appetito e sembrava in salute, ma questi sintomi di perfetta normalità destavano tremendi sospetti in Miss Rose e Mama Fresia. Non le toglievano gli occhi di dosso. Diffidavano del fatto che l'ebbrezza d'amore fosse evaporata immediatamente, ma essendo trascorse diverse settimane senza che Eliza desse segni di turbamento, a poco a poco allentarono la sorveglianza. Forse le candele a sant'Antonio avevano sortito qualche effetto, pensò l'india; forse non era amore, dopotutto, pensò Miss Rose senza molta convinzione.

La notizia della scoperta dell'oro in California arrivò in Cile in agosto. Dapprima a diffondere la voce furono le bocche allucinate di navigatori ubriachi nei bordelli di El Almendral, ma qualche giorno più tardi il capitano della goletta *Adelaida* annunciò che a San Francisco metà dei suoi marinai aveva disertato.

"C'è oro dappertutto, si raccoglie a palate, si sono viste pepite grandi come arance! Con un minimo d'intraprendenza si può diventare milionari!" raccontò travolto dall'entusiasmo.

Nel gennaio di quell'anno, nelle vicinanze del mulino di un fattore svizzero, sulle rive dell'American River, un tal Marshall aveva trovato nell'acqua una scheggia d'oro. Quel frammento giallo che avrebbe scatenato la follia fu scoperto nove giorni dopo la firma del Trattato di Guadalupe-Hidalgo che decretò la fine della guerra tra Messico e Stati Uniti. Quando si diffuse la notizia, la California non apparteneva più al Messico. Prima che si venisse a sapere che quel territorio poggiava su un tesoro senza fine, nessuno era particolarmente interessato a esso; per gli americani era una regione di indiani e i pionieri preferivano conquistare l'Oregon, dove erano convinti che l'agricoltura desse frutti migliori. Il Messico lo considerava un covo di ladri e durante la guerra non si degnò di inviare le truppe per difenderlo. Poco tempo dopo Sam Brannan, editore di un giornale e predicatore mormone incaricato di diffondere la fede, percorreva le strade di San Francisco divulgando la buona nuova. Probabilmente non gli avrebbero creduto, vista la sua reputazione piuttosto discutibile – girava voce che avesse fatto cattivo uso del denaro di Dio e che quando la Chiesa mormone aveva preteso la restituzione avesse replicato che l'avrebbe reso... in cambio di una ricevuta firmata da Dio –, se le sue parole non fossero state avvallate da una boccetta piena di polvere d'oro, che passò di mano in mano mandando in visibilio la gente. Al grido all'oro! all'oro! tre uomini su quattro abbandonarono tutto e partirono per i giacimenti auriferi. Dovettero chiudere l'unica scuola perché non rimasero nemmeno i bambini. In Cile la notizia produsse lo stesso impatto. Il salario medio era di venti centavos al giorno e i giornali annunciavano che finalmente era stata scoperta El Dorado, la città sognata dai conquistatori, le cui strade erano pavimentate col prezioso metallo: "La ricchezza delle miniere è come quella dei racconti di Simbad o della lampada di Aladino; senza tema di esagerare si valuta che il guadagno giornaliero sia di un'oncia di oro puro," scrivevano i giornali e aggiungevano che ce n'era a sufficienza per arricchire migliaia di uomini per decenni. Il fuoco dell'avidità divampò immediatamente tra i cileni, che avevano anime da minatori, e il mese successivo iniziò la corsa verso la California. Inoltre si trovavano a metà strada rispetto a qualsiasi altro avventuriero che dovesse solcare l'Atlantico. Ci volevano tre mesi dall'Europa a Valparaíso e altri due per arrivare in California. La distanza tra Valparaíso e San Francisco non raggiungeva le settemila miglia, mentre dalla costa est del Nord America, passando per Capo Horn, erano quasi ventimila. E questo, come calcolò Joaquín Andieta, era un notevole vantaggio per i cileni, visto che i primi ad arrivare avrebbero preteso i filoni migliori.

Feliciano Rodriguéz de Santa Cruz fece la stessa valutazione e decise di imbarcarsi immediatamente con cinque dei suoi migliori e più leali minatori dopo aver promesso loro una ricompensa come incentivo per convincerli ad abbandonare le famiglie e a lanciarsi in quell'impresa piena di rischi. Dedicò tre settimane alla preparazione di un bagaglio adatto per una permanenza di vari mesi in quella terra del Nord del continente che immaginava desolata e selvaggia. Aveva un abbondante vantaggio rispetto alla maggior parte degli incauti che partivano alla cieca, senza mezzi, spinti dalla tentazione di una fortuna facile ma senza la minima idea dei pericoli e delle fatiche dell'impresa. Non era disposto a spaccarsi la schiena lavorando come una bestia e per questo voleva viaggiare ben equipaggiato portando con sé servitori di fiducia, spiegò a sua moglie, che era in attesa del secondo figlio ma insisteva per accompagnarlo. Paulina pensava di imbarcarsi con due balie, il cuoco, una vacca e alcune galline che potessero fornire giornalmente latte e uova per le creature durante la traversata, ma una volta tanto il rifiuto del marito fu categorico. L'idea di partire per una simile odissea con tutta la famiglia a carico era un progetto completamente folle. Sua moglie aveva perduto il ben dell'intelletto.

"Come si chiamava quel capitano amico di Mr Todd?" lo interruppe Paulina nel bel mezzo della sua tiritera, mantenendo in equilibrio una tazza di cioccolata sulla prominenza del ventre, mentre mordicchiava un dolcetto di pasta sfoglia e latte condensato, ricetta delle clarisse.

"John Sommers intendi?"

"Quello che era stufo di navigare a vela e parlava di imbarcazioni a vapore."

"Proprio lui."

Paulina si mise a riflettere, continuando a portarsi alla bocca i pasticcini senza badare minimamente all'elenco dei pericoli che suo marito stava sciorinando. Era ingrassata e della gracile ragazza fuggita dal convento con la testa rasata rimaneva ben poco.

"Quanto c'è sul mio conto a Londra?" chiese alla fine.

"Cinquantamila sterline. Sei una signora molto ricca."

"Non lo sono abbastanza. Mi puoi prestare il doppio dell'importo a un interesse del dieci per cento pagabile in tre anni?"

"E ora cosa diavolo ti è venuto in mente? A cosa ti servono tutti questi soldi?"

"Per un vapore. Il vero affare non è l'oro, Feliciano, che alla fine della fiera è solo cacca gialla. Il vero affare sono i minatori. Hanno bisogno di tutto in California e pagheranno in contanti. Dicono che i vapori filano dritti, non devono sottostare ai capricci dei venti, sono più grandi e più veloci. I velieri appartengono al passato."

Feliciano continuò a lavorare ai suoi progetti, ma l'esperienza gli aveva insegnato a non sottovalutare le intuizioni finanziarie della moglie. Per diverse notti non riuscì a dormire. Passeggiava insonne per gli sfarzosi saloni della sua bella casa, tra sacchi di provviste e casse di attrezzi, barili di polvere da sparo e pile di armi per il viaggio, pesando e soppesando le parole di Paulina. Più ci pensava e più gli sembrava azzeccata l'idea di investire nei trasporti, ma prima di prendere una qualsiasi decisione si consultò con il fratello che era suo socio in tutti gli affari. Questi lo ascoltò a bocca aperta e quando Feliciano finì di spiegare la faccenda, si diede una manata sulla fronte.

"Perbacco, fratello! E non potevamo pensarci prima?"

Nel frattempo Joaquín Andieta, come migliaia di altri cileni della stessa età e di ogni condizione, sognava borse d'oro in polvere e pepite sparse per terra. Diversi suoi conoscenti erano già partiti, anche uno dei compagni della Libreria Santos Tornero, un giovane liberale che sparava a zero contro i ricchi ed era il primo a denunciare la corruzione del denaro, ma che non aveva saputo resistere al richiamo e se ne era andato senza salutare nessuno. Per Joaquín la California rappresentava l'unica possibilità di lasciarsi alle spalle la miseria, di portare via sua madre da quella casa e di curarle i polmoni malati; di piazzarsi davanti a Jeremy

Sommers a testa alta e con le tasche traboccanti a chiedere la mano di Eliza. Oro... oro a portata di mano... Poteva vedere i sacchi del metallo in polvere, le ceste di pepite enormi, le banconote in tasca, il palazzo che si sarebbe fatto costruire, più solido e con più marmi del Club dell'Unione, per mettere a tacere i parenti che avevano umiliato sua madre. Si vedeva anche uscire dalla chiesa della Matriz al braccio di Eliza Sommers, gli sposi più felici del pianeta. Era solo questione di rischiare. Che futuro gli offriva il Cile? Nel migliore dei casi sarebbe invecchiato contando i prodotti che passavano sulla scrivania della Compagnia Britannica d'Importazione ed Esportazione. Non aveva niente da perdere visto che non possedeva comunque niente. La febbre dell'oro lo trasformò; perse l'appetito e il sonno, era sempre inquieto e scrutava il mare con gli occhi da pazzo. L'amico libraio gli prestò libri e cartine della California e un opuscolo sul lavaggio del metallo, che lesse avidamente mentre faceva conti forsennati nella speranza di farcela a pagarsi il viaggio. Le notizie sui giornali erano una tentazione irresistibile: "In una parte delle miniere chiamata *dry diggins* l'unico attrezzo necessario è un coltello comune per scrostare il metallo dalle rocce. In altre è già separato e si usa solamente un utensile molto semplice che consiste in un normale trogolo di assi, dal fondo rotondo, di una decina di piedi di lunghezza e due di larghezza nella parte superiore. Non essendo necessario capitale, la competizione nel lavoro è molto forte, e uomini che a stento potevano tirare la fine del mese, ora posseggono migliaia di pesos del prezioso metallo".

Quando Andieta menzionò la possibilità di imbarcarsi per il Nord, sua madre reagì male quanto Eliza. Senza essersi mai viste, le due donne pronunciarono esattamente le stesse parole: se te ne vai, Joaquín, io morirò. Entrambe tentarono di fargli vedere gli innumerevoli pericoli di una simile impresa e giurarono che preferivano mille volte la povertà irrimediabile al suo fianco a una fortuna illusoria con il rischio di perderlo. La madre gli assicurò che non se ne sarebbe mai andata da quella casa neanche se fosse stata milionaria, perché lì c'erano le sue amicizie e comunque non avrebbe saputo dove andare. E per quanto riguardava i suoi polmoni, non c'era nulla da fare, solo aspettare che finissero per scoppiare. Dal canto suo Eliza si dichiarò disposta a fuggire, nel caso non li lasciassero sposare; ma lui non le ascoltava, perso nei suoi vaneggiamenti, sicuro che un'opportunità come questa non si sarebbe più presentata e che lasciarsela scappare sarebbe stato un atto di imperdonabile codardia. Mise al servizio della nuova ossessione lo stesso entusiasmo prima impiegato nel propagandare le idee liberali, ma gli mancavano i mezzi per realizzare i progetti. Non poteva dare concretezza al suo destino senza una determinata somma con cui pagarsi il biglietto e munirsi del necessario. Si presentò in banca per chiedere un piccolo prestito, ma non aveva di che garantirlo e alla vista del suo aspetto da povero diavolo venne gelidamente respinto. Per la prima volta pensò di rivolgersi ai parenti di sua madre, con i quali fino ad allora non aveva mai scambiato una parola, ma era troppo orgoglioso per farlo. La visione di un futuro splendido non lo lasciava in pace, a fatica riusciva a portare a termine il lavoro, le lunghe ore alla scrivania si trasformarono in un castigo. Rimaneva con la penna in aria a guardare senza vedere la pagina bianca, mentre ripeteva a memoria i nomi delle imbarcazioni che avrebbero potuto portarlo al Nord. Le notti gli scivolavano via tra sogni burrascosi e veglie agitate, si svegliava con il corpo esausto e l'immaginazione in fermento. Commetteva errori da principiante, mentre intorno a lui l'esaltazione raggiungeva livelli di isteria. Tutti volevano partire e chi non poteva andare di persona stanziava fondi in imprese, investiva in compagnie fondate frettolosamente e mandava un rappresentante di fiducia sul posto, previo accordo circa la divisone dei profitti. Gli scapoli furono i primi a salpare; presto anche gli sposati abbandonarono i figli e, nonostante le truculente storie di malattie sconosciute, di incidenti terribili e crimini brutali, si imbarcarono senza guardarsi indietro. Gli uomini più pacifici erano disposti ad affrontare i rischi di pistolettate e pugnalate, i più prudenti abbandonavano la sicurezza conquistata in anni di sforzi e si lanciavano nell'avventura con il loro bagaglio di deliri. Alcuni investivano i propri risparmi nel biglietto, altri sostenevano le spese del viaggio lavorando come marinai o impegnando il loro lavoro futuro, ed erano talmente tanti a cercare di imbarcarsi che, nonostante le indagini giornaliere al molo, Joaquín Andieta non trovò posto in nessuna nave.

A dicembre non ce la fece più. Quando stava per copiare il rapporto di un carico giunto in porto, come faceva scrupolosamente ogni giorno, alterò le cifre sul registro e poi distrusse i documenti originali di sbarco. Così, grazie a un gioco di prestigio contabile, fece sparire diverse casse di pistole e di proiettili provenienti da New York. Per tre notti di seguito riuscì a eludere la sorveglianza della guardia, a violare le serrature e a introdursi nella cantina della Compagnia Britannica d'Importazione ed Esportazione per rubare il contenuto di dette casse. Per farlo furono necessari diversi viaggi, perché il carico era pesante. Per prime si portò via le pistole nelle tasche e legate alle gambe e alle braccia sotto gli indumenti; poi fece sparire le pallottole in sacchetti. In diverse occasioni i guardiani che facevano la ronda di notte furono sul punto di sorprenderlo, ma la sorte fu dalla sua e tutte le volte riuscì a squagliarsela in tempo. Sapeva di poter contare su un paio di settimane, prima che le casse venissero reclamate e il furto venisse scoperto; immaginava peraltro che sarebbe stato molto facile seguire il filo dei documenti mancanti e delle cifre modificate fino ad arrivare al colpevole, ma per quel momento sperava di trovarsi già in alto mare. E quando fosse stato in possesso del suo tesoro personale avrebbe restituito fino all'ultimo centesimo con gli interessi, visto che l'unica spinta a commettere tale misfatto, continuava a ripetersi, era stata la disperazione. Si trattava di una questione di vita o di morte: la vita, come lui la intendeva, era in California; rimanere intrappolato in Cile equivaleva a una morte lenta. Vendette una parte del bottino a basso prezzo nei bassifondi del porto e l'altra agli amici della Libreria Santos Tornero, dopo aver fatto loro giurare che avrebbero mantenuto il segreto. Quei ferventi idealisti non avevano mai tenuto un'arma in mano, ma da anni si preparavano a parole a un'utopica rivolta contro il governo conservatore. Sarebbe stato tradire le loro stesse intenzioni non comprare le pistole al mercato nero, soprattutto se si teneva conto del prezzo da occasione. Joaquín Andieta ne tenne due per sé, deciso a utilizzarle per farsi strada, ma ai compagni non disse nulla del suo progetto di andarsene. Quella notte, nel retrobottega della libreria, anche lui si portò la mano destra sul cuore e giurò in nome della patria che avrebbe dato la vita per la democrazia e la giustizia. Il mattino successivo comprò un biglietto di terza classe per la prima goletta che salpava in quei giorni e alcune sporte di farina tostata, fagioli, riso, zucchero, carne di cavallo secca e fette di salame che, razionate con parsimonia, sarebbero state appena in grado di sostentarlo durante la traversata. I pochi reales che gli avanzarono se li assicurò in vita con una fascia stretta.

La notte del 22 dicembre si congedò da Eliza e da sua madre e il giorno dopo partì per la California.

Mama Fresia scoprì le lettere d'amore casualmente; cogliendo le cipolle nel piccolo orto del patio, la forcella urtò contro la scatola di latta. Non sapeva leggere, ma fu sufficiente un'occhiata per capire di cosa si trattasse. Ebbe la tentazione di consegnarle a Miss Rose, perché le bastava tenerle in mano per sentirne la minaccia; avrebbe giurato che il pacchetto legato con un nastro battesse come un cuore vivo, ma l'affetto per Eliza ebbe la meglio sulla prudenza e invece di rivolgersi alla padrona rimise le lettere nella scatola da biscotti, la nascose sotto l'ampia gonna nera e si diresse sospirando verso la camera della ragazza. Trovò Eliza seduta su una sedia, con la schiena ritta e le mani sulla gonna come fosse in chiesa, intenta a guardare il mare dalla finestra con una tale angoscia che l'aria intorno a lei era densa e carica di premonizioni. Le mise la scatola sulle ginocchia e rimase vanamente in attesa di una spiegazione.

"Quell'uomo è un demonio. Ti porterà solo disgrazie," le disse infine.

"Le disgrazie sono già iniziate. Sei settimane fa è partito per la California e non mi sono ancora arrivate le mestruazioni."

Mama Fresia si sedette per terra con le gambe incrociate, come faceva quando era agitatissima, e cominciò a dondolarsi avanti e indietro, gemendo sommessamente.

"Taci, *mamita*, Miss Rose ci può sentire," supplicò Eliza.

"Un figlio delle fogne! Un *huacho*! E adesso, bambina mia, cosa facciamo? Cosa facciamo?" continuò a lamentarsi la donna.

"Mi sposerò."

"E come, se quello se ne è andato?"

"Dovrò andare a cercarlo."

"Oh Gesù dei cieli! Sei impazzita? Ti farò un rimedio e in pochi giorni sarai come nuova."

La donna preparò un infuso a base di borragine e una tisana di escrementi di gallina in birra scura, che diede da bere a Eliza tre volte al giorno; le prescrisse inoltre dei semicupi con zolfo e le mise degli impacchi di senape sul ventre: il risultato fu che ingiallì e iniziò a essere madida di una traspirazione appiccicosa che sapeva di gardenie marce, ma dopo una settimana non si era verificato nessun sintomo di aborto. Mama Fresia stabilì che senza dubbio si trattava di un maschio maledetto, e per questo si avvinghiava così alla pancia della madre. Una disgrazia simile era troppo grande per lei, c'era di mezzo il Diavolo, e solamente la sua maestra, la *machi*, poteva sperare di avere la meglio su una sventura di tale portata. Quello stesso pomeriggio chiese il permesso ai signori per allontanarsi e ancora una volta percorse a piedi il penoso cammino fino al crepaccio per presentarsi a testa china davanti alla vecchia stregona cieca. Le portò in dono due stampi di dolce di mela cotogna e un'anatra stufata al dragoncello.

La *machi* ascoltò gli ultimi sviluppi assentendo con aria infastidita, come se sapesse già cosa era successo.

"L'avevo detto, l'ostinazione è un male molto forte; si aggrappa al cervello e spezza il cuore. Di ostinazioni ce ne sono molte, ma quella d'amore è la peggiore."

"Puoi fare qualcosa per la mia bambina, perché butti fuori il *huacho*?"

"Per potere posso. Ma questo non la guarirà. Dovrà comunque seguire il suo uomo."

"È andato molto lontano a cercare l'oro."

"Dopo quella d'amore, l'ostinazione più grave è quella dell'oro," sentenziò la *machi*.

Mama Fresia pensò che sarebbe stato impossibile far uscire Eliza per portarla alla gola della *machi*, farla abortire e ritornare con lei a casa senza che Miss Rose se ne accorgesse. La sciamana aveva cent'anni ed erano cinquanta che non metteva il naso fuori dalla capanna, e quindi non si sarebbe certo recata a casa Sommers per occuparsi della ragazza. Doveva pensarci lei, non rimaneva altra alternativa. La *machi* le consegnò un ramo sottile di *colihue* e un unguento scuro e fetido, poi le spiegò come ungere la canna di quel decotto e inserirla in Eliza. Subito dopo le insegnò le parole dell'incantesimo che avrebbero eliminato il bambino del Diavolo e al contempo protetto la vita della madre. Il tutto andava realizzato la notte di venerdì, unico giorno della settimana autorizzato per l'operazione, la avvertì. Mama Fresia ritornò molto tardi, esausta, con il *colihue* e l'unguento sotto la mantella.

"Prega bambina mia, perché fra due notti ti farò il rimedio," annunciò a Eliza quando le portò a letto la cioccolata della colazione.

Il capitano John Sommers sbarcò a Valparaíso il giorno indicato dalla *machi*. Era il secondo venerdì di febbraio di un'estate rigogliosa. La baia ferveva d'attività con mezzo centinaio di barche ancorate e altrettante al largo in attesa del loro turno per avvicinarsi a terra. Come sempre, Jeremy, Rose ed Eliza ricevettero al molo quello zio straordinario che giungeva carico di novità e di regali. La borghesia, che si dava appuntamento per visitare le imbarcazioni e comprare di contrabbando, si mischiava agli uomini di mare, ai viaggiatori, agli stivatori e agli impiegati di dogana, mentre le prostitute appostate a una certa distanza facevano i loro conti. Negli ultimi mesi, da quando la notizia dell'oro aveva pungolato l'avidità degli uomini su ogni sponda del mondo, le navi arrivavano e salpavano a un ritmo forsennato e i bordelli non tenevano il passo. Le donne più intrepide, tuttavia, non si accontentavano del buon momento d'affari a Valparaíso e calcolavano quanto più denaro avrebbero potuto guadagnare in California, dove la percentuale era di duecento uomini per ogni donna, a quanto si diceva. Nel porto la gente inciampava in carri, animali e pacchi; si parlavano varie lingue, suonavano le sirene delle navi e i fischietti delle guardie. Miss Rose, con un fazzoletto profumato alla vaniglia sul naso, scrutava i passeggeri delle imbarcazioni in cerca del fratello prediletto, mentre Eliza aspirava l'aria a rapide boccate, cercando di separare e identificare gli odori. Il tanfo del pesce nelle grandi ceste al sole si mescolava al lezzo degli escrementi delle bestie da carico e al sudore umano. Fu lei la prima a vedere il capitano Sommers e provò un tale sollievo che quasi si mise a piangere. Lo aveva aspettato per mesi, con la certezza che solo lui avrebbe potuto comprendere l'angoscia del suo amore contrastato. Non aveva fatto parola di Joaquín Andieta a Miss Rose e men che meno a Jeremy Sommers, ma nutriva la certezza che lo zio navigatore, che niente poteva sorprendere o spaventare, l'avrebbe aiutata.

Appena il capitano mise piede sulla terraferma, Eliza e Miss Rose gli si scaraventarono addosso in tripudio; le prese entrambe per la vita con le sue robuste braccia da corsaro, le sollevò contemporaneamente e iniziò a girare come una trottola tra le grida di giubilo di Miss Rose e quelle di protesta di Eliza, che era sul punto di rimettere. Jeremy Sommers lo salutò con una stretta di mano, chiedendosi come fosse possibile che suo fratello non fosse cambiato per niente negli ultimi vent'anni e continuasse a essere lo stesso svitato di sempre.

"Cosa c'è, ragazzina? Hai proprio una brutta cera," disse il capitano esaminando Eliza.

"Ho mangiato frutta acerba, zio," spiegò appoggiandosi a lui per non cadere dalla nausea.

"So che non siete venute al porto per ricevermi. Siete qui per comprare profumi, vero? Vi dirò chi ha i migliori, direttamente dal cuore di Parigi."

In quel momento un forestiero gli passò di fianco e lo urtò accidentalmente con la valigia che portava in spalla. John Sommers si girò indignato, ma quando lo riconobbe esplose in una delle sue caratteristiche maledizioni scherzose e lo trattenne per un braccio.

"Vieni a presentarti alla mia famiglia, cinese," lo apostrofò cordialmente.

Eliza lo scrutò apertamente perché non aveva mai visto un asiatico da vicino e ora, finalmente, davanti ai suoi occhi c'era un abitante della Cina, quel favoloso paese che veniva citato in molti dei racconti dello zio. Si trattava di un uomo dall'età indefinibile, piuttosto alto se paragonato ai cileni, ma che accanto al corpulento capitano inglese sembrava un bambino. Camminava in modo sgraziato, aveva la pelle levigata, il corpo asciutto di un ragazzo e un'espressione antica negli occhi a mandorla. La circospezione solenne contrastava con la risata infantile che gli scoppiò dal fondo del cuore quando Sommers gli si rivolse. Indossava pantaloni sopra le caviglie, un'ampia camicia di tela grezza e una fascia in vita, dove portava un coltello; calzava scarpette minute, esibiva un cappello di paglia sgualcito e sulla schiena gli pendeva una lunga treccia. Salutò chinando il capo diverse volte, senza abbandonare la valigia e senza guardare nessuno in faccia. Miss Rose e Jeremy Sommers, sconcertati dalla familiarità con cui il fratello trattava una persona di rango indubbiamente inferiore, non sapendo come comportarsi risposero con un gesto breve e sbrigativo. Con orrore di Miss Rose, Eliza gli tese la mano, ma l'uomo finse di non vederla.

"Ecco Tao Chi'en; è il peggior cuoco che io abbia mai avuto, ma sa curare quasi tutte le malattie, per questo non me ne sono ancora sbarazzato," scherzò il capitano.

Tao Chi'en ripeté una nuova serie di inchini, esplose in un'altra risata, apparentemente immotivata, e immediatamente si allontanò retrocedendo. Eliza si chiese se capisse l'inglese. Alle spalle delle due donne, John Sommers sussurrò al fratello che il cinese poteva vendergli oppio della migliore qualità e polvere di corno di rinoceronte per l'impotenza, nel caso in cui un giorno o l'altro decidesse di abbandonare la cattiva abitudine del celibato. Nascondendosi dietro al ventaglio, Eliza ascoltò intrigata.

Quel pomeriggio a casa, all'ora del tè, il capitano distribuì i regali che aveva portato: schiuma da barba inglese, un set di forbici di Toledo e sigari avana per il fratello, pettini di tartaruga e uno scialle di seta ricamato di Manila per Miss Rose e, come sempre, un gioiello per la dote di Eliza. Questa volta si trattava di una collana di perle, che la ragazza accettò con commozione e che mise nel suo portagioie insieme agli altri monili che aveva ricevuto. Grazie alla testardaggine di Miss Rose e alla generosità di quello zio, il baule per le nozze si stava riempiendo di tesori.

"Questa consuetudine della dote mi sembra stupida, soprattutto se non c'è neanche un fidanzato in giro," sorrise il capitano. "O forse all'orizzonte ce n'è uno?"

La ragazza scambiò un'occhiata terrorizzata con Mama Fresia, che in quel momento era entrata con il vassoio del tè. Il capitano non disse nulla, ma si domandò come mai la sorella Rose non avesse notato i cambiamenti in Eliza. A quanto pareva, l'intuito femminile non serviva a granché.

Passarono il resto del pomeriggio ascoltando i meravigliosi racconti del capitano sulla California, benché dopo la fantastica scoperta non fosse andato da quelle parti, e di San Francisco potesse dire soltanto che si trattava di una borgata piuttosto misera, situata, però, nella baia più bella del mondo. La novità dell'oro era l'unico argomento di cui si parlava in Europa e negli Stati Uniti, ed era arrivato fino alle sponde dell'Asia. La sua imbarcazione era stracolma di passeggeri diretti in California, la maggior parte dei quali era all'oscuro delle più elementari nozioni minerarie e molti dei quali non avevano visto in vita loro il metallo nemmeno in un dente. Non c'era modo di arrivare comodamente o in fretta a San Francisco, la navigazione durava mesi nelle più precarie condizioni, spiegò il capitano, ma via terra, attraverso il continente americano, sfidando l'immensità del paesaggio e il pericolo degli indiani, il viaggio era più lungo e c'erano meno possibilità di salvarsi la pelle. Chi si avventurava in nave fino a Panamá, attraversava con portantine l'istmo per fiumi infestati da bestiacce, viaggiava su muli nella foresta, e una volta giunto sulle coste del Pacifico saliva un'altra volta a bordo verso nord. Doveva misurarsi con un caldo atroce, rettili velenosi, zanzare, epidemie di colera e febbre gialla, oltre all'impareggiabile malvagità degli uomini. I viaggiatori che sopravvivevano illesi alle cadute delle cavalcature nei precipizi e ai pericoli delle paludi, si ritrovavano dall'altra parte vittime di banditi che li depredavano di tutti i loro beni, o di mercenari che si facevano pagare una fortuna per portarli a San Francisco, ammassati come bestiame su navi sgangherate.

"È molto grande la California?" chiese Eliza, cercando di impedire alla sua voce di tradire l'ansia del cuore.

"Portami una cartina e te la farò vedere. È molto più grande del Cile."

"E come si arriva all'oro?"

"Dicono che ce ne sia ovunque..."

"Ma se uno volesse, diciamo tanto per fare un esempio, trovare una persona in California..."

"Be', sarebbe piuttosto difficile," replicò il capitano studiando con curiosità l'espressione di Eliza.

"Vai da quelle parti nel tuo prossimo viaggio, zio?"

"Mi hanno fatto un'offerta allettante e credo che la accetterò. Alcuni investitori cileni vogliono costituire un servizio regolare di trasporto di merci e passeggeri per la California. Hanno bisogno di un capitano per il loro vapore."

"Allora ti vedremo più spesso, John!" esclamò Rose.

"Tu non hai esperienza di vapori," fece notare Jeremy.

"No, ma conosco il mare meglio di chiunque altro."

La notte del venerdì indicato, Eliza attese che la casa fosse in silenzio per dirigersi all'appuntamento con Mama Fresia nella casetta dell'ultimo patio. Abbandonò il letto e scese scalza, con indosso semplicemente una camicia da notte di batista. Non aveva idea del tipo di rimedio che le sarebbe stato somministrato, ma era certa che non avrebbe passato un bel momento; sapeva per esperienza che tutte le medicine erano sgradevoli, ma quelle dell'india erano addirittura schifose. "Non preoccuparti, bambina, ti darò tanta di quell'acquavite che quando ti sveglierai dalla sbronza non ti ricorderai del dolore. Però avremo bisogno di molti panni per raccogliere il sangue," le aveva detto la donna. Eliza aveva fatto spesso quel percorso al buio nella casa per ricevere l'amante e non aveva bisogno di prendere precauzioni, ma quella notte procedeva molto lentamente, indugiando, desiderando che venisse uno di quei terremoti cileni capaci di scaraventare tutto a terra pur di avere un buon pretesto per mancare all'appuntamento con Mama Fresia. Si sentì i piedi gelati e un brivido scorrerle lungo la schiena. Non capì se fosse di freddo, di paura per ciò che doveva affrontare o se fosse l'ultimo avvertimento della sua coscienza. Fin dal primo campanello d'allarme della gravidanza aveva sentito quella voce che la chiamava. Era la voce del bambino che in fondo al ventre reclamava il suo diritto alla vita, ne era certa. Cercava di non sentirla e di non pensarci, era in trappola poiché se si fosse iniziato a notare il suo stato, per lei non ci sarebbero stati né speranza né perdono. Nessuno avrebbe dimostrato comprensione per il suo errore né avrebbe avuto modo di recuperare l'onore perduto. Né le preghiere né le candele di Mama Fresia avrebbero impedito la disgrazia; il suo amante non si sarebbe girato a metà strada per tornare di corsa a sposarsi con lei prima che la gravidanza fosse palese. Ormai era troppo tardi. La terrorizzava l'idea di finire come la madre di Joaquín, marchiata da uno stigma infamante, espulsa dalla famiglia e costretta a vivere con un figlio illegittimo in povertà e solitudine; non avrebbe sopportato di essere ripudiata, preferiva morire una volta per tutte. E poteva benissimo morire quella stessa notte, per mano di quella donna buona che l'aveva allevata e che l'amava più di ogni altro al mondo.

La famiglia si era ritirata presto, ma il capitano e Miss Rose erano rimasti chiusi a bisbigliare per ore nella stanza del cucito. A ogni viaggio John Sommers portava dei libri per la sorella e partiva con misteriosi pacchetti che Eliza sospettava contenessero gli scritti di Miss Rose. L'aveva vista incartare con cura i suoi quaderni, quegli stessi che riempiva con la sua fitta calligrafia nei pomeriggi oziosi. Per rispetto o per una sorta di strano pudore nessuno li citava, come del resto non si menzionavano i suoi pallidi acquerelli. La scrittura e la pittura venivano considerate sentieri secondari, niente di cui vergognarsi sul serio, ma nemmeno di cui andar fieri. Le doti culinarie di Eliza ricevevano lo stesso indifferente trattamento da parte dei Sommers, che assaporavano i suoi piatti in silenzio e cambiavano argomento se gli ospiti li commentavano, ma tributavano invece immeritati applausi alle sue coraggiose esecuzioni al piano, anche se servivano a malapena ad accompagnare frettolosamente le canzoni altrui. Per tutta la vita Eliza aveva visto la sua protettrice con la penna in mano e non le aveva mai chiesto cosa stesse scrivendo, domanda che del resto non aveva sentito formulare né da John né da Jeremy. Era curiosa di sapere perché suo zio si portasse via con tanta discrezione i quaderni di Miss Rose ma, senza che nessuno glielo avesse detto, sapeva che si trattava di uno di quei segreti fondamentali su cui si basava l'equilibrio della famiglia e violarlo poteva far crollare con un soffio il castello di carte in cui vivevano. Era già da parecchio che Jeremy e Rose dormivano nelle loro camere e probabilmente dopo cena zio John era uscito a cavallo. Conoscendo le abitudini del capitano, la ragazza se lo immaginò a far baldoria con qualcuna delle sue frivole amichette, quelle stesse che lo salutavano quando con lui non c'era Miss Rose. Sapeva che ballavano e bevevano, ma siccome di prostitute aveva semplicemente sentito mormorare, non le venne in mente qualcosa di più sconcio. La possibilità di fare per soldi o per diporto le cose che lei aveva fatto per amore con Joaquín Andieta non la sfiorava minimamente. Secondo i suoi calcoli, lo zio non sarebbe rientrato se non a mattino inoltrato, motivo per cui si prese un terribile spavento quando, arrivata a pianterreno, sentì che qualcuno le afferrava il braccio al buio. Sentì il calore di un corpo grande contro il suo e un respiro di liquore e tabacco che le fece identificare immediatamente lo zio. Cercò di liberarsi dalla presa mentre valutava rapidamente le possibili spiegazioni per giustificare il suo essere lì, a quell'ora, in camicia da notte, ma il capitano la condusse con fermezza nella biblioteca, illuminata appena da qualche raggio di luna che attraversava la finestra. La obbligò a sedersi sulla poltrona di cuoio inglese di Jeremy e si mise a cercare i fiammiferi per accendere la lampada.

"Molto bene, Eliza. Adesso mi racconti cosa diavolo ti sta succedendo," le ordinò con un tono mai usato prima con lei.

In un lampo di lucidità Eliza capì che lo zio non sarebbe stato suo alleato come aveva sperato. La tolleranza che ostentava questa volta non sarebbe valsa a nulla: se si trattava del buon nome della famiglia, si sarebbe lealmente schierato con i fratelli. In silenzio, la ragazza sostenne il suo sguardo, con aria di sfida.

"Rose dice che hai perso la testa per un mentecatto dalle scarpe rotte, è vero?"

"L'ho visto due volte, zio John. E qualche mese fa. Non conosco neppure il suo nome."

"Ma non l'hai dimenticato, vero? Il primo amore è come il vaiolo, lascia tracce indelebili. Vi siete visti da soli?"

"No."

"Non ti credo. Pensi che sia tonto? Chiunque potrebbe accorgersi di quanto sei cambiata, Eliza."

"Sono ammalata, zio. Ho mangiato frutta acerba e ho la pancia sottosopra. Stavo giusto andando alla latrina."

"Hai occhi da cagna in calore!"

"Perché mi insulti, zio?"

"Scusami, piccola. Non capisci che ti voglio molto bene e che sono preoccupato? Non posso permettere che ti rovini la vita. Rose e io abbiamo un progetto magnifico... Ti piacerebbe andare in Inghilterra? Posso sistemare le cose in modo che vi imbarchiate entro un mese, così avrete tempo di comprare tutto il necessario per il viaggio."

"In Inghilterra?"

"Viaggerete in prima classe, come due regine, e a Londra alloggerete in una pensione deliziosa a pochi isolati da Buckingham Palace."

Eliza capì che i due fratelli avevano già deciso il suo destino.

L'ultima cosa al mondo che desiderava era partire prendendo la direzione opposta a quella di Joaquín, mettendo due oceani di distanza tra loro.

"Grazie, zio. Mi piacerebbe molto visitare l'Inghilterra," disse con la più grande dolcezza che riuscì a simulare.

Il capitano si servì un brandy dopo l'altro, accese la pipa e passò le successive due ore a enumerare i vantaggi della vita a Londra, dove una signorina come lei poteva frequentare la miglior società, andare ai balli, a teatro e ai concerti, acquistare i vestiti più belli e realizzare un buon matrimonio. Era già in età di farlo. E non le sarebbe piaciuto andare anche a Parigi o in Italia? Non si poteva morire senza aver visto Venezia o Firenze. Lui avrebbe soddisfatto tutti i suoi capricci, non l'aveva sempre fatto, d'altronde? Il mondo traboccava di uomini belli, interessanti e dalla buona posizione; l'avrebbe potuto verificare da sé non appena fosse uscita dal buco in cui era sepolta in quel porto dimenticato. Valparaíso non era il posto giusto per una ragazza così carina e ben educata come lei. Non era colpa sua se si era innamorata del primo che le era passato davanti, viveva rinchiusa. E in quanto a quel giovanotto, com'è che si chiamava? Dipendente di Jeremy, no?, presto se lo sarebbe dimenticato. L'amore, garantì, muore inesorabilmente per combustione interna o viene estirpato alla radice con la lontananza. Nessuno meglio di lui poteva consigliarla: nel suo piccolo era un esperto in quanto a distanze e amori trasformati in cenere.

"Non so di cosa stai parlando, zio. Miss Rose si è inventata un romanzo rosa partendo da un bicchiere di succo d'arancia. È venuto un tizio a lasciare dei colli, gli ho offerto una bibita, l'ha presa e poi se ne è andato. Questo è quanto. Non è successo niente e non l'ho più rivisto."

"Se è andata come dici, sei fortunata; non dovrai strapparti questa fantasia dalla testa."

John Sommers continuò a bere e a parlare fino all'alba, mentre Eliza, rannicchiata nella poltrona di cuoio, si abbandonava al sonno pensando che, dopo tutto, il cielo aveva ascoltato le sue preghiere. Non era stato un provvidenziale terremoto a salvarla dall'orribile rimedio di Mama Fresia: era stato suo zio. Nella casupola del patio l'india aspettò per tutta la notte.

IL COMMIATO

Il sabato pomeriggio John Sommers invitò la sorella Rose a visitare la nave dei Rodríguez de Santa Cruz. Se le trattative di quei giorni fossero andate a buon fine, sarebbe toccato di capitanarla proprio a lui, che così avrebbe finalmente realizzato il sogno di navigare a vapore. Più tardi Paulina li ricevette nel salone dell'Hotel Inglés in cui era alloggiata. Dal Nord era tornata a Valparaíso per mettere in moto il suo piano mentre il marito si trovava in California da vari mesi. Approfittavano del continuo traffico di imbarcazioni che facevano la spola per comunicare attraverso una fitta corrispondenza nella quale le dichiarazioni di affetto coniugale si intrecciavano a progetti commerciali. Paulina scelse di assumere nella sua impresa John Sommers solo per intuito. Si ricordava vagamente che era fratello di Jeremy e Rose Sommers, gringo che suo padre aveva invitato in un paio di occasioni nella tenuta, ma l'aveva visto solamente una volta e con lui non aveva scambiato che qualche frase di circostanza. La sua unica referenza era la comune amicizia con Jacob Todd, ma nelle ultime settimane aveva svolto qualche indagine ed era molto contenta di quello che le era stato riferito. Il capitano godeva di una solida reputazione tra la gente di mare e nelle compagnie commerciali. Ci si poteva fidare della sua esperienza e della sua parola più di quanto non avvenisse normalmente in quei giorni di delirio collettivo in cui chiunque poteva affittare un'imbarcazione, formare una compagnia di avventurieri e salpare. In genere si trattava di faciloni, le navi erano mezzo sgangherate, ma tutto ciò non aveva molta importanza visto che una volta arrivati in California le società si estinguevano, le imbarcazioni venivano abbandonate e tutti si precipitavano verso i giacimenti auriferi. Paulina, invece, aveva un programma di ampio respiro. Tanto per cominciare, non era obbligata a tenere in considerazione le esigenze di qualcun altro che non fosse suo marito o suo cognato, gli unici soci, ed essendo suo la maggior parte del capitale poteva decidere in piena autonomia. Il suo vapore, da lei battezzato *Fortuna*, per quanto piuttosto piccolo e con diversi anni di navigazione alle spalle, si trovava in condizioni invidiabili. Era disposta a pagare bene l'equipaggio purché non disertasse per correre dietro l'oro, ma sapeva che senza la mano ferrea di un buon capitano non c'era salario in grado di mantenere la disciplina a bordo. L'idea del marito e del cognato consisteva nell'esportare attrezzi per minatori, legname per le case, abbigliamento da lavoro, utensili domestici, carne essiccata, cereali, fagioli e altri prodotti non deperibili, ma appena Paulina ebbe messo piede a Valparaíso si rese conto che in molti si stavano dedicando allo stesso progetto e che la concorrenza sarebbe stata feroce. Diede un'occhiata in giro e notò l'eccezionale quantità di frutta e verdura, regalo di quell'estate generosa. Ce n'era talmente tanta che non si riusciva a venderla. Gli ortaggi crescevano nei pati e gli alberi si spezzavano sotto il peso dei frutti; pochi erano disposti a pagare quel che si poteva avere gratis. Pensò al podere di suo padre, in cui frutta e verdura marcivano a terra perché nessuno aveva interesse a raccoglierle. Se avesse potuto portarle in California, sarebbero state più preziose dell'oro stesso, concluse. Prodotti freschi, vino cileno, medicine, uova, abbigliamento elegante, strumenti musicali e, perché no?, spettacoli teatrali e operette. San Francisco riceveva centinaia di immigrati al giorno. Per il momento si trattava di avventurieri e banditi, ma senz'altro sarebbero arrivati anche i coloni dell'altro lato degli Stati Uniti, onesti agricoltori, avvocati, medici, insegnanti e ogni sorta di persona perbene pronta a stabilirsi con la sua famiglia. Dove ci sono donne c'è civiltà, e non appena questa avrà preso piede a San Francisco, lì ci sarà anche il mio vapore con tutto il necessario, decise.

Paulina ricevette John Sommers e sua sorella Rose all'ora del tè, quando il caldo del mezzogiorno si era mitigato e una fresca brezza marina aveva iniziato a spirare. Il suo abbigliamento era eccessivamente lussuoso per la sobria società del porto, rivestita com'era dalla testa ai piedi di una mussola con pizzi color burro, con una corona di riccioli sulle orecchie e più gioielli di quanti fossero accettabili a quell'ora del giorno. Il figlio di due anni scalciava in braccio a una bambinaia in divisa e un cagnolino lanuto ai suoi piedi divorava i pezzi di torta che lei gli avvicinava al muso. La prima mezz'ora se ne andò in presentazioni, nel bere il tè e nel ricordare Jacob Todd.

"Che ne è stato di quel buon amico?" volle sapere Paulina, che non avrebbe mai dimenticato l'intervento dello stravagante inglese nel suo amore con Feliciano.

"È da parecchio che non so nulla di lui," la informò il capitano. "Partì con me per l'Inghilterra un paio di anni fa. Era molto depresso, ma l'aria di mare gli fece bene e quando sbarcò aveva recuperato il buonumore. L'ultima cosa che sono venuto a sapere è che aveva intenzione di formare una colonia utopistica."

"Una cosa?" esclamarono all'unisono Paulina e Miss Rose.

"Una comunità che vive fuori dalla società, con le proprie leggi e il proprio governo, ispirata a principi di uguaglianza, libero amore e lavoro collettivo, mi sembra. O perlomeno questa fu la spiegazione che mi diede migliaia di volte durante il viaggio."

"È più suonato di quanto pensassimo," concluse Miss Rose con una punta di compassione per il fedele pretendente.

"Le persone con idee originali finiscono sempre per guadagnarsi la fama di matti," osservò Paulina. "Senza andar troppo lontani, ho un'idea che mi piacerebbe discutere con lei, capitano Sommers. Lei conosce il *Fortuna*. Quanto ci può impiegare a tutto vapore da Valparaíso al Golfo de Penas?"

"Al Golfo de Penas? Ma è più a sud del Sud!"

"Certo, più giù di Puerto Aisén."

"E cosa dovrei andarci a fare? Non ci sono altro che isole, boschi e piogge."

"Conosce quella zona?"

"Sì, ma pensavo che si parlasse di andare a San Francisco..."

"Assaggi questi dolcetti di pasta sfoglia, sono una delizia," propose lei accarezzando il cane.

Mentre John e Rose Sommers conversavano con Paulina nel salone dell'Hotel Inglés, Eliza era in giro nel quartiere di El Almendral con Mama Fresia. A quell'ora iniziavano a riunirsi gli alunni e gli invitati per le riunioni di ballo dell'accademia e in via del tutto eccezionale Miss Rose le aveva permesso di andare per un paio d'ore con la tata nel ruolo di chaperon. Solitamente non le consentiva di affacciarsi all'accademia senza di lei, ma il professore di ballo non offriva bibite alcoliche prima del tramonto e questa misura teneva lontani i giovani irrequieti nelle prime ore del pomeriggio. Eliza, decisa ad approfittare di quest'opportunità unica in cui usciva senza Miss Rose, convinse l'india ad appoggiare il suo progetto.

"Dammi la tua benedizione, *mamita*. Devo andare in California a cercare Joaquín," le disse.

"Ma come pensi di andarci, sola, e incinta?" domandò la donna con orrore.

"Anche se non mi aiuti, ci andrò lo stesso."

"Dirò tutto a Miss Rose."

"Se lo fai, mi ammazzo. E poi verrò a toglierti la pace per il resto delle tue notti. Te lo giuro," replicò la ragazza con feroce determinazione.

Il giorno prima, al porto, aveva visto un gruppo di donne che negoziavano per imbarcarsi. Dal loro aspetto così diverso da quello delle altre che incrociava normalmente per la strada, coperte estate e inverno da mantelli neri, immaginò che fossero le donnacce con le quali se la spassava lo zio John. "Sono puttane, vanno a letto per soldi e se ne andranno dritte dritte all'inferno," le aveva spiegato una volta Mama Fresia. Aveva colto qualche frase del capitano in cui raccontava a Jeremy Sommers di cilene e peruviane che partivano per la California con l'intento di impadronirsi dell'oro dei minatori, ma non riusciva a immaginare come si organizzassero per farlo. Se queste donne intraprendevano il viaggio da sole e sopravvivevano senza aiuto, lo poteva fare anche lei, decise. Camminava in fretta, col cuore in subbuglio e il viso mezzo nascosto dal ventaglio, sudando nel caldo di dicembre. Portava con sé i gioielli della dote in un sacchettino di velluto. Gli stivaletti nuovi si rivelarono uno strumento di tortura e il busto le opprimeva la vita; il fetore dei fossi a cielo aperto in cui scorrevano le acque di scarico della città aumentava la sua nausea, ma Eliza procedeva dritta come un fuso, come aveva imparato negli anni in cui si dedicava a mantenere in equilibrio un libro sulla testa e a suonare il piano con una bacchetta di metallo legata alla schiena. Mama Fresia, gemendo e borbottando litanie nella sua lingua, con le sue varici e la sua ciccia, riusciva a malapena a starle dietro. Ma dove stiamo andando, bambina mia, per carità, ma Eliza non poteva risponderle perché non lo sapeva. Di una cosa però era certa: di impegnare i gioielli e di comprare un biglietto per la California non se ne parlava, perché non c'era modo di farlo senza che lo zio John lo venisse a sapere. Nonostante le dozzine di imbarcazioni che attraccavano giornalmente, Valparaíso era una città piccola e al porto tutti conoscevano il capitano John Sommers. Non poteva neanche contare su un documento d'identità, e men che meno su un passaporto, impossibile da ottenere perché in quei giorni la Delegazione degli Stati Uniti in Cile era chiusa per via dell'amore contrastato tra un diplomatico nordamericano e una dama cilena. Eliza concluse che l'unico modo per raggiungere Joaquín Andieta in California era imbarcarsi clandestinamente. Zio John le aveva raccontato che a volte, con la complicità di qualche membro dell'equipaggio, sulle navi si imbarcavano passeggeri clandestini. Alcuni riuscivano a rimanere nascosti durante la traversata, mentre altri morivano e i loro corpi finivano in mare senza che lui se ne accorgesse; ma se li scopriva castigava nello stesso modo il clandestino e chi l'aveva aiutato. Quello era uno dei casi, le aveva detto, in cui esercitava nel modo più rigoroso la propria indiscutibile autorità di capitano: in alto mare, non c'era altra legge e altra giustizia che la sua.

La maggior parte delle transazioni illecite del porto, stando a suo zio, veniva condotta nelle taverne. Eliza non aveva mai messo piede in tali luoghi, ma vide una figura femminile dirigersi in un locale vicino e la riconobbe come una delle donne che il giorno prima si trovavano sul molo per tentare di imbarcarsi. Era una ragazza tarchiata con due trecce nere sulla schiena, vestita con una gonna di cotone, una blusa ricamata e uno scialle sulle spalle. Eliza la seguì senza pensarci due volte, mentre Mama Fresia rimaneva per strada a recitare avvertimenti: "Lì entrano solo le puttane, bambina mia, è peccato mortale". Spinse la porta ed ebbe bisogno di qualche secondo per abituarsi all'oscurità e all'odore di tabacco e di birra rancida che impregnava l'aria. Il luogo era gremito di uomini e tutti gli occhi si girarono a guardare le due donne. Per un istante regnò un silenzio d'attesa e poi partì un coro di fischi e commenti osceni. La donna avanzò con passo agguerrito verso un tavolino in fondo, lanciando manate a destra e a manca quando qualcuno tentava di toccarla, ma Eliza retrocedette alla cieca, inorridita, senza riuscire a capire cosa stesse succedendo né perché quegli uomini stessero gridando. Raggiunse la porta e si scontrò con un avventore che stava entrando. L'uomo lanciò un'esclamazione in un'altra lingua e riuscì a reggerla mentre lei stava per scivolare a terra. Quando la guardò rimase sconcertato: Eliza, con il suo vestito verginale e il suo ventaglio, risultava completamente fuori luogo. Lei lo guardò a sua volta e riconobbe immediatamente il cuoco cinese che suo zio aveva salutato il giorno prima.

"Tao Chi'en?" chiese, grata alla sua buona memoria.

L'uomo la salutò unendo le mani davanti al viso e chinandosi ripetutamente, mentre nel bar continuavano i fischi. Due marinai si alzarono e si avvicinarono barcollando. Tao Chi'en indicò a Eliza la porta ed entrambi uscirono.

"Miss Sommers?" indagò una volta fuori.

Eliza assentì, ma non ebbe modo di aggiungere altro perché furono interrotti dai due marinai del bar che apparvero sulla porta, in evidente stato d'ebbrezza e desiderosi d'attaccar briga.

"Come osi disturbare questa graziosa signorina, cinese di merda?" minacciarono.

Tao Chi'en chinò la testa, fece mezzo giro e accennò ad andarsene, ma uno degli uomini lo bloccò, afferrandolo per la treccia e tirandogliela, mentre l'altro biascicava smancerie soffiando il suo alito marcio di vino sul viso di Eliza. Il cinese si girò con la velocità di un felino e affrontò l'aggressore. Aveva in mano il suo singolare coltello e la lama brillava come uno specchio sotto il sole estivo. Mama Fresia cacciò un urlo e senza indugiare diede uno spintone da cavallo al marinaio più vicino, afferrò Eliza per un braccio e cominciò a correre per la strada con un'agilità insospettabile in una donna della sua stazza. Corsero per vari isolati senza fermarsi, allontanandosi dalla zona pericolosa, finché non giunsero nella piazzetta di San Agustín, e lì Mama Fresia crollò tremando sulla prima panchina a portata di mano.

"Ah, bambina mia! Se i padroni lo vengono a sapere, mi ammazzano. Andiamo a casa immediatamente..."

"Non ho ancora fatto quel che dovevo, *mamita*. Devo tornare in quella taverna."

Mama Fresia incrociò le braccia, rifiutandosi con grande risolutezza di muoversi di lì, mentre Eliza si incamminava a lunghi passi cercando di organizzare un piano in mezzo a tanta confusione. Non aveva molto tempo a disposizione. Le istruzioni di Miss Rose erano state ben chiare: alle sei in punto la carrozza sarebbe passata a prenderle di fronte all'accademia di ballo per riportarle a casa. Capì che doveva agire in fretta, perché un'altra occasione non si sarebbe presentata. Così stavano le cose quando videro il cinese procedere serenamente verso di loro, con il suo incedere pencolante e l'imperturbabile sorriso. Ripeté gli inchini abituali di saluto e poi si rivolse a Eliza in un buon inglese per chiedere se la rispettabile figlia del capitano John Sommers avesse bisogno d'aiuto. Lei chiarì che non era la figlia, bensì la nipote, e in uno slancio di repentina confidenza o disperazione gli confessò che effettivamente aveva bisogno del suo aiuto, ma che si trattava di una faccenda privata.

"Qualcosa che il capitano non può sapere?"

"Che nessuno deve sapere."

Tao Chi'en si scusò. Il capitano era una brava persona, disse, l'aveva sequestrato in malo modo per imbarcarlo, era vero, ma poi si era comportato bene e lui non aveva intenzione di tradirlo. Abbattuta, Eliza crollò sulla panchina con il viso tra le mani, mentre Mama Fresia li osservava, senza capire una parola d'inglese ma intuendo di cosa si trattasse. Alla fine si avvicinò a Eliza e scosse ripetutamente il sacchetto di velluto che conteneva i gioielli della dote.

"Bambina, pensi forse che a questo mondo qualcuno faccia qualcosa gratis?" disse.

Eliza capì al volo. Si asciugò le lacrime e indicò il posto di fianco al suo, invitando l'uomo a sedersi. Mise la mano nel sacchetto, estrasse la collana di perle che lo zio John le aveva regalato il giorno prima e la mise sulle ginocchia di Tao Chi'en.

"Può nascondermi in una nave? Ho bisogno di andare in California," spiegò.

"Perché? È un posto da banditi, non da donne."

"Vado a cercare una cosa."

"Oro?"

"Una cosa più preziosa dell'oro."

L'uomo rimase a bocca aperta perché una donna capace di gesti tanto determinati non l'aveva mai vista nella vita reale, ma solo nei romanzi classici dove le eroine nel finale morivano sempre.

"Con questa collana può comprare il biglietto. Non ha bisogno di viaggiare clandestinamente," le suggerì Tao Chi'en, che non aveva intenzione di complicarsi la vita violando la legge.

"Nessun capitano mi imbarcherà senza aver prima avvisato la mia famiglia."

L'iniziale sorpresa di Tao Chi'en si trasformò in sincero stupore: quella ragazza stava addirittura pensando di disonorare la sua famiglia e si aspettava che lui la aiutasse! Aveva qualche diavolo in corpo, non c'erano dubbi. Eliza tornò a introdurre la mano nel sacchetto, estrasse una spilla d'oro e turchesi e la depositò sulla gamba dell'uomo, di fianco alla collana.

"Signore, lei ha mai amato qualcuno più della sua stessa vita?" chiese.

Tao Chi'en la guardò negli occhi per la prima volta da quando si erano conosciuti e probabilmente vi lesse qualcosa perché prese la collana, se la nascose sotto la camicia e poi le rese la spilla.

Si alzò in piedi, si aggiustò i pantaloni di cotone e il coltello da macellaio nella fascia in vita, e nuovamente si inchinò con fare cerimonioso.

"Non lavoro più per il capitano Sommers. Domani salpa per la California il brigantino *Emilia*. Venga domattina alle dieci e la farò salire a bordo.

"Come?"

"Non lo so. Vedremo."

Tao Chi'en fece un ulteriore cortese gesto di commiato e si allontanò con tanta velocità e circospezione che sembrò essersi volatilizzato. Eliza e Mama Fresia tornarono all'accademia di ballo giusto in tempo per imbattersi nel cocchiere, che le attendeva da mezz'ora bevendo dalla sua fiaschetta.

L'*Emilia* era una nave d'origine francese, che un tempo era stata elegante e veloce, ma che aveva solcato molti mari e da parecchio aveva perso l'impeto della gioventù. Era attraversata da vecchie cicatrici di mare, aveva una scia di molluschi incrostati sui fianchi matronali, le sue giunture gemevano sotto i colpi delle onde e il suo velame macchiato e mille volte rammendato sembrava l'ultima vestigia di una vecchia sottoveste. Salpò da Valparaíso la radiosa mattina del 18 febbraio 1849, con a bordo ottantasette passeggeri di sesso maschile, cinque donne, sei vacche, otto maiali, tre gatti, diciotto marinai, un capitano olandese, un pilota cileno e un cuoco cinese. Ed Eliza, ma l'unica persona a saperlo era Tao Chi'en.

I passeggeri delle cabine di prima classe si ammucchiavano sul ponte di prua senza poter godere di molta intimità, ma certamente stavano più comodi degli altri che si erano sistemati in cabine minuscole da quattro cuccette ciascuna, o sui pavimenti in coperta, dopo aver tirato a sorte per sistemare i bagagli. Una cabina sotto la linea di galleggiamento venne assegnata alle cinque cilene che andavano a tentare la fortuna in California. Nel porto di Callao sarebbero salite due peruviane, che dovevano unirsi a loro senza fare tante storie, in due per cuccetta. Il capitano Vincent Katz istruì ciurma e passeggeri intimando di non intrattenere il minimo contatto sociale con le signore, dal momento che non era disposto a tollerare rapporti osceni sulla sua imbarcazione; ai suoi occhi risultava evidente che quelle viaggiatrici non erano tra le più virtuose, ma ovviamente i suoi ordini vennero violati ben più di una volta durante il viaggio. Gli uomini sentivano la mancanza di compagnia femminile e loro, umili meretrici lanciate alla ventura, non avevano un centesimo in tasca. Le vacche e i maiali, ben legati in piccoli recinti sul secondo ponte, dovevano fornire latte fresco e carne ai navigatori, la cui dieta sarebbe consistita sostanzialmente di fagioli, gallette dure e nere, carne secca salata e quanto si riusciva a pescare. Per compensare tanta penuria, i passeggeri più abbienti si erano portati le loro vettovaglie, soprattutto vino e sigari, ma la maggior parte delle persone a bordo pativa la fame. Due dei gatti giravano liberamente per tenere sotto controllo i topi che altrimenti si sarebbero riprodotti liberamente durante i due mesi di traversata. Il terzo viaggiava con Eliza.

Nel ventre dell'*Emilia* era stipato lo svariato bagaglio dei viaggiatori e il carico destinato al commercio in California, immagazzinato in modo da sfruttare al massimo lo spazio. Niente di tutto ciò veniva toccato fino alla destinazione finale e nessuno poteva entrare lì, fatta eccezione per il cuoco, l'unico a godere di accesso autorizzato alle derrate secche, severamente razionate. Tao Chi'en teneva le chiavi appese in vita e rispondeva personalmente presso il capitano del contenuto della stiva. Lì, nella parte più buia e profonda, in un buco di due metri per due, viaggiava anche Eliza. Le pareti e il soffitto del suo tugurio erano formate da bauli e casse di merci, il suo letto era un sacco e l'unica fonte di luce l'estremità di una candela. Disponeva di una scodella, di una brocca d'acqua e di un orinale. Poteva fare due passi e allungarsi tra i pacchi e poteva piangere e gridare a suo piacimento, perché le sferzate delle onde contro l'imbarcazione inghiottivano la sua voce. L'unico contatto con il mondo esterno era Tao Chi'en, che quando poteva, con un pretesto qualsiasi, scendeva per darle da mangiare e per vuotare la bacinella. In quanto a compagnia, poteva contare su un gatto che era stato rinchiuso nella stiva per controllare i topi, ma durante le terribili settimane di navigazione il povero animale impazzì e alla fine, purtroppo, Tao Chi'en dovette tagliargli il collo con il suo coltello.

Eliza salì a bordo in un sacco portato a spalla da uno dei tanti stivatori che stoccavano le merci e i bagagli a Valparaíso. Non venne mai a sapere come si arrangiò Tao Chi'en per ottenere la complicità dell'uomo ed eludere i controlli del capitano e del pilota che annotavano su un libro tutto ciò che entrava. Era scappata poche ore prima grazie a un macchinoso stratagemma che aveva previsto anche la falsificazione di un invito scritto con cui la famiglia del Valle desiderava ospitarla per qualche giorno nella sua tenuta. Non era un'idea strampalata. In un paio di occasioni, precedentemente, le figlie di Agustín del Valle l'avevano invitata in campagna e Miss Rose le aveva permesso di andare, sempre accompagnata da Mama Fresia. Si era congedata da Jeremy, da Miss Rose e dallo zio John con simulata leggerezza, mentre il petto era schiacciato come dal peso di una pietra. Li aveva visti seduti alla tavola della colazione intenti a leggere giornali inglesi, innocentemente ignari dei suoi progetti, e una dolorosa incertezza l'aveva quasi fatta desistere. Erano tutta la sua famiglia, rappresentavano la sicurezza e il benessere, ma lei aveva varcato la linea della decenza e non c'era modo di tornare indietro. I Sommers l'avevano educata alle rigide norme del buon comportamento e un errore così grave insozzava il prestigio di tutti. Con la fuga la reputazione della famiglia veniva macchiata, ma almeno rimaneva un margine di dubbio: potevano sempre dire che era morta. Quale che fosse la spiegazione che avrebbero dato al mondo, lei non sarebbe stata lì a vederli patire tale vergogna. L'idea di partire alla ricerca dell'amante le sembrava l'unica strada percorribile, ma in quel momento di silenzioso commiato venne assalita da una tale tristezza che fu sul punto di scoppiare in lacrime e confessare tutto. Fu allora che l'ultima immagine di Joaquín Andieta, la notte della partenza, le si presentò con precisione estrema a rammentarle il suo dovere d'amore. Si sistemò alcune ciocche ribelli, si accomodò il cappello di paglia italiana e uscì salutando con un gesto della mano.

Nella valigia preparata da Miss Rose con i migliori vestiti estivi, c'erano anche alcune monete d'argento sottratte dalla camera di Jeremy Sommers e i gioielli della sua dote. Aveva avuto la tentazione di impadronirsi anche di quelli di Miss Rose, ma all'ultimo momento era stata vinta dal rispetto per quella donna che le aveva fatto da madre. In camera sua, dentro lo scrigno vuoto, aveva lasciato un bigliettino in cui ringraziava per tutto quello che le avevano dato e ripeteva quanto li amasse. Confessava anche quello che si portava via, per proteggere la servitù da ogni sorta di sospetti. Mama Fresia aveva messo nella valigia le sue scarpe più resistenti, così come i quaderni e il fascio di lettere d'amore di Joaquín Andieta. Con sé portava anche una pesante coperta di lana castigliana, regalo dello zio John. Si erano allontanate senza destare sospetti. Il cocchiere le aveva lasciate nella strada della famiglia del Valle ed era scomparso senza attendere che venisse loro aperta la porta. Mama Fresia ed Eliza si erano dirette al porto per trovarsi con Tao Chi'en nel luogo e all'ora convenuti.

L'uomo le stava aspettando. Prese la valigia dalle mani di Mama Fresia e indicò a Eliza di seguirlo. La ragazza e la tata si abbracciarono a lungo e, pur sapendo che non si sarebbero più riviste, nessuna delle due versò una lacrima.

"Cosa dirai a Miss Rose, *mamita*?"

"Niente. Me ne vado direttamente dalla mia gente, a sud, e nessuno mi troverà mai."

"Grazie, *mamita*. Mi ricorderò sempre di te..."

"E io pregherò perché ti vada tutto bene, bambina mia," furono le ultime parole che Eliza sentì dalle labbra di Mama Fresia, prima di seguire il cuoco cinese in una casetta di pescatori.

Nella buia stanza di legno senza finestre, che sapeva di reti umide e la cui unica ventilazione proveniva dalla porta, Tao Chi'en consegnò a Eliza dei pantaloni e un camiciotto molto logoro, dicendole di indossarli. Non accennò ad allontanarsi o a girarsi per discrezione. Eliza vacillò, non si era mai denudata davanti a un uomo, a parte Joaquín Andieta, ma Tao Chi'en non colse il suo esitare poiché era privo del senso del pudore: il corpo e le sue funzioni per lui erano qualcosa di naturale e la pudicizia, più che una virtù, gli sembrava un impaccio. Eliza capì che non era il momento di farsi degli scrupoli: l'imbarcazione salpava quella mattina stessa e le scialuppe stavano portando gli ultimi bagagli. Si tolse il cappellino di paglia, sbottonò gli stivaletti di cordovano e l'abito, sciolse i nastri della sottoveste e, morendo di vergogna, chiese al cinese di aiutarla a togliersi il corsetto. Mano a mano che i suoi vestiti da bambina inglese si ammucchiavano sul pavimento, lei perdeva, uno a uno, i contatti con la realtà nota ed entrava inesorabilmente in quella strana illusione che sarebbe stata la sua vita negli anni successivi. Ebbe la netta sensazione che stesse per iniziare un'altra storia di cui lei era al contempo protagonista e narratrice.

IL QUARTO FIGLIO

Tao Chi'en non aveva sempre avuto quel nome. A dire il vero non ne aveva avuto uno fino a undici anni; i suoi genitori erano troppo poveri per potersi occupare di dettagli come questo: lui era semplicemente il Quarto Figlio. Era nato nove anni prima di Eliza, in un villaggio della provincia di Kuangtung, a un giorno e mezzo di strada a piedi dalla città di Canton. Discendeva da una famiglia di guaritori. Per molte generazioni gli uomini della sua stirpe si erano trasmessi di padre in figlio conoscenze sulle piante medicinali, sull'arte di estrarre umori cattivi, sulla magia con cui spaventare gli spiriti malvagi e sulla capacità di regolare l'energia, il *qi*. L'anno in cui nacque il Quarto Figlio, la famiglia si trovava nella miseria più profonda, avendo dovuto lasciare la terra nelle mani di usurai e biscazzieri. Gli ufficiali dell'Impero che riscuotevano le tasse, oltre a incassare commissioni illegali e tangenti, tenevano per sé il denaro e poi applicavano nuovi tributi per occultare i loro furti. La famiglia del Quarto Figlio, come la maggior parte dei contadini, non era in grado di pagare. Se riuscivano a salvare dai mandarini qualche moneta delle loro magre entrate, le perdevano immediatamente al gioco, uno dei pochi divertimenti alla portata dei poveri. Si poteva scommettere alle corse dei ranocchi e delle cavallette, ai combattimenti di scarafaggi o al *fan tan*, e a molti altri giochi popolari.

Il Quarto Figlio era un bambino allegro, cui bastava poco per ridere, ma che dimostrava anche un'incredibile capacità di concentrazione e curiosità di imparare. A sette anni sapeva già che il talento di un buon guaritore consiste nel mantenere l'equilibrio tra *yin* e *yang*; a nove conosceva le proprietà delle piante della regione ed era in grado di aiutare suo padre e i fratelli maggiori nella complessa preparazione di impiastri, pomate, tonici, balsami, sciroppi, polveri e pillole della farmacopea contadina. Suo padre e il Primo Figlio viaggiavano a piedi di villaggio in villaggio per offrire cure e rimedi, mentre i figli Secondo e Terzo coltivavano un misero pezzo di terra, l'unico bene della famiglia. Il Quarto Figlio aveva il compito di raccogliere le piante medicinali, attività che svolgeva con piacere perché gli consentiva di vagare nei dintorni senza vigilanza, di inventarsi dei giochi e di imitare il canto degli uccelli. Talvolta, se dopo aver finito le interminabili faccende domestiche le rimaneva un po' di forza, lo accompagnava sua madre, che in virtù della sua condizione femminile non poteva lavorare la terra senza diventare oggetto di scherno da parte dei vicini. Erano sopravvissuti a stento, indebitandosi sempre di più, fino a quel fatale 1834, anno in cui i più crudeli spiriti malvagi si scagliarono contro la famiglia. Per cominciare, una pentola d'acqua bollente si rovesciò sulla sorella minore, di appena due anni, ustionandola dalla testa ai piedi. Le applicarono albumi sulle bruciature e la curarono con le erbe consigliate in questi casi, ma in meno di tre giorni la bambina, vinta dalla sofferenza, morì. La madre non si riprese. Aveva perso altri figli quand'erano piccoli e ognuno di loro le aveva lasciato una ferita nell'anima, ma quest'incidente fu la goccia che fece traboccare il vaso. Iniziò a deperire a vista d'occhio, diventò ogni giorno più magra, la pelle si fece verdognola e le ossa fragili, e i beveroni del marito non riuscirono a rallentare l'inesorabile progredire della sua misteriosa malattia, fino a quando, una mattina, la trovarono rigida, con un sorriso di sollievo e gli occhi in pace, perché finalmente si sarebbe riunita ai suoi bambini morti. Trattandosi di una donna, la cerimonia funebre fu molto semplice. Non fu possibile assoldare un monaco, né offrire il riso ai parenti e ai vicini durante il rito, ma perlomeno ci si premurò di verificare che il suo spirito non si rifugiasse sul tetto, nel pozzo o nelle tane dei topi da dove poi si sarebbe potuto presentare per farli penare. Senza la madre, che con le sue fatiche e la sua inesauribile pazienza aveva mantenuto unita la famiglia, fu impossibile arrestare le calamità. Fu un anno di tifoni, di cattivi raccolti e di carestia, e il vasto territorio della Cina si popolò di mendicanti e banditi. La sorellina di sette anni fu venduta a un agente e non si seppe mai più nulla di lei. Il Primo Figlio, destinato a sostituire il padre nella professione di medico ambulante, venne morsicato da un cane malato e morì poco dopo con il corpo teso come un arco e con la schiuma alla bocca. I figli Secondo e Terzo avevano già raggiunto l'età per lavorare e su di essi ricadde il compito di occuparsi del padre fino a quando fosse rimasto in vita, di espletare i riti funebri alla sua morte e di onorare la sua memoria e quella degli altri avi maschi per cinque generazioni. Il Quarto Figlio non era particolarmente utile e inoltre non si sapeva come nutrirlo, quindi il padre decise di cederlo come schiavo per dieci anni ad alcuni commercianti che erano passati con le loro carovane nei pressi del villaggio. Il bambino aveva allora undici anni.

Grazie a uno di quegli eventi fortuiti che lo avrebbero spinto più di una volta nella vita a modificare la rotta, quel periodo di schiavitù, che sarebbe potuto essere un inferno per il ragazzo, si rivelò, in realtà, molto più proficuo degli anni trascorsi sotto il tetto paterno. Due muli trainavano il carro delle merci più pesanti della carovana. Uno snervante stridio accompagnava ogni giro delle ruote che non venivano oliate con il preciso scopo di spaventare gli spiriti maligni. Per evitare che fuggisse, legarono con una corda a uno degli animali il Quarto Figlio, che piangeva sconsolatamente da quando si era separato dal padre e dai fratelli. Scalzo e assetato, con la borsa delle sue misere proprietà sulla schiena, vide sparire i tetti del villaggio e il paesaggio familiare. La vita nella capanna era l'unica cosa che aveva conosciuto e non era stata brutta; i genitori lo trattavano con dolcezza, sua madre gli raccontava delle storie e qualsiasi pretesto era buono per ridere e per far festa, anche nei momenti di maggiore povertà. Trottava dietro al mulo convinto che ogni passo lo facesse addentrare progressivamente nel territorio degli spiriti maligni e temeva che il cigolio delle ruote e le campanelle appese al carro non fossero sufficienti a proteggerlo. Riusciva a stento a capire il dialetto dei viaggiatori e le poche parole afferrate al volo alimentavano in lui una paura terribile. Girava voce che fossero molti i geni infelici che vagavano per la regione, anime perse di morti che non avevano ricevuto un funerale adeguato. La carestia, il tifo e il colera avevano disseminato la zona di cadaveri e i vivi non erano sufficienti a rendere omaggio a tanti defunti. Fortunatamente, spettri e demoni avevano fama di essere un po' ottusi: non sapevano svoltare e si distraevano facilmente con offerte di cibo e regali di carta. A volte, tuttavia, non c'era nulla che li potesse allontanare e, pronti a guadagnarsi la libertà, potevano materializzarsi assassinando i forestieri o introducendosi nel loro corpo per obbligarli a compiere impensabili misfatti. Procedevano da alcune ore; la calura estiva e la sete erano opprimenti, il ragazzino inciampava a ogni passo e i nuovi padroni impazienti lo spronavano, pur senza cattiveria, con bacchettate sulle gambe. Al tramonto decisero di fermarsi e di accamparsi. Alleggerirono gli animali del carico, fecero un fuoco, prepararono il tè e si divisero in piccoli gruppi per giocare a *fan tan* e a *mah jong*. Alla fine qualcuno si ricordò del Quarto Figlio e gli diede una scodella di riso e un bicchiere di tè, su cui lui si avventò con la voracità accumulata in mesi e mesi di fame. Fu allora che vennero sorpresi da un frastuono di ululati e si videro circondati da un gran polverone. Alle grida degli assalitori si aggiunsero quelle dei viaggiatori e il ragazzino, terrorizzato, si trascinò sotto il carro fino a dove glielo consentì la corda a cui era legato. Non si trattava di una legione infernale, come immediatamente fu chiaro, ma di una delle molte bande di briganti che, facendosi beffe degli inefficienti soldati imperiali, infestavano le strade in quei tempi di così profonda disperazione. Non appena i mercanti si furono ripresi dal primo impatto, imbracciarono le armi e affrontarono i fuorilegge in una battaglia di urla, minacce e spari che non durò più di qualche minuto. Quando la polvere si depositò, uno dei banditi era fuggito e gli altri due giacevano a terra feriti. Tolsero loro dal viso i fazzoletti e scoprirono che si trattava di adolescenti vestiti di stracci e armati di bastoni e lance primitive. Procedettero allora a un'immediata decapitazione, per far loro soffrire l'umiliazione di andarsene da questo mondo in pezzi e non interi come vi erano arrivati, e le loro teste impalate vennero collocate sui due lati della strada. Solo quando gli animi si furono tranquillizzati, notarono che un membro della carovana si rotolava a terra con una profonda ferita da lancia nella coscia. Il Quarto Figlio, che era rimasto nascosto sotto il carro paralizzato dal terrore, uscì strisciando dal nascondiglio e rispettosamente chiese agli onorevoli mercanti il permesso di prendersi cura del ferito e, visto che non c'era alternativa, venne autorizzato a procedere. Chiese del tè per poter lavare il sangue, poi aprì la borsa e fece una pallina di *bai yao*. Applicò la pasta bianca sulla ferita, fasciò stretta la gamba e annunciò senza la minima esitazione che in capo a tre giorni la ferita si sarebbe rimarginata. E così fu. Quell'incidente lo salvò da dieci anni di lavoro come schiavo e dall'essere trattato peggio di un cane, perché, viste le sue capacità, i mercanti a Canton lo vendettero a un noto medico tradizionale nonché maestro agopuntore – uno *zhong yi* – che stava cercando un apprendista. Grazie a quel saggio, il Quarto Figlio apprese le nozioni che il suo rozzo padre mai sarebbe stato in grado di tramandargli.

L'anziano maestro era un uomo placido, dal volto liscio e tondo, voce lenta e mani ossute e sensibili, i suoi strumenti migliori. La prima cosa che fece fu di dare un nome al servitore. Consultò libri di astrologia e indovini per trovare il nome che corrispondeva al ragazzo: Tao. La parola aveva vari significati, quali strada, direzione, senso e armonia, ma soprattutto rappresentava il viaggio della vita. Il maestro gli diede il suo cognome.

"Ti chiamerai Tao Chi'en. Questo nome ti inizia al cammino della medicina. Il tuo destino sarà quello di alleviare il dolore altrui e di raggiungere la saggezza. Sarai uno *zhong yi,* come me."

Tao Chi'en... Il giovane apprendista accolse il nome con gratitudine. Baciò le mani del padrone e per la prima volta da quando si era allontanato dal focolare sorrise. Quell'istinto allegro che lo faceva ballare dalla contentezza senza motivo tornò a palpitare nel suo petto e il sorriso non lo abbandonò per settimane. Girava per la casa saltando, assaporando il suo nome con godimento, come una caramella in bocca, ripetendolo ad alta voce e sognandolo, fino a quando non si identificò completamente con esso. Il maestro, seguace di Confucio per gli aspetti pratici e di Buddha per quelli ideologici, gli insegnò con mano ferma, ma con grande tenerezza, la disciplina che avrebbe fatto di lui un buon medico.

"Se riuscirò a insegnarti tutto ciò che vorrei, un giorno sarai un uomo illuminato," gli disse.

Sosteneva che riti e cerimonie sono necessari quanto le norme della buona educazione e il rispetto delle gerarchie. Che la conoscenza senza la saggezza serve a poco, che non c'è saggezza senza spiritualità e che la vera spiritualità comprende sempre il servizio agli altri. Come gli spiegò in più di un'occasione, l'essenza di un buon medico si fonda sulla capacità di compassione e sul senso etico, senza i quali la sacra arte della guarigione degenera in mera ciarlataneria. Il sorriso facile del suo apprendista gli piaceva.

"Hai già percorso un bel pezzo della strada della saggezza, Tao. Il saggio è sempre allegro," sosteneva.

Durante tutto l'anno Tao Chi'en si alzava all'alba, come qualsiasi studente, per dedicarsi all'ora di meditazione, di canti e preghiere. Godeva di un unico giorno di riposo per la celebrazione dell'Anno Nuovo e lavorare e studiare erano le sue due uniche occupazioni. In primo luogo, dovette impadronirsi alla perfezione del cinese scritto, mezzo ufficiale di comunicazione in quell'immenso territorio di centinaia di paesi e lingue. Il maestro era inflessibile in quanto a bellezza e precisione della calligrafia, che distingueva l'uomo raffinato dall'imbroglione. Insisteva anche nello sviluppare in Tao Chi'en quella sensibilità artistica che, a suo dire, caratterizzava gli esseri superiori. Come ogni cinese civilizzato, provava un disprezzo profondo per la guerra e manifestava inclinazione, invece, per le arti musicali, pittoriche e letterarie. Al suo fianco Tao Chi'en imparò ad apprezzare il delicato ricamo di una ragnatela perlata di gocce di rugiada alla luce dell'aurora e a esprimere il piacere in ispirate poesie redatte in elegante calligrafia. Stando al maestro, l'unica cosa peggiore del non comporre poesie era comporle male. In quella casa il ragazzo partecipò a frequenti riunioni in cui gli invitati creavano versi sull'ispirazione del momento e ammiravano il giardino mentre lui serviva il tè ascoltando meravigliato. Si poteva raggiungere l'immortalità scrivendo un libro, soprattutto di poesie, diceva il maestro, che ne aveva scritti diversi. Alle rozze conoscenze pratiche che Tao Chi'en aveva acquisito osservando lavorare il padre, aggiunse l'impressionante mole teorica dell'ancestrale medicina cinese. Il giovane apprese che il corpo umano è composto da cinque elementi, legno, fuoco, terra, metallo e acqua, a loro volta associati a cinque pianeti, cinque condizioni atmosferiche, cinque colori e cinque note. Attraverso l'uso adeguato delle piante medicinali, dell'agopuntura e dei salassi, un buon medico poteva prevenire e curare diverse malattie e controllare l'energia maschile, attiva e leggera, e quella femminile, passiva e scura, *yin* e *yang*. Tuttavia obiettivo di quell'arte non era tanto eliminare le infermità quanto mantenere l'armonia. "Devi scegliere i tuoi alimenti, orientare il tuo letto e condurre le meditazioni tenendo presente la stagione dell'anno e la direzione del vento. Così sarai sempre in risonanza con l'universo," gli consigliava il maestro.

Lo *zhong yi* era contento del suo destino, anche se l'assenza di discendenti minava la serenità del suo spirito. Non aveva avuto figli, nonostante le erbe miracolose ingerite regolarmente nel corso dell'intera vita per pulire il sangue e rinvigorire il membro, e nonostante gli incantesimi e i rimedi applicati alle sue due spose morte in gioventù, come anche alle numerose concubine che le avevano seguite. Doveva accettare con umiltà che non era stata colpa di quelle donne volonterose, bensì dell'apatia del suo liquido virile. Nessuna delle cure per la fertilità che gli erano servite per aiutare i suoi pazienti aveva funzionato, e alla fine si era rassegnato al fatto innegabile che i suoi reni fossero secchi. Smise di castigare le sue donne con inutili richieste e godette pienamente con loro, secondo i precetti dei bei *libri del guanciale* della sua collezione. L'anziano si era comunque allontanato da tali piaceri molto tempo prima, più interessato ad acquisire nuove conoscenze e a esplorare l'angusto sentiero della saggezza, e si era disfatto a una a una delle concubine, la cui presenza lo distraeva dagli impegni intellettuali. Non aveva bisogno di avere davanti agli occhi una ragazza per descriverla in elevate poesie, era sufficiente il ricordo. Anche se aveva desistito dal progetto di avere figli propri, doveva comunque pensare al futuro. Chi lo avrebbe aiutato nell'ultima tappa e nell'ora della morte? Chi avrebbe pulito la sua tomba e venerato la sua memoria? In precedenza aveva addestrato diversi apprendisti e con ognuno di essi aveva alimentato la segreta ambizione di adottarlo, ma poi nessuno si era rivelato degno di tale onore. Tao Chi'en non era più intelligente o più intuitivo degli altri, ma albergava un'ossessione per l'apprendimento che il maestro aveva immediatamente riconosciuto, poiché identica alla sua. Inoltre era un ragazzino dolce e divertente, cui era facile voler bene. Durante gli anni di convivenza, gli si affezionò tanto da arrivare spesso a chiedersi com'era possibile che non fosse suo figlio di sangue. Tuttavia la stima per l'apprendista non lo accecava; sapeva per esperienza che i cambiamenti dell'adolescenza solitamente sono molto profondi e non poteva prevedere che tipo di uomo sarebbe stato. Recita il proverbio cinese: "Se sei brillante da giovane, non è detto che da adulto tu sia in grado di fare qualcosa". Aveva paura di sbagliarsi, come gli era già successo, e preferiva attendere con pazienza che si rivelasse la vera natura del ragazzo. Nel frattempo l'avrebbe guidato, come faceva con i giovani alberi del giardino, per aiutarlo a crescere dritto. Perlomeno impara in fretta, pensava l'anziano medico, mentre calcolava quanti anni di vita gli rimanessero. Stando ai segni astrali e alla minuziosa osservazione del proprio corpo, non avrebbe avuto il tempo per addestrare un altro apprendista.

Ben presto Tao Chi'en fu in grado di scegliere gli ingredienti al mercato e nei negozi di erbe, di mercanteggiare il giusto e di preparare da solo i rimedi. Osservando il medico lavorare, giunse a conoscere gli intricati meccanismi dell'organismo umano, i procedimenti con cui rinfrescare chi soffriva di febbre e i temperamenti focosi, offrire calore a chi soffriva del freddo precoce della morte, stimolare i succhi negli sterili e asciugare quanti erano stremati dai flussi. Compiva lunghe escursioni nei campi in cerca delle piante migliori e nel momento più fertile della loro crescita, poi le trasportava avvolte in panni umidi per mantenerle fresche durante il tragitto verso la città. Quando compì quattordici anni, il maestro lo ritenne ormai capace di esercitare e iniziò a mandarlo regolarmente a curare prostitute, con l'ordine perentorio di astenersi dal commercio con loro perché, come lui stesso poteva verificare esaminandole, avevano la morte addosso.

"Le malattie dei bordelli uccidono più persone dell'oppio e del tifo. Ma se ti attieni ai tuoi doveri e impari velocemente, a tempo debito ti comprerò una ragazza vergine," gli promise il maestro.

Tao Chi'en aveva patito la fame da bambino, ma il suo corpo si era comunque allungato fino a raggiungere un'altezza superiore a quella di qualsiasi altro membro della sua famiglia. A quattordici anni non provava attrazione per le ragazze in affitto, ma solo curiosità scientifica. Erano così diverse rispetto a lui e vivevano in un mondo talmente remoto e segreto che non poteva considerarle realmente umane. Più tardi, quando l'improvviso agguato della natura gli fece perdere il senno e fu costretto ad andare in giro come un ubriaco che inciampa nella propria ombra, il precettore deplorò di essersi disfatto delle concubine. Niente distraeva tanto un bravo studente dalle sue responsabilità quanto l'esplosione delle forze virili. Una donna l'avrebbe tranquillizzato e, già che c'era, gli avrebbe offerto conoscenze pratiche, ma siccome l'idea di comprarne una gli risultava fastidiosa – si trovava a proprio agio in quell'universo esclusivamente maschile – per calmare gli ardori il maestro obbligava Tao a bere infusi. Lo *zhong yi* non ricordava l'uragano delle passioni carnali e, con le migliori intenzioni, diede da leggere all'allievo i *libri del guanciale* della sua biblioteca come parte del programma educativo, senza valutare l'effetto sfibrante che avevano sul povero ragazzo. Gli fece memorizzare tutte le duecentoventidue posizioni dell'amore e i loro poetici nomi e pretese che poi fosse in grado di riconoscerle, senza esitare, nelle splendide illustrazioni dei suoi libri, attività che contribuiva non poco a distrarre il giovane.

Tao Chi'en familiarizzò a tal punto con Canton che arrivò a conoscerla come il suo piccolo villaggio. Gli piaceva quella vecchia città cinta da mura, caotica, con le strade storte e i canali, in cui i palazzi e le capanne si mescolavano in totale promiscuità e in cui c'era gente che viveva e moriva nelle barche sul fiume, senza aver mai calpestato la terraferma. Si abituò al clima umido e caldo della lunga estate sferzata dai tifoni, ma gradevole in inverno, da ottobre a marzo. Canton era chiusa ai forestieri, benché spesso entrassero di sorpresa pirati con bandiere di altre nazioni. Esistevano alcuni spazi per il commercio in cui gli stranieri potevano scambiare la merce solo da novembre a maggio, ma le imposte, le ordinanze e gli ostacoli erano talmente numerosi che i mercanti internazionali preferivano stabilirsi a Macao. La mattina presto, quando Tao Chi'en si dirigeva al mercato, era solito trovare bambine appena nate gettate in strada o che galleggiavano nei canali, spesso deturpate dai morsi dei cani e dei topi. Nessuno le voleva, si potevano buttare via. Per quale motivo allevare una figlia che non valeva nulla e il cui destino era andare a fare la serva alla famiglia del marito? "È meglio un figlio deforme che una dozzina di figlie sagge come Buddha," sosteneva un detto popolare. E comunque di bambini ce n'erano troppi e continuavano a nascerne come topi. Bordelli e fumerie d'oppio proliferavano ovunque. Canton era una città popolosa, fiorente e allegra, ricca di luoghi di culto, ristoranti e case da gioco, in cui si celebravano rumorosamente le festività del calendario. Persino le punizioni e le esecuzioni si trasformavano in occasioni di festa. Era immensa la folla che si riuniva per applaudire i boia, con i loro grembiuli insanguinati e le loro collezioni di lame affilate, che mozzavano teste con un unico colpo ben assestato. La giustizia veniva amministrata in modo semplice e spedito, senza possibili appelli né inutili crudeltà, salvo nel caso di tradimento all'imperatore, il peggiore dei crimini, che si pagava con la morte lenta e il confino di tutti i parenti, ridotti in schiavitù. Le colpe minori venivano punite con frustate o con l'applicazione di una placca di legno al collo dei colpevoli per diversi giorni, che così non potevano né riposare, né arrivare alla testa con le mani per mangiare o grattarsi. Nelle piazze e nei mercati facevano sfoggio delle loro arti i narratori di storie che, come i monaci mendicanti, viaggiavano per il paese preservando una millenaria tradizione orale. Giocolieri, acrobati, domatori di serpenti, travestiti, musicisti itineranti, maghi e contorsionisti si davano appuntamento nelle strade, e intanto intorno a loro ferveva il commercio di seta, tè, giada, spezie, oro, gusci di tartaruga, porcellana, avorio e pietre preziose. Verdura, frutta e carne venivano offerte in un disordinato guazzabuglio: cavoli e teneri germogli di bambù insieme a gabbie di gatti, cani e procioni che il macellaio, a richiesta dei clienti, uccideva e scuoiava con un unico colpo. Vi erano lunghi vicoli letteralmente invasi da uccelli, perché in nessuna casa potevano mancare volatili e gabbie, dalle più semplici a quelle di legno fino tempestato d'argento e madreperla. Altre zone del mercato erano riservate ai pesci esotici, che portavano fortuna. Tao Chi'en, sempre curioso, si distraeva osservando e facendo amicizia e poi doveva correre per svolgere le commissioni nel settore in cui si vendevano i prodotti per la sua professione. Poteva individuarlo a occhi chiusi dal penetrante odore di piante, spezie e cortecce medicinali. I serpenti essiccati venivano impilati arrotolati come matasse polverose; rospi, salamandre e strani animali marini pendevano infilzati sulle corde, come collane; grilli e grandi scarabei dai duri carapaci fosforescenti languivano nelle casse; scimmie d'ogni specie attendevano il loro turno per morire; zampe d'orso e d'orangutan, corna d'antilope e di rinoceronte, occhi di tigre, pinne di squali e artigli di misteriosi uccelli notturni venivano comprati a peso.

Tao Chi'en trascorse i primi anni a Canton studiando, lavorando e servendo l'anziano precettore che arrivò a venerare come un nonno. Furono anni felici. Il ricordo della sua vera famiglia sfumò e arrivò a dimenticare i volti del padre e dei fratelli, ma non quello della madre, che gli appariva di frequente. Lo studio ben presto smise di essere un compito per trasformarsi in una passione. Ogni volta che imparava qualcosa di nuovo volava dal maestro per raccontarglielo con eccitazione. "Quanto più imparerai, prima ti accorgerai di quanto poco sai," rideva l'anziano. Di sua iniziativa Tao Chi'en decise di imparare il mandarino e il cantonese, perché il dialetto del suo villaggio risultava insufficiente. Assorbiva il sapere del maestro a una tale velocità che il vecchio era solito accusarlo per scherzo di rubargli perfino i sogni, ma la grande passione per l'insegnamento faceva di lui un uomo generoso. Condivise con il ragazzo tutto ciò che quest'ultimo desiderava sapere, e non solo in materia di medicina ma anche in altri aspetti del suo vasto bagaglio di sapere e della sua raffinata cultura. Benevolo di natura, si mostrava però severo nella critica ed esigente in quanto a impegno perché, come era solito dire, "non mi rimane molto tempo e non posso portarmi all'altro mondo ciò che so: qualcuno lo deve poter usare alla mia morte". Tuttavia lo metteva altresì in guardia dalla cupidigia della conoscenza, che può incatenare un uomo tanto quanto la gola e la lussuria. "Il saggio non desidera nulla, non giudica, non fa progetti, mantiene la mente aperta e il cuore in pace," sosteneva. Quando doveva riprenderlo, veniva pervaso da una tale tristezza che Tao Chi'en avrebbe preferito una bastonatura, ma tale pratica ripugnava al temperamento dello *zhong yi*, che non consentiva mai alla collera di guidare le proprie azioni. Le uniche occasioni in cui lo colpì cerimoniosamente con una bacchetta di bambù, senza stizza, ma con fermo intento didattico, furono quando venne a sapere per certo che il suo apprendista aveva ceduto alle tentazioni del gioco o aveva pagato per una donna. Tao Chi'en spesso imbrogliava sui conti del mercato per fare scommesse nelle case da gioco, alla cui attrazione non sapeva resistere, o per una breve pausa consolatoria nei bordelli, con lo sconto da studente, nelle braccia di qualcuna delle sue pazienti. Il padrone non tardava a scoprirlo, perché se perdeva al gioco non era in grado di spiegare dove era andato a finire il denaro del resto e se vinceva non era capace di dissimulare l'euforia. Le donne, invece, le odorava sulla pelle del ragazzo.

"Togliti la camicia, dovrò darti qualche vergata e vediamo se capisci una buona volta, figliolo. Quante volte ti ho detto che i peggiori mali della Cina sono il gioco e il bordello? Con il primo gli uomini perdono il frutto del loro lavoro e con l'altro la salute e la vita. Con questi vizi, non sarai mai un buon medico, né un buon poeta."

Nel 1839, quando scoppiò la guerra dell'oppio tra Cina e Gran Bretagna, Tao Chi'en aveva sedici anni. In quel periodo il paese era invaso da mendicanti. Masse umane abbandonavano i campi e apparivano con i loro stracci e le loro pustole nelle città, da cui venivano cacciate a forza, trovandosi quindi obbligate a vagare come branchi di cani famelici per le strade dell'Impero. Bande di fuorilegge e ribelli si battevano con le truppe del governo in un'interminabile guerra di imboscate. Erano tempi di distruzione e saccheggi. I deboli eserciti imperiali, al comando di ufficiali corrotti che ricevevano da Pechino ordini contraddittori, non riuscirono a far fronte alla potente e ben organizzata flotta navale inglese. Non potevano contare sull'appoggio popolare, perché i contadini erano stanchi di vedere i campi distrutti, i villaggi in fiamme e le figlie violentate dalla soldataglia. Nel giro di quasi quattro anni di scontri, la Cina dovette accettare un'umiliante sconfitta e pagare ai vincitori l'equivalente di ventun milioni di dollari, cedere Hong Kong e concedere il diritto a istituire "concessioni", quartieri residenziali tutelati da leggi di extraterritorialità. Lì vivevano gli stranieri, con la loro polizia, i loro servizi, governi e leggi, protetti dalle loro truppe; erano veri e propri stati all'interno del territorio cinese dai quali gli europei controllavano il commercio, specialmente quello dell'oppio. A Canton entrarono soltanto dopo cinque anni, ma nel toccare con mano la degradante sconfitta del suo venerato imperatore e nel vedere l'economia e la morale della patria a pezzi, il maestro di agopuntura decise che non c'era più ragione per continuare a vivere.

Durante gli anni della guerra al vecchio *zhong yi* si guastò l'anima e la serenità così faticosamente raggiunta nel corso dell'esistenza si perse. Il disinteresse e il distacco dalle questioni materiali si acuirono al punto che quando persisteva nel digiunare Tao Chi'en doveva imboccarlo. Prese a ingarbugliarsi con i conti, e i creditori iniziarono a bussare alla sua porta, ma lui li ignorò dato che tutto ciò che riguardava il denaro gli sembrava un ignominioso gravame dal quale i saggi erano, naturalmente, dispensati. Nella confusione senile di quegli ultimi anni dimenticò le buone intenzioni di adottare l'apprendista e di trovargli una sposa; era talmente offuscato che spesso rimaneva a guardare Tao Chi'en con espressione perplessa, senza riuscire a rammentarne il nome o a collocarlo nel labirinto di volti ed eventi che disordinatamente prendevano d'assalto la sua mente. Ma per decidere i particolari della sua sepoltura le energie non gli mancarono, perché, per un cinese illustre, il proprio funerale è l'evento più importante della vita. L'idea di mettere fine all'avvilimento con una morte elegante gli frullava in testa da tempo, ma attese l'epilogo della guerra con la segreta e irrazionale speranza di vedere il trionfo degli eserciti del Celeste Impero. L'arroganza degli stranieri gli risultava intollerabile, provava un profondo disprezzo per quei selvaggi *fan guey*, fantasmi bianchi che non si lavavano, bevevano latte e alcol, ignoravano completamente le norme elementari della buona educazione ed erano incapaci di onorare i propri avi nel modo appropriato. Gli accordi commerciali gli sembravano un favore concesso dall'imperatore a quei barbari ingrati che, invece di chinarsi in segno di lode e gratitudine, pretendevano sempre di più. La firma del Trattato di Nanchino fu, per lo *zhong yi,* il colpo finale. L'imperatore e ogni abitante della Cina, financo il più umile, avevano perduto l'onore. Come si sarebbe mai potuta recuperare la dignità dopo un simile affronto?

L'anziano saggio si avvelenò ingoiando oro. Di ritorno da una delle sue camminate per i campi alla ricerca di piante, il discepolo lo trovò nel giardino, adagiato su cuscini di seta e vestito di bianco in segno di lutto. Di fianco a lui si trovavano il tè ancora tiepido e l'inchiostro del pennello fresco. Su un piccolo scrittoio c'era un verso incompiuto e sulla morbida pergamena si delineava una libellula. Tao Chi'en baciò le mani di quell'uomo che tanto gli aveva dato e poi si trattenne un istante per apprezzare il disegno delle ali trasparenti dell'insetto alla luce del tramonto esattamente come il suo maestro avrebbe desiderato.

Al funerale del saggio intervenne un'immensa folla, perché nel corso della sua lunga vita aveva aiutato migliaia di persone a vivere in salute e a morire senza angoscia. Gli ufficiali e i dignitari del governo sfilarono con la massima solennità, i letterati recitarono le poesie più belle e le cortigiane si presentarono avvolte nella seta. Un indovino stabilì il giorno propizio per la sepoltura e un artista di oggetti funebri visitò la casa del defunto per fare una copia dei suoi beni. Percorse la proprietà lentamente senza prendere né misure né appunti, ma sotto le voluminose maniche faceva dei segni con l'unghia su una tavoletta di cera; in seguito fabbricò delle miniature di carta della casa, con le stanze e i mobili, oltre agli oggetti preferiti dal defunto, che dovevano essere bruciati insieme a fasci di denaro anch'essi di carta. Nell'altro mondo non doveva mancargli ciò di cui aveva goduto in questo. Il feretro, imponente e decorato come una carrozza imperiale, passò per i viali della città tra due file di soldati in alta uniforme preceduti da cavallerizzi con divise dai brillanti colori e da una banda di musicisti provvisti di cembali, tamburi, flauti, campane, triangoli di metallo e diversi strumenti a corde. Il baccano era insopportabile, come era giusto che fosse per un estinto di tale importanza. Sulla tomba si accumularono fiori, abiti e cibo; furono accese candele e incensi e alla fine furono bruciati il denaro e i numerosi oggetti di carta. L'ancestrale tavoletta di legno rivestita d'oro su cui era inciso il nome del maestro venne collocata sulla tomba per poter accogliere lo spirito mentre il corpo tornava alla terra. Spettava al figlio maggiore ricevere la tavoletta, collocarla in casa sua in un posto d'onore vicino a quelle degli altri antenati maschi, ma il medico non aveva chi potesse espletare tale compito. Tao Chi'en era semplicemente un servo e da parte sua sarebbe stata un'assoluta mancanza d'etichetta offrirsi per farlo. Era sinceramente commosso, nella folla era l'unico le cui lacrime e singhiozzi corrispondevano a un dolore autentico, ma l'ancestrale tavoletta andò a finire nelle mani di un nipote lontano, che avrebbe avuto l'obbligo morale di deporre delle offerte e di pregare davanti a essa ogni quindici giorni e a ogni festività annuale.

Una volta conclusi i solenni riti funebri, i creditori si avventarono come sciacalli sui beni del maestro. Violarono i testi sacri e il laboratorio, misero a soqquadro le erbe, distrussero i preparati medicinali, rovinarono le poesie dall'accurata fattura, si portarono via mobili e oggetti d'arte, calpestarono il bellissimo giardino e fecero piazza pulita dell'antica dimora. Poco prima Tao Chi'en aveva messo in salvo gli aghi d'oro per l'agopuntura, una cassetta di strumenti medici, alcuni rimedi essenziali, nonché un po' di denaro sottratto poco a poco negli ultimi tre anni, cioè da quando il padrone aveva cominciato a perdersi nell'impervietà della demenza senile. Non aveva avuto intenzione di derubare il venerabile *zhong yi*, che stimava come un nonno, ma di usare quel denaro per alimentarlo, dal momento che vedeva i debiti accumularsi e temeva per il futuro. Il suicidio fece precipitare le cose e Tao Chi'en si ritrovò in possesso di una risorsa insperata. Impossessarsi di quella somma poteva costargli la testa, giacché sarebbe stato considerato un crimine di un inferiore nei confronti di un superiore, ma era certo che nessuno l'avrebbe saputo, salvo lo spirito del defunto, che senz'altro avrebbe approvato l'azione. Non avrebbe forse preferito premiare il suo fedele servo e discepolo piuttosto che saldare uno dei molti debiti ai suoi feroci creditori? Con questo modesto tesoro e un cambio d'abiti puliti, Tao Chi'en scappò dalla città. Lo attraversò fugacemente l'idea di tornare al villaggio natale ma immediatamente la scartò. Per la sua famiglia sarebbe sempre stato il Quarto Figlio e avrebbe dovuto sottostare e ubbidire ai fratelli maggiori. Avrebbe dovuto lavorare per loro, accettare la sposa che gli avessero scelto e rassegnarsi alla miseria. Niente lo spingeva in quella direzione, nemmeno gli obblighi filiali nei confronti del padre e degli avi che ricadevano sui fratelli maggiori. Aveva bisogno di andarsene lontano, dove non lo raggiungesse la lunga mano della giustizia cinese. Aveva vent'anni, gliene mancava uno per compiere i dieci di schiavitù e qualsiasi creditore poteva reclamare il diritto di utilizzarlo come schiavo per quel lasso di tempo.

TAO CHI'EN

Tao Chi'en prese un sampan diretto a Hong Kong, animato dall'intenzione di cominciare una nuova vita. Ora era uno *zhong yi*, avviato alla medicina tradizionale cinese dal miglior maestro di Canton. Doveva eterna gratitudine agli spiriti dei suoi venerabili antenati che avevano orientato il suo karma in modo tanto glorioso. Per prima cosa, decise, doveva trovarsi una donna perché aveva abbondantemente raggiunto l'età del matrimonio e il celibato gli pesava troppo. La mancanza di una sposa era segno di indubbia povertà. Accarezzava l'ambiziosa ipotesi di procurasi una giovane delicata con belle estremità. I suoi *loti d'oro* non dovevano misurare più di tre o quattro pollici di lunghezza e dovevano essere paffuti e morbidi al tatto come quelli di un bambino di pochi mesi. Lo affascinava l'incedere delle ragazze sui loro minuscoli piedi, a passi molto brevi e vacillanti, come fossero sempre sul punto di cadere, i fianchi dondolanti all'indietro, con il movimento ritmico dei giunchi sulle rive dello stagno nel giardino del suo maestro. Detestava i piedi grandi, muscolosi e forti, da contadina. Al villaggio aveva visto da lontano delle bambine fasciate, orgoglio delle loro famiglie che senz'altro sarebbero riuscite a offrire loro un buon matrimonio, ma solo grazie ai contatti con le prostitute di Canton aveva potuto tenere tra le mani un paio di quei *loti d'oro* e andare in estasi davanti alle minuscole scarpette ricamate che sempre li ricoprivano, perché le ossa martoriate per anni e anni sprigionavano una sostanza maleodorante. Dopo averli toccati, comprese che la loro eleganza era il frutto di un dolore incessante e ciò li rendeva ancora più preziosi. Fu allora che apprezzò come doveva i libri sui piedi femminili collezionati dal maestro, in cui si enumeravano cinque classi e diciotto diversi tipi di *loti d'oro*. La sua donna doveva essere anche molto giovane, perché la bellezza dura poco, comincia verso i dodici anni e svanisce poco dopo aver compiuto i venti. Così gli aveva spiegato il maestro. Non per nulla le più celebri eroine della letteratura cinese morivano sempre nel momento del loro massimo fascino; benedette coloro che svanivano prima di vedersi distrutte dall'età e potevano essere ricordate nel pieno della loro freschezza. Inoltre vi erano ragioni pratiche per preferire una giovane nubile: gli avrebbe dato figli maschi e sarebbe stato facile domare il suo carattere e renderla veramente remissiva. Niente di più spiacevole di una donna sguaiata, ne aveva viste di quelle che sputavano e prendevano a ceffoni mariti e figli, perfino in strada, davanti ai vicini. Un'onta simile per mano di una donna era il peggior discredito per un uomo. Sul sampan che lo conduceva lentamente lungo le novanta miglia che separavano Canton da Hong Kong, allontanandolo minuto dopo minuto dalla sua vita passata, Tao Chi'en sognava questa ragazza, il piacere e i figli che gli avrebbe dato. Continuava a contare il denaro che aveva in borsa, come se grazie a calcoli astratti potesse incrementarne l'ammontare, ma era evidente che non sarebbe stato sufficiente per una sposa di tale qualità. Tuttavia per quanto l'urgenza fosse molta non pensava di doversi accontentare di qualcosa di meno e trascorrere il resto dei suoi giorni con una sposa dai piedi grandi e dal carattere forte.

L'isola di Hong Kong gli apparve all'improvviso davanti agli occhi, con il suo profilo di montagne e di natura verde, quasi emergesse come una sirena dalle acque color indaco del Mar della Cina. Non appena la leggera imbarcazione che lo trasportava attraccò in porto, Tao Chi'en avvertì la presenza degli odiati stranieri. Prima ne aveva intravisti alcuni in lontananza, ma ora erano così vicini che se si fosse arrischiato avrebbe potuto toccarli e accertare se quegli esseri grandi e sgraziati fossero veramente umani. Con stupore scoprì che molti *fan guey* avevano capelli rossi o gialli, occhi smorti e pelle arrossata come quella delle aragoste bollite. Le donne, a suo parere molto brutte, portavano cappelli con piume e fiori, forse allo scopo di celare le loro diaboliche chiome. Vestivano in modo inusuale, con capi rigidi e attillati; immaginò che fosse per questo motivo che si muovevano come automi e non salutavano con inchini cordiali, che passavano, senza guardare nessuno, sopportando in silenzio la calura estiva sotto i loro scomodi indumenti. C'era una dozzina di imbarcazioni europee in porto, in mezzo a migliaia di barche asiatiche di ogni dimensione e colore. Per le strade vide alcune carrozze trainate da cavalli alla cui guida stavano uomini in divisa, persi tra i mezzi di trasporto trainati dall'uomo, barelle, portantine, palanchini o semplicemente individui che portavano i loro clienti in groppa. L'odore di pesce lo investì in viso come uno schiaffo, ricordandogli la fame. Per prima cosa doveva trovare un luogo in cui rifocillarsi, indicato con lunghe strisce di stoffa gialla.

Tao Chi'en mangiò come un principe in un ristorante gremito di persone che parlavano e ridevano a squarciagola, indizio inequivocabile di soddisfazione e buona digestione; in esso assaporò i delicati piatti che nella casa del maestro agopuntore erano stati dimenticati. Durante la sua vita, lo *zhong yi* era stato un grande goloso e si vantava di aver avuto al suo servizio i migliori cuochi di Canton, ma negli ultimi anni si nutriva di tè verde e di riso con qualche filo di verdura. All'epoca in cui era sfuggito alla schiavitù, Tao Chi'en era magro come uno qualunque dei molti malati di tubercolosi di Hong Kong. Questo era il primo pasto decente dopo molto tempo e l'incursione dei diversi sapori, aromi e consistenze lo portò all'estasi. Concluse il banchetto fumando la pipa con massimo godimento. Uscì in strada galleggiando e ridendo da solo, come un matto: in tutta la sua vita non si era mai sentito così carico di entusiasmo e buona sorte. Inspirò l'aria così simile a quella di Canton e stabilì che sarebbe stato facile conquistare quella città, esattamente come nove anni prima era arrivato a dominare l'altra. Anzitutto avrebbe cercato il mercato e il quartiere dei guaritori e degli erboristi, dove avrebbe potuto trovare alloggio e offrire i suoi servizi professionali. Poi si sarebbe occupato della questione della ragazza dai piedi piccoli...

Quello stesso pomeriggio Tao Chi'en trovò alloggio nell'attico di un palazzo diviso in compartimenti che ospitava una famiglia per stanza, un vero formicaio. La sua camera, un tenebroso tunnel di un metro di larghezza per tre di lunghezza, senza finestre, buio e caldo, attirava gli effluvi del cibo e dei pitali degli altri inquilini, mescolati all'inconfondibile fetore della sporcizia. Paragonata alla raffinata casa del maestro, era come vivere in un buco per topi, ma ricordò che la capanna dei genitori era più povera. Nella sua condizione di celibe non aveva bisogno di maggiore spazio né di lussi, pensò, solo di un angolo per stendere la stuoia e riporre i suoi pochi oggetti personali. Più avanti, una volta sposato, si sarebbe cercato una sistemazione appropriata, in cui si potessero preparare i rimedi, ricevere i clienti ed essere servito da una donna nel modo adeguato. Per il momento, mentre stabiliva i contatti indispensabili per lavorare, quello spazio quantomeno gli offriva un tetto e un minimo di intimità. Lasciò lì le sue cose e andò a farsi un bagno, a radersi la fronte e a rifarsi la treccia.

Non appena fu presentabile uscì di gran fretta alla ricerca di una casa da gioco, deciso a raddoppiare il suo capitale nel minor tempo possibile, per poter così intraprendere la strada del successo.

In meno di due ore di scommesse a *fan tan*, Tao Chi'en perse tutto il denaro e non perse anche gli strumenti medici semplicemente perché non gli era venuto in mente di portarli con sé. Lo schiamazzo nella sala da gioco era talmente assordante che le scommesse si facevano a segni attraverso la cortina di fumo. Il *fan tan* era molto semplice: si trattava di mettere una manciata di bottoni sotto una tazza. Si facevano le scommesse, si toglievano i bottoni quattro alla volta e chi indovinava quanti ne erano rimasti, uno, due, tre o nessuno, aveva vinto. Tao Chi'en riusciva a malapena a seguire con gli occhi le mani dell'uomo che lanciava i bottoni e li contava. Gli sembrava che barasse, ma accusarlo in pubblico sarebbe stata un'offesa talmente grande, che in caso di errore si poteva pagare con la vita. Ogni giorno a Canton si raccoglievano cadaveri di perdenti arroganti nei pressi delle case da gioco; a Hong Kong non poteva essere diverso. Ritornò al tunnel dell'attico e si sdraiò sulla stuoia a piangere come un bambino, pensando alle bastonate ricevute per mano dell'anziano maestro agopuntore. La disperazione non lo abbandonò fino al giorno successivo quando, con penetrante lucidità, comprese la sua impazienza e la sua superbia. Allora scoppiò a ridere rincuorato per la lezione, convinto che lo spirito monello del maestro gli si fosse parato dinnanzi per insegnargli ancora qualcosa. Si svegliò nel buio profondo per l'animazione dell'edificio e della strada. Era mattina inoltrata, ma la luce naturale non penetrava nel suo tugurio. Si vestì alla cieca con l'unico cambio pulito, continuando a ridere tra sé e sé, prese la sua valigetta da medico e si diresse al mercato. Nella zona in cui erano allineate le bancarelle dei tatuatori, completamente ricoperte da pezzi di stoffa e di carta che mostravano i disegni, si poteva scegliere tra migliaia di motivi, da fiori discreti blu Cina a fantastici draghi a cinque colori in grado di decorare, con le ali spiegate e l'alito di fuoco, tutta la schiena di un uomo robusto. Trascorse mezz'ora a mercanteggiare e alla fine giunse a un accordo con un artista desideroso di scambiare un tatuaggio poco impegnativo con un tonico per la pulizia del fegato. In meno di dieci minuti questi gli incise sul dorso della mano destra, quella con cui scommetteva, la parola NO in semplici ed eleganti tratti.

"Se il mio sciroppo avrà effetto, raccomandi i miei servizi ai suoi amici," gli disse Tao Chi'en.

"Se il mio tatuaggio avrà effetto, faccia altrettanto," replicò l'artista.

Tao Chi'en sostenne sempre che quel tatuaggio gli portò fortuna. Uscì dal baracchino per ritrovarsi nel frastuono del mercato e avanzò a spintoni e gomitate per gli stretti vicoli traboccanti umanità. Non si vedeva un solo straniero e il mercato sembrava identico a quello di Canton. Il baccano era quello di una cascata, i venditori decantavano i pregi dei loro prodotti e i clienti contrattavano a squarciagola in mezzo all'assordante frastuono degli uccelli in gabbia e ai gemiti degli animali che attendevano di essere accoltellati. Il tanfo di sudore, di animali vivi e morti, di escrementi e spazzatura, spezie, oppio, cibarie e d'ogni sorta di prodotti e creature della terra, dell'aria e dell'acqua, era talmente penetrante da sembrare palpabile. Vide una venditrice di granchi. Li estraeva vivi da un sacco, li faceva bollire per qualche minuto in un paiolo la cui acqua aveva la consistenza pastosa del fondo del mare, li estraeva con una schiumarola, li inzuppava nella salsa di soia e li serviva ai passanti avvolti in un pezzo di carta. Le sue mani erano ricoperte di verruche. Tao Chi'en barattò con lei un mese di pranzi con la cura della malattia.

"Ah... Vedo che le piacciono parecchio i granchi," disse lei.

"Li detesto, ma li mangerò come penitenza per non dimenticarmi una lezione che devo sempre tenere a mente."

"E se a fine mese non sono guarita, chi mi rende i granchi che lei mi ha mangiato?"

"Se fra un mese lei avrà ancora le verruche, io avrò perso credibilità. Chi comprerà allora le mie medicine?" sorrise Tao.

"Va bene."

Cominciò così la sua nuova vita da uomo libero a Hong Kong. In due o tre giorni l'infiammazione dovuta al tatuaggio si dileguò e l'immagine apparve come un nitido disegno di vene blu. Durante quel mese, mentre girava per i banchetti del mercato offrendo le sue prestazioni, mangiò una sola volta al giorno, sempre granchi bolliti, e scese tanto di peso che poteva sistemarsi una moneta tra una costola e l'altra. Ogni animaletto che ingoiava vincendo la ripugnanza lo faceva sorridere al pensiero del maestro, come lui poco amante dei granchi. Le verruche della donna scomparvero in ventisei giorni e lei, riconoscente, diffuse la buona notizia nel vicinato. Gli offrì un altro mese di granchi in cambio di una cura per la cataratta, ma Tao ritenne che la punizione fosse stata sufficiente e che poteva permettersi il lusso di non tornare ad assaggiare quelle bestiole per il resto dei suoi giorni. La sera tornava esausto al suo tugurio, contava le monete alla luce della candela, le nascondeva sotto una tavola del pavimento e poi scaldava l'acqua sul fornello a carbone per ingannare la fame con il tè. Di tanto in tanto, quando le gambe o la volontà iniziavano a venirgli meno, comprava una scodella di riso, un po' di zucchero o dell'oppio, che si gustava lentamente, grato al mondo per l'esistenza di doni così splendidi quali la consolazione del riso, la dolcezza dello zucchero e i sonni perfetti dell'oppio. Le sue uniche spese erano l'affitto, le lezioni di inglese, la rasatura della fronte e il lavaggio del suo unico cambio di indumenti, perché non poteva andare in giro come un accattone. Il maestro si vestiva sempre come un mandarino. "La bella presenza è segno di civiltà, uno *zhong yi* non si confonde con un guaritore di campagna. Per rispetto, quanto più povero è il malato, più ricchi devono essere i tuoi abiti," gli aveva insegnato. A poco a poco si diffuse la sua fama, prima tra le persone del mercato e le loro famiglie, poi nel quartiere del porto, dove ai marinai curava le ferite da rissa, lo scorbuto, le pustole veneree e le intossicazioni.

Nel giro di sei mesi Tao Chi'en si era procurato una clientela fedele e iniziava ad arricchirsi. Si trasferì in una camera con finestra e l'ammobiliò con un letto grande, che gli sarebbe servito una volta sposato, una poltrona e uno scrittoio inglese. Comperò anche qualche indumento, perché da anni desiderava vestirsi bene. Aveva immediatamente capito chi detenesse il potere e si era quindi prefissato l'obiettivo di imparare l'inglese. Era una manciata di britannici a controllare Hong Kong, a fare le leggi e ad applicarle, a dirigere commercio e politica. I *fan guey* vivevano in quartieri esclusivi e avevano contatti solamente con i cinesi ricchi, con cui facevano affari, sempre in inglese. L'immensa moltitudine cinese condivideva con loro lo stesso spazio e lo stesso tempo, ma era come se non esistesse. Da Hong Kong partivano i prodotti più raffinati che approdavano direttamente nei salotti di un'Europa affascinata da quella millenaria e remota cultura. Le cineserie erano di moda. La seta faceva furore nell'abbigliamento; non potevano mancare graziosi ponti con lampioncini e salici piangenti che imitavano i meravigliosi giardini segreti di Pechino; i tetti a pagoda venivano riprodotti nei gazebo e i motivi con draghi e fiori di ciliegio si ripetevano fino alla nausea nelle decorazioni. Non c'era abitazione inglese priva di una sala orientale con un paravento Coromandel, una collezione di porcellane e avori, ventagli ricamati da mani infantili con il *punto proibito* e canarini imperiali in gabbie intagliate. Le imbarcazioni che trasferivano questi tesori in Europa non tornavano vuote, dall'India trasportavano oppio da contrabbandare e chincaglierie che rovinarono le piccole industrie locali. I cinesi dovevano fronteggiare la concorrenza di inglesi, olandesi, francesi e nordamericani per commerciare nel proprio paese. Ma la grande iattura fu l'oppio. In Cina era usato da secoli per piacere o a fini medicinali, ma quando gli inglesi inondarono il mercato si trasformò in una disgrazia irrimediabile. Colpì tutti i settori della società, indebolendola e sbriciolandola come pane raffermo.

In un primo momento i cinesi guardarono gli stranieri con disprezzo, ripugnanza e l'olimpica superiorità di coloro che si sentono gli unici uomini dell'universo davvero civilizzati, ma nel giro di pochi anni impararono a rispettarli e a temerli. Dal canto loro gli europei si rivelavano imbevuti dello stesso concetto di superiorità razziale, convinti di essere gli araldi della civiltà in una terra di gente sporca, brutta, debole, chiassosa, corrotta e selvaggia, che mangiava gatti e bisce e ammazzava le proprie neonate. Erano in pochi a sapere che i cinesi avevano utilizzato la scrittura mille anni prima di loro. Mentre i commercianti imponevano la cultura della droga e della violenza, i missionari si dedicavano all'evangelizzazione. Il cristianesimo doveva propagarsi a qualsiasi costo, era l'unica autentica fede e il fatto che Confucio fosse vissuto cinquecento anni prima di Cristo non significava nulla. Pur considerando i cinesi a malapena esseri umani, cercavano di salvare le loro anime e pagavano in riso le loro conversioni. I nuovi cristiani consumavano la loro razione di corruzione divina e si dirigevano in un'altra chiesa per convertirsi di nuovo, molto divertiti dalla mania dei *fan guey* di predicare le loro credenze come fossero le uniche. Per loro, gente pratica e tollerante, la spiritualità era più vicina alla filosofia che alla religione: era una questione di etica e non certo di dogmi.

Tao Chi'en prese lezioni da un compatriota che parlava un inglese vischioso e sprovvisto di consonanti, ma che lo scriveva con la massima correttezza. L'alfabeto europeo, paragonato ai caratteri cinesi, risultava di una meravigliosa facilità e in cinque settimane Tao Chi'en poteva leggere i giornali britannici senza impantanarsi nelle lettere, anche se ogni cinque parole aveva bisogno di far ricorso al vocabolario. Di notte passava ore intere a studiare. Sentiva la mancanza del venerabile maestro che lo aveva segnato per sempre con la sete di sapere, tenace come quella d'alcol per l'ebbro o quella di potere per l'ambizioso. Non poteva più contare sulla biblioteca dell'anziano né sulla sua fonte inesauribile di esperienza, non poteva rivolgersi a lui per chiedere un consiglio o per consultarsi sui sintomi di un paziente, era privo di guida, si sentiva orfano. Dalla morte del precettore non aveva più scritto né letto poesie, non trovava tempo per ammirare la natura, per meditare né per osservare i riti e le cerimonie quotidiane che prima arricchivano la sua esistenza. Si sentiva pieno di rumore dentro di sé, agognava il vuoto del silenzio e della solitudine che il maestro gli aveva insegnato a coltivare quale bene più prezioso. L'esercizio della sua professione gli insegnava sempre qualcosa sulla complessa natura degli esseri umani, sulle differenze emotive tra uomini e donne, sulle malattie curabili semplicemente con i rimedi e su quelle che necessitavano anche della magia della parola giusta, ma gli mancava qualcuno con cui condividere queste esperienze. Il sogno di comprare una sposa e di avere una famiglia era sempre nella sua mente, ma pallido e sfumato, come un bel paesaggio dipinto sulla seta; invece il desiderio di acquistare libri, di studiare e di trovare altri maestri disposti ad accompagnarlo nel cammino della conoscenza si trasformava ogni giorno di più in ossessione.

Così stavano le cose quando Tao Chi'en conobbe il dottor Ebanizer Hobbs, un aristocratico inglese che non aveva nulla dell'arrogante e che, diversamente dagli altri europei, era interessato al colore locale della città. L'aveva visto per la prima volta al mercato, mentre frugava tra erbe e tisane in un negozio di guaritori. Conosceva solo dieci parole in mandarino, ma le ripeteva con una voce talmente stentorea e con una convinzione così salda che intorno a lui si era radunato un modesto pubblico, tra il divertito e lo spaventato. Da lontano era facile vederlo, perché la sua testa spiccava al di sopra dei cinesi. Tao Chi'en non aveva mai visto uno straniero da quelle parti, così lontano dalle zone in cui normalmente transitavano, e decise perciò di avvicinarsi per vederlo da vicino. Era un uomo ancora giovane, alto e magro, con tratti nobili e grandi occhi azzurri. Tao Chi'en si accorse con soddisfazione che poteva tradurre le dieci parole di quel *fan guey* perché ne conosceva altrettante in inglese e che quindi, forse, sarebbe stato possibile comunicare. Lo salutò con un cordiale inchino e questi rispose imitando goffamente le riverenze. Si sorrisero e poi scoppiarono a ridere, accompagnati dal coro delle affabili risate degli spettatori. Cominciarono un affannoso dialogo di venti parole mal pronunciate da parte a parte e una comica pantomima da saltimbanchi, per la crescente ilarità dei curiosi. Ben presto un considerevole gruppo di persone, tutte piegate in due dal ridere, impedì il passaggio del traffico attirando l'attenzione di un poliziotto britannico a cavallo che intimò al capannello di sciogliersi immediatamente. Tra i due uomini nacque così una solida alleanza.

Ebanizer Hobbs era cosciente dei limiti della propria professione quanto Tao Chi'en lo era dei suoi. Il primo desiderava apprendere i segreti della medicina orientale, intravisti nei suoi viaggi in Asia, in particolare il controllo del dolore attraverso l'inserimento degli aghi nelle terminazioni nervose e l'uso di combinazioni di piante ed erbe nella cura di alcune malattie che in Europa venivano considerate fatali. Il secondo subiva il fascino della medicina occidentale e dei suoi aggressivi metodi di cura; la sua invece era un'arte sottile di equilibrio e armonia, un lavoro lento per incanalare l'energia deviata, prevenire le malattie e cercare le cause dei sintomi. Tao Chi'en non aveva mai praticato la chirurgia e le sue nozioni di anatomia, molto precise per quanto riguardava i diversi polsi e i punti dell'agopuntura, si riducevano a quello che poteva vedere e palpare. Conosceva a memoria i disegni anatomici della biblioteca del suo antico maestro, ma non gli era mai venuto in mente di aprire un cadavere. Questa pratica era sconosciuta nella medicina cinese; il suo saggio maestro, che aveva esercitato l'arte della guarigione per tutta la vita, raramente aveva visto organi interni ed era incapace di fare una diagnosi se s'imbatteva in sintomi che non rientravano nel repertorio delle malattie note. Ebanizer Hobbs, invece, apriva i cadaveri e cercava le cause, e così progrediva. Tao Chi'en lo fece per la prima volta nella cantina dell'ospedale inglese, durante una notte di burrasca, in qualità di assistente del dottor Hobbs, che quella stessa mattina aveva collocato i suoi primi aghi per alleviare un'emicrania nell'ambulatorio in cui Tao Chi'en riceveva i clienti. A Hong Kong si trovavano diversi missionari, interessati a curare il corpo quanto a convertire l'anima dei loro fedeli, che mantenevano eccellenti rapporti con il dottor Hobbs. Erano molto più vicini alla popolazione locale rispetto ai medici britannici della colonia e ammiravano i metodi della medicina orientale. Essi aprirono le porte dei loro piccoli ospedali allo *zhong yi*. L'entusiasmo di Tao Chi'en e di Ebanizer Hobbs per lo studio e la sperimentazione alimentò immediatamente un sentimento di reciproco affetto. Si vedevano di nascosto, perché se la loro amicizia fosse diventata di dominio pubblico la loro reputazione avrebbe corso dei rischi. Né i pazienti europei né quelli cinesi avrebbero accettato che un'altra razza avesse qualcosa da insegnare.

La voglia di comprare una sposa tornò a occupare i sogni di Tao Chi'en non appena le sue finanze si furono un po' assestate. Quando compì ventidue anni contò per l'ennesima volta i risparmi, come spesso faceva, e vide con soddisfazione che erano sufficienti per una donna dai piedi piccoli e dal carattere dolce. Siccome non aveva genitori cui affidare l'incarico, come era costume, dovette rivolgersi a un intermediario. Gli mostrarono i ritratti di diverse candidate, ma gli sembrarono tutte uguali; gli risultava impossibile immaginare l'aspetto di una ragazza – e men che meno la sua personalità – a partire da quei modesti disegni a china. Non gli era consentito vederle con i suoi occhi o ascoltarne la voce, come avrebbe desiderato; non aveva nemmeno una parente che lo potesse fare al posto suo. Una cosa però sì poteva farla, vedere i loro piedi spuntare da sotto una tenda, ma gli avevano raccontato che nemmeno così poteva stare tranquillo perché gli intermediari erano soliti imbrogliare mostrando i *loti d'oro* di altre donne. Doveva affidarsi al destino. Fu sul punto di lasciare la decisione ai dadi, ma il tatuaggio sulla mano destra gli ricordò le sue passate disavventure nei giochi d'azzardo e preferì affidare il compito allo spirito di sua madre e a quello del maestro agopuntore. Dopo aver girato cinque templi lasciando offerte, tirò la sorte con i bastoncini degli *I-ching*, vi lesse che il momento era propizio e così scelse la sposa. Il metodo funzionò. Quando sollevò il fazzoletto di seta rossa dal viso della sua novella sposa, dopo lo svolgimento dei semplici rituali, dato che non aveva mezzi per nozze più sfavillanti, trovò un viso armonioso che guardava ostinatamente a terra. Dovette ripetere tre volte il suo nome prima che lei osasse guardarlo con gli occhi pieni di lacrime, tremando di paura.

"Sarò buono," le promise non meno emozionato.

Dal momento in cui sollevò quella stoffa rossa, Tao adorò la ragazza che gli era toccata in sorte. L'amore lo prese di sorpresa: non immaginava che simili sentimenti potessero legare un uomo e una donna. Non aveva mai sentito dire che si manifestasse un tipo simile di amore, ne aveva solo letto qualche vago riferimento nella letteratura classica, dove le fanciulle, come i paesaggi e la luna, erano temi obbligati di ispirazione poetica. Credeva infatti che nel mondo reale le donne fossero solo creature destinate al lavoro o alla riproduzione, come le contadine tra le quali era cresciuto, oppure lussuosi oggetti decorativi. Lin non rientrava in nessuna di queste categorie, era una persona misteriosa e complessa, capace di disarmarlo con l'ironia e di sfidarlo con le domande. Lo faceva ridere come nessun altro, inventava storie incredibili, lo provocava con giochi di parole. In presenza di Lin tutto sembrava illuminarsi di uno sfolgorio irresistibile. La prodigiosa scoperta dell'intimità con un altro essere umano fu l'esperienza più profonda della sua vita. Con le prostitute si era limitato a incontri frettolosi e non aveva mai avuto a disposizione il tempo necessario né l'amore per conoscere a fondo nessuna di loro. Aprire gli occhi la mattina e vedere Lin addormentata al suo fianco lo faceva ridere dalla gioia e un momento dopo tremare dalla paura. E se una mattina non si fosse svegliata? Il dolce odore della sua traspirazione durante le notti d'amore, la linea sottile delle sue sopracciglia sollevate in segno di perenne sorpresa, l'incredibile snellezza della sua vita, lei tutta lo sfiniva di tenerezza. Ah! E le loro risate. Questa era la cosa più bella, la spigliata allegria di quell'amore. I *libri del guanciale* del suo vecchio maestro, che tanta inutile esaltazione gli avevano provocato durante l'adolescenza, si rivelarono di grande utilità nei momenti del piacere. Come si confaceva a una giovane vergine ben educata, Lin era modesta nel comportamento, ma non appena ebbe perso il timore del marito emerse la sua natura spontanea e appassionata. In breve tempo l'avida alunna imparò i duecentoventidue modi d'amare e, sempre disposta a seguirlo in quella corsa spericolata, suggerì al marito di inventarne di nuovi. Per fortuna di Tao Chi'en, le raffinate conoscenze acquisite in modo teorico grazie alla biblioteca del precettore includevano innumerevoli maniere di dar piacere a una donna e confermavano che il vigore conta molto meno della pazienza. Le sue dita erano allenate a cogliere le diverse vibrazioni del corpo e a localizzare a occhi chiusi i punti più sensibili; le sue mani calde e ferme, esperte nell'alleviare il dolore dei pazienti, si trasformavano in strumenti di infinito godimento per Lin. E poi aveva scoperto una cosa che il suo venerando *zhong yi* si era dimenticato di insegnargli: che l'amore è il miglior afrodisiaco. A letto raggiungevano una felicità tale, che di notte gli inconvenienti della vita si cancellavano. Ma questi inconvenienti erano parecchi, come risultò evidente nel giro di poco tempo.

Gli spiriti che Tao Chi'en aveva invocato affinché lo soccorressero nella sua decisione matrimoniale avevano compiuto il loro dovere alla perfezione: Lin aveva i piedi bendati ed era timida e dolce come uno scoiattolo. Ma a Tao Chi'en non era venuto in mente di chiedere anche che la sposa fosse forte e in salute. La stessa donna che di notte sembrava inesauribile, di giorno si trasformava in un'invalida. Riusciva appena a percorrere un paio di isolati con i suoi piccoli passi da mutilata. Certo, Lin si muoveva con la grazia lieve di un giunco esposto alla brezza, come aveva scritto l'anziano maestro agopuntore in qualcuna delle sue poesie, ma era altrettanto vero che un breve viaggio al mercato per comprare un cavolo costituiva un supplizio per i suoi *loti d'oro*. Non si lamentava mai ad alta voce, ma bastava vederla sudare e mordersi le labbra per capire quanto sforzo le costasse ogni movimento. Non godeva neanche di buoni polmoni. Respirava con un fischio acuto da cardellino, trascorreva la stagione delle piogge espettorando e quella secca faticando a respirare perché l'aria calda le rimaneva intasata tra i denti. Né le erbe del marito né i tonici dell'amico, il dottore inglese, riuscivano a lenire i disturbi. Quando rimase incinta i malanni si aggravarono, giacché il fragile scheletro riusciva appena a sopportare il peso del bambino. Al quarto mese smise completamente di uscire e si sedette esausta di fronte alla finestra a guardare la vita passare in strada. Tao Chi'en assunse due inservienti che si facessero carico delle incombenze domestiche e le tenessero compagnia, perché temeva che in sua assenza Lin morisse. Raddoppiò le ore di lavoro e per la prima volta iniziò ad assillare i pazienti perché lo pagassero, gesto che lo riempiva di vergogna. Sentiva su di sé lo sguardo critico del maestro che gli ricordava il dovere di servire senza attendersi ricompensa, dal momento che "chi più sa, più è in obbligo verso l'umanità". Eppure non poteva lavorare gratuitamente o in cambio di favori come aveva fatto fino ad allora, perché aveva bisogno di ogni singolo centesimo per mantenere Lin negli agi. In quel periodo si era installato al secondo piano di una vecchia casa, dove aveva trasferito la moglie con raffinatezze che nessuno dei due aveva mai sperimentato prima, ma non era soddisfatto. Si mise in testa che doveva trovare una casa con giardino, così lei avrebbe goduto di bellezza e aria pura. L'amico Ebanizer Hobbs – dato che lui si rifiutava di prendere in considerazione l'eviden-

za – gli spiegò che la tubercolosi era già in una fase talmente a-
vanzata che non ci sarebbe stato giardino in grado di guarire Lin.
"Invece di lavorare dall'alba a notte fonda per comprarle vestiti di seta e mobili di lusso, rimanga con lei il più possibile, dottor Chi'en. Goda della sua presenza finché c'è," gli consigliava
Hobbs.

Entrambi i medici convennero, ognuno dalla prospettiva della
propria esperienza, che il parto sarebbe stato per Lin la prova del
fuoco. Nessuno dei due era preparato in materia, perché sia in
Europa sia in Cina era sempre stato terreno delle levatrici, ma si
proposero di studiare. Non si fidavano della perizia di uno sgar-
bato donnone, perché così giudicavano le addette a tale professione. Le avevano viste lavorare con le loro mani ripugnanti, le
loro stregonerie e i metodi brutali per strappare il bambino alla
madre e decisero di evitare a Lin tale funesta esperienza. La ragazza, tuttavia, non voleva partorire davanti a due uomini, soprattutto visto che uno dei due era un *fan guey* dagli occhi smorti
che non parlava nemmeno la lingua degli esseri umani. Pregò il
marito di rivolgersi alla levatrice del quartiere perché la più elementare decenza le impediva di mostrarsi in quella posizione a
un demonio straniero, ma Tao Chi'en, sempre disposto ad assecondarla, questa volta si mostrò inflessibile. Infine scesero a pat-
ti: lui l'avrebbe seguita personalmente mentre Ebanizer Hobbs
sarebbe rimasto nella stanza attigua per fornirgli appoggio verba-
le in caso di bisogno.

La prima avvisaglia del parto fu un attacco d'asma che per
poco non costò la vita a Lin. Allora gli sforzi per respirare si som-
marono a quelli del ventre per espellere la creatura, ma tanto Tao
Chi'en, con tutto il suo amore e la sua scienza, quanto Ebanizer
Hobbs, con i suoi testi di medicina, risultarono impotenti. Dieci
ore dopo, quando i gemiti della madre si erano ridotti ai ranto-
lanti gorgoglii di un annegato e il neonato non dava segni di voler nascere, Tao Chi'en uscì con le ali ai piedi in cerca della levatrice e, nonostante il ribrezzo che provava, controvoglia la trascinò a casa. Esattamente come Tao Chi'en e Hobbs temevano, la
donna risultò essere una vecchia maleodorante con la quale fu
impossibile scambiare la minima nozione medica, perché il suo
campo non era la scienza, bensì la lunga esperienza e l'istinto.
Iniziò con l'allontanare i due uomini con uno spintone, proiben-
do loro di affacciarsi alla tenda che separava le due camere. Tao

Chi'en non venne mai a sapere cosa accadde dietro quella tenda, ma si tranquillizzò quando sentì Lin respirare senza soffocarsi e gridare con forza. Durante le ore successive, mentre Ebanizer Hobbs dormiva estenuato su una poltrona e Tao Chi'en consultava disperatamente lo spirito del maestro, Lin diede alla luce una bambina esangue. Trattandosi di una creatura di sesso femminile, né la levatrice né il padre si preoccuparono di far sì che si riprendesse; si diedero invece da fare per salvare la madre, che andava perdendo le già scarse forze a mano a mano che il sangue le scorreva tra le gambe.

Lin non si disperò eccessivamente per la morte della bambina, quasi presentisse che la vita le sarebbe mancata prima di poterla allevare. Si rimise lentamente dal brutto parto e per un certo periodo di tempo cercò di essere nuovamente l'allegra compagna dei giochi notturni. Con la stessa disciplina che impiegava per dissimulare il dolore ai piedi, fingeva di entusiasmarsi per gli appassionati abbracci del marito. "Il sesso è un viaggio, un viaggio sacro," gli diceva spesso, ma ormai le mancava l'energia per accompagnarlo. Tao Chi'en desiderava tanto quell'amore che fece di tutto per ignorare i sintomi che tradivano il cambiamento e continuò a credere fino alla fine che Lin fosse la stessa di prima. Per anni aveva sognato di avere figli maschi, ma ora cercava solo di proteggere la sua sposa da un'altra gravidanza. I suoi sentimenti per Lin si erano trasformati in una sorta di venerazione che solo a lei poteva confessare; nessuno avrebbe potuto capire quello spossante amore per una donna, nessuno conosceva Lin come lui, nessuno sapeva quanta luce avesse portato nella sua esistenza. Sono felice, sono felice, si ripeteva per allontanare le premonizioni funeste che lo assalivano non appena si distraeva. Ma non lo era. Ormai non rideva più con la leggerezza di prima e quando era con lei a malapena riusciva a consumare il suo amore, salvo in alcuni momenti perfetti del piacere carnale, perché viveva osservandola con preoccupazione, sempre in pena per la sua salute, consapevole della sua fragilità, misurando il ritmo del suo respiro. Giunse a odiare i *loti d'oro* che all'inizio del matrimonio baciava trasportato dall'esaltazione del desiderio. Ebanizer Hobbs sosteneva che Lin dovesse fare lunghe passeggiate all'aria aperta per rinforzare i polmoni e stuzzicare l'appetito, ma lei riusciva a malapena a fare dieci passi prima di sentirsi mancare. Tao non poteva rimanere con sua moglie tutto il tempo, come suggeriva Hobbs, perché doveva provvedere a entrambi. Ogni istante lontano da lei gli sembrava vita sprecata nell'infelicità, tempo sottratto all'amore. Mise al servizio dell'amata tutta la sua farmacopea e tutto il sapere acquisito nei molti anni di pratica medica, ma un anno dopo il parto Lin si era trasformata nell'ombra della ragazza allegra che era stata. Suo marito cercava di farla ridere, ma la risata usciva falsa a entrambi.

Un giorno Lin non riuscì più ad alzarsi dal letto. Si sentiva soffocare, le forze si esaurivano nel tossire sangue e nel cercare di respirare. Si rifiutava di mangiare qualsiasi cibo tranne qualche cucchiaiata di zuppa magra, perché lo sforzo la estenuava. Dormiva sussultando nei rari momenti in cui la tosse si calmava. Tao Chi'en calcolò che ormai da sei mesi respirava con un russare liquido, come fosse immersa nell'acqua. Sollevandola in braccio constatava che aveva perso peso e il cuore gli si riempiva di terrore. La vide soffrire così tanto che la morte giunse come un sollievo, ma la fatale mattina in cui si svegliò abbracciato al corpo gelato di Lin credette anch'egli di morire. Un grido lungo e terribile, che emergeva dalle profondità della terra, come un'eruzione vulcanica, scosse la casa e svegliò il quartiere. Giunsero i vicini, aprirono a pedate la porta e lo trovarono nudo in mezzo alla stanza che ululava con la moglie tra le braccia. Dovettero separarlo a forza dal cadavere e tenerlo fermo fino a quando non arrivò Ebanizer Hobbs che lo obbligò a inghiottire una quantità di laudano sufficiente a far stramazzare un leone.

Tao Chi'en sprofondò nella vedovanza con una disperazione totale. Fece un altare con il ritratto di Lin e alcuni dei suoi oggetti e passò ore a contemplarlo con desolazione. Smise di assistere i suoi pazienti e di condividere con Ebanizer Hobbs lo studio e la ricerca, i pilastri della loro amicizia. Lo disgustavano i consigli dell'inglese, convinto che "chiodo scaccia chiodo" e che la cura migliore per riprendersi dal dolore fosse frequentare i bordelli del porto, dove avrebbe potuto trovare tutte le donne che voleva con i piedi deformi, come lui chiamava i *loti d'oro*. Come poteva suggerirgli simili aberrazioni? Non esisteva chi potesse rimpiazzare Lin, non avrebbe mai più amato nessun'altra, di questo era certo. Da Hobbs, in quel periodo, Tao Chi'en accettava solo le generose bottiglie di whisky. Passò diverse settimane nel letargo alcolico fino a quando il denaro finì e, a poco a poco, dovette vendere o impegnare i suoi beni, finché un giorno non fu in grado di pagare l'affitto e dovette trasferirsi in una pensione assai modesta. Allora si ricordò di essere uno *zhong yi* e riprese a lavorare ma esercitando a fatica, con gli abiti sporchi, la treccia sfatta e mal rasato. Siccome godeva di buona reputazione, i pazienti tollerarono il suo aspetto da spaventapasseri e gli errori dettati dall'ebbrezza con l'atteggiamento rassegnato tipico dei poveri, ma ben presto smisero di rivolgersi a lui. Nemmeno Ebanizer Hobbs tornò a chiamarlo per i casi difficili, perché aveva perso fiducia nel suo giudizio. Fino a quel momento la loro complementarità era stata vincente: l'inglese poteva per la prima volta praticare la chirurgia con audacia grazie alle potenti droghe e agli aghi d'oro capaci di mitigare il dolore, ridurre le emorragie e abbreviare i tempi di cicatrizzazione, mentre il cinese apprendeva l'uso del bisturi e di altri metodi della scienza europea. Ma le sue mani tremanti e gli occhi annebbiati dall'intossicazione e dalle lacrime rappresentavano un pericolo più che un aiuto.

Nella primavera del 1847 il destino di Tao Chi'en, all'improvviso, cambiò nuovamente, come aveva già fatto un paio di volte nella sua vita. A mano a mano che aveva perso i pazienti regolari e si era diffusa la voce del suo discredito come medico, si era dovuto spostare nei quartieri più disperati del porto, dove nessuno gli chiedeva referenze. I casi erano routinari: contusioni, pugnalate e perforazioni da proiettili. Una notte Tao Chi'en fu chiamato d'urgenza in una taverna per dare i punti a un marinaio reduce da una terribile rissa. Lo condussero nel retro del locale, dove l'uomo giaceva incosciente con la testa aperta come un melone. Il suo avversario, un norvegese gigantesco, aveva sollevato un pesante tavolo di legno e l'aveva usato come randello per difendersi dagli aggressori, un gruppo di cinesi decisi a suonargliele di santa ragione. Si erano lanciati in massa su di lui e l'avrebbero fatto a pezzi se non fossero accorsi in suo aiuto alcuni marinai nordici che stavano bevendo nello stesso locale, e così quella che era iniziata come una discussione tra giocatori ubriachi si era trasformata in una battaglia razziale. Quando giunse Tao Chi'en, quelli in grado di camminare si erano allontanati da un pezzo. Il norvegese era tornato illeso sulla sua nave scortato da due poliziotti inglesi e gli unici rimasti in giro erano l'oste, la vittima in agonia e il pilota che si era dato da fare per allontanare la polizia. Se fosse stato europeo, il ferito sicuramente sarebbe finito all'ospedale britannico, ma siccome era un asiatico, le autorità portuali non si scomodarono troppo.

A Tao Chi'en bastò un'occhiata per capire che non c'era nulla da fare per quel povero diavolo con il cranio a pezzi e il cervello in bella vista. Lo spiegò al pilota, un inglese barbuto e volgare.

"Cinese maledetto! Non puoi lavar via il sangue e cucirgli la testa?" pretendeva.

"Ha la testa divisa in due, cosa gliela cucio a fare? Ha il diritto di morire in pace."

"Non può morire! La mia barca salpa domani all'alba e ho bisogno di quest'uomo a bordo! È il cuoco!"

"Mi dispiace," replicò Tao Chi'en con un rispettoso cenno della testa, cercando di dissimulare il fastidio che gli procurava quell'insensato *fan guey*.

Il pilota ordinò una bottiglia di gin e invitò Tao Chi'en a bere con lui. Tanto, se il cuoco si trovava al di là del bene e del male, già che c'erano potevano bere qualcosa in suo onore, disse, in modo che poi il suo fottuto fantasma, maledizione a lui, non potesse farsi vivo a tirargli i piedi di notte. Si accomodarono a poca distanza dal moribondo a ubriacarsi senza fretta. Di tanto in tanto Tao Chi'en si chinava per prendergli il polso e calcolava che non doveva rimanergli più di qualche minuto di vita, ma l'uomo si rivelava più resistente di quanto si aspettasse. Lo *zhong yi* non si rese conto che l'inglese continuava a versargli un bicchiere dopo l'altro mentre dal suo beveva appena. Ben presto si sentì barcollare e non riuscì a ricordare perché si trovasse in quel luogo. Quando un'ora più tardi, dopo un paio di convulsioni finali, il suo paziente spirò, Tao Chi'en non ebbe modo di accorgersene perché era già rotolato a terra privo di sensi.

Lo svegliò la luce di un mezzogiorno splendente; aprì gli occhi con terribile fatica e non appena riuscì a sollevarsi si vide circondato da cielo e acqua. Ci mise non poco a rendersi conto di essere sdraiato su una grande matassa di cime sulla coperta di un'imbarcazione. Il battere delle onde contro i fianchi della nave risuonava in lui come campane a festa. Gli sembrava di sentire voci e grida ma non era sicuro di niente, poteva benissimo trovarsi all'inferno. Riuscì a mettersi in ginocchio e a gattonare per un paio di metri, poi la nausea lo invase e cadde bocconi. Pochi minuti dopo sentì il getto freddo di un secchio d'acqua sulla testa e una voce che gli si rivolgeva in cantonese. Alzò gli occhi e si trovò davanti un volto imberbe e simpatico che lo salutava con un ampio sorriso al quale mancava la metà dei denti. Una seconda secchiata d'acqua di mare lo fece definitivamente riprendere dallo stupore. Il giovane cinese che con tanta premura lo bagnava si chinò di fianco a lui sbellicandosi dalle risate e dandosi delle gran pacche sulle cosce, come se la sua patetica condizione avesse qualcosa di irresistibilmente comico.

"Dome mi trovo?" riuscì a balbettare Tao Chi'en.

"Benvenuto a bordo del *Liberty*. A quanto pare si va a ovest."

"Ma io non voglio andare da nessuna parte! Devo scendere immediatamente!"

Le sue intenzioni scatenarono nuove risate. Quando alla fine riuscì a controllare l'ilarità, l'uomo gli spiegò che era stato "ingaggiato", giusto come era capitato a lui un paio di mesi prima. Tao Chi'en si sentì sul punto di svenire. Conosceva il meccanismo. Quando mancavano uomini per completare un equipaggio, si ricorreva alla pratica sbrigativa di ubriacare o stordire con una sprangata in testa qualche incauto che veniva poi reclutato contro la sua volontà. La vita di mare era dura e malpagata, gli incidenti, la denutrizione e le malattie facevano stragi, in ogni viaggio ne moriva più d'uno e i corpi andavano a finire in fondo all'oceano senza che nessuno si ricordasse di loro. Inoltre i capitani erano generalmente despoti che non dovevano rendere conto a nessuno e che punivano a frustate qualsiasi mancanza. A Shangai era stato necessario che i capitani arrivassero a un accordo tra gentiluomini per limitare il sequestro di uomini liberi e non portarsi via reciprocamente i marinai. Prima dell'accordo, ogni volta che un marinaio scendeva in porto a farsi un goccetto, rischiava di svegliarsi su un'altra nave. Il pilota del *Liberty* aveva deciso di rimpiazzare il cuoco morto con Tao Chi'en – ai suoi occhi i "gialli" erano tutti uguali e uno o l'altro faceva esattamente lo stesso – e dopo averlo ubriacato l'aveva fatto trasportare a bordo. Prima che si svegliasse aveva impresso l'impronta del suo pollice su un contratto che lo vincolava ai suoi servizi per due anni. Lentamente le proporzioni dell'accaduto presero forma nel cervello confuso di Tao Chi'en. L'idea di ribellarsi non lo sfiorò nemmeno, equivaleva a suicidarsi, ma si propose di disertare non appena si fosse toccata terra, in qualsiasi punto del pianeta.

Il giovane lo aiutò ad alzarsi e a lavarsi e poi lo condusse nella stiva dove erano allineate cuccette e amache. Gli assegnò il suo posto e un cassetto in cui riporre i suoi oggetti. Tao Chi'en, che credeva di aver perso tutto, vide invece la valigetta degli strumenti medici sulla pedana di legno che sarebbe servita da letto. Il pilota aveva avuto la buona idea di metterla in salvo. Il ritratto di Lin, invece, era rimasto sull'altare. Si rese conto con orrore che forse lo spirito di sua moglie non sarebbe stato in grado di localizzarlo, in mezzo all'oceano.

I primi giorni di navigazione furono un supplizio di malori e venne spesso tentato dall'idea di buttarsi a mare e mettere così fine, una volta per tutte, alle sue sofferenze. Appena fu in grado di reggersi in piedi venne destinato alla rudimentale cucina in cui tutte le cianfrusaglie appese ai ganci si urtavano a ogni ondeggiamento producendo un baccano assordante. Le provviste fresche caricate a Hong Kong si esaurirono rapidamente e ben presto non rimasero che pesce, carne salata, fagioli, zucchero, strutto, farina piena di vermi e gallette talmente vecchie che spesso bisognava spezzarle a colpi di martello. Qualsiasi alimento veniva condito con salsa di soia. Ogni marinaio aveva a disposizione una pinta di acquavite al giorno per sopportare le pene e sciacquarsi la bocca, perché le gengive infiammate erano uno dei problemi della vita di mare. Per i pasti del capitano Tao Chi'en poteva avvalersi di uova e marmellata inglese che doveva proteggere con la sua stessa vita, come gli avevano ordinato. Le razioni erano previste per una durata della traversata calcolata senza che insorgessero impedimenti naturali, come burrasche che li facessero deviare dalla rotta o mancanza di vento che li bloccasse, e andavano integrate col pesce fresco catturato con le reti durante il viaggio. Non ci si attendeva talento culinario da Tao Chi'en; il suo compito era controllare gli alimenti, il liquore e l'acqua dolce assegnati a ogni uomo e combattere contro il deterioramento e i topi. Doveva anche assolvere i compiti di pulizia e navigazione come qualsiasi altro marinaio.

Dopo una settimana iniziò a godere dell'aria aperta, del lavoro rude e della compagnia di quegli uomini che venivano dai quattro punti cardinali, ognuno con le sue storie, le sue nostalgie e le sue peculiarità. Nei momenti di riposo suonavano qualche strumento e raccontavano storie di fantasmi di mare e di donne esotiche in porti lontani. Gli uomini dell'equipaggio venivano da luoghi diversi, avevano lingue e abitudini diverse, ma erano uniti da qualcosa che assomigliava all'amicizia. L'isolamento e la certezza di aver bisogno l'uno dell'altro trasformavano in compagni uomini che sulla terraferma non si sarebbero neanche guardati. Tao Chi'en riprese a ridere, come non faceva dai tempi della malattia di Lin. Una mattina il pilota lo chiamò per presentarlo al capitano John Sommers, che lui aveva visto solo da lontano nella cabina di comando. Si ritrovò davanti a un uomo alto, indurito dai venti di molte latitudini, con una barba scura e occhi d'acciaio. Si rivolse a lui con la mediazione del pilota che parlava un po' di cantonese, ma Tao Chi'en gli rispose nel suo inglese libresco, con l'affettato accento aristocratico appreso da Ebanizer Hobbs.

"Mi ha detto Mr Oglesby che sei una specie di guaritore."

"Sono uno *zhong yi*, un medico."

"Un medico? Come un medico?"

"La medicina cinese è più antica di quella inglese di qualche secolo, capitano," sorrise dolcemente Tao Chi'en utilizzando le precise parole del suo amico Ebanizer Hobbs.

Il capitano Sommers sollevò le sopracciglia in segno di collera per l'insolenza di quell'omino, ma la verità lo disarmò e scoppiò a ridere di gusto.

"Coraggio Mr Oglesby, serva tre bicchieri di brandy. Brindiamo con il dottore. È un lusso molto raro. È la prima volta che abbiamo un medico personale a bordo!"

Tao Chi'en non realizzò il proposito di disertare al primo porto che il *Liberty* toccò, perché non sapeva dove andare. Tornare alla sua disperata vita da vedovo a Hong Kong era insensato come proseguire la navigazione. Qui o là faceva lo stesso; almeno, come marinaio, aveva la possibilità di viaggiare e di imparare i metodi di cura usati in altre parti del mondo. L'unica cosa che lo tormentava davvero era che, in quel vagare di onda in onda, Lin forse non sarebbe riuscita a individuarlo per quanto lui gridasse il suo nome ai quattro venti. Al primo porto scese a terra insieme agli altri con un permesso di sei ore, ma invece di dirigersi in una taverna si perse al mercato alla ricerca di spezie e piante medicinali su incarico del capitano. "Dal momento che abbiamo un dottore, abbiamo anche bisogno di rimedi," aveva detto. Gli aveva dato un sacchetto con monete contate e l'aveva avvertito che se avesse pensato di scappare o di ingannarlo, lui l'avrebbe cercato finché non l'avesse trovato e poi gli avrebbe mozzato il collo con le sue mani, perché non era ancora nato l'uomo che poteva farsi beffe impunemente di lui.

"Chiaro, cinese?"

"Chiaro, inglese."

"Un po' di rispetto!"

"Sì, signore," replicò Tao Chi'en abbassando lo sguardo, dato che stava imparando a non guardare i bianchi in faccia.

La sua prima sorpresa fu scoprire che la Cina non era il centro assoluto dell'universo. C'erano altre culture, più barbare, certo, ma molto più potenti. Non immaginava che gli inglesi controllassero buona parte del pianeta, come non sospettava che altri *fan guey* fossero padroni di estese colonie in terre lontane suddivise nei quattro continenti, come il capitano Sommers si diede la pena di spiegargli il giorno in cui Tao Chi'en gli estrasse un dente infetto davanti alle coste africane. Portò a termine l'operazione impeccabilmente e quasi senza provocare dolore grazie ai suoi aghi d'oro inseriti nelle tempie e a un amalgama di chiodi di garofano ed eucalipto applicato sulla gengiva. Una volta che ebbe finito e che il paziente alleviato e riconoscente poté terminare la sua bottiglia di liquore, Tao Chi'en osò chiedergli dove fossero diretti. Lo sconcertava viaggiare alla cieca, con la vaga linea dell'orizzonte tra un mare e un cielo infiniti come unico punto di riferimento.

"Andiamo verso l'Europa, ma per noi non cambia nulla. Siamo gente di mare, sempre in acqua. Vuoi tornare a casa tua?"

"No, signore."

"Hai famiglia da qualche parte?"

"No, signore."

"Allora non ti cambia niente se andiamo a nord o a sud, a est o a ovest, non è così?"

"Sì, ma mi piace sapere dove sono."

"Perché?"

"Perché potrei cadere in acqua o potremmo affondare. Il mio spirito avrebbe bisogno di sapere dove si trova per poter tornare in Cina, altrimenti vagherebbe senza meta. La porta del cielo si trova in Cina."

"Che razza di cose ti vengono in mente!" rise il capitano. "E quindi per andare in Paradiso bisogna morire in Cina? Guarda la cartina, su. Il tuo paese è il più grande, senza dubbio, ma c'è parecchio mondo anche fuori dalla Cina. Qui c'è l'Inghilterra: non è che una piccola isola, ma se sommi tutte le nostre colonie, vedrai che siamo padroni di più della metà del globo."

"Come è possibile?"

"Come abbiamo fatto a Hong Kong: con guerre e con imbrogli. Diciamo con un misto di supremazia navale, avidità e disciplina. Non siamo superiori, ma semplicemente più crudeli e determinati. Non sono particolarmente orgoglioso di essere inglese, ma quando avrai viaggiato tanto come ho fatto io, neanche tu lo sarai di essere cinese."

Nei due anni successivi Tao Chi'en mise piede sulla terraferma tre volte, una delle quali in Inghilterra. Si confuse tra la grossolana folla del porto e camminò per le strade di Londra osservando tutte le cose nuove con gli occhi stupiti di un bambino. I *fan guey* riservavano sorprese continue: da una parte erano privi della benché minima raffinatezza e si comportavano da selvaggi, ma dall'altra erano dotati di prodigiosa inventiva. Constatò che anche nella loro terra gli inglesi manifestavano la medesima arroganza e cattiva educazione dimostrata a Hong Kong: lo trattavano senza rispetto, non sapevano niente di cortesia o etichetta. Decise di bersi una birra ma lo buttarono fuori a spintoni dalla taverna: "Qui i cani gialli non entrano," gli dissero. Subito dopo si unì ad altri marinai asiatici e insieme trovarono un locale gestito da un vecchio cinese in cui poterono mangiare, bere e fumare in pace. Ascoltando le storie degli altri uomini, calcolò quanto aveva ancora da imparare e decise che la prima cosa sarebbe stata l'uso dei pugni e del coltello. A poco serve il sapere se poi non si è in grado di difendersi; il saggio maestro agopuntore si era dimenticato di insegnargli anche quel principio fondamentale.

Nel febbraio 1849 il *Liberty* attraccò a Valparaíso. Il giorno successivo, il capitano John Sommers lo chiamò nella sua cabina e gli consegnò una lettera.

"Me l'hanno data al porto, è per te e viene dall'Inghilterra."

Tao Chi'en prese la busta, arrossì e un enorme sorriso gli illuminò il volto.

"Non dirmi che è una lettera d'amore!" ironizzò il capitano.

"Molto meglio," replicò, mettendola al sicuro tra il petto e la camicia. La lettera poteva essere solo del suo amico Ebanizer Hobbs ed era la prima che gli arrivava nei due anni di navigazione.

"Hai fatto un buon lavoro, Chi'en."

"Pensavo non apprezzasse la mia cucina, signore," sorrise Tao.

"Come cuoco sei un disastro, ma sai di medicina. In due anni non mi è morto un solo uomo e nessuno ha lo scorbuto. Sai cosa significa?"

"Fortuna."

"Il tuo contratto scade oggi. Potrei farti ubriacare e farti firmare una proroga. Forse con un altro lo farei, ma ti devo dei servizi e io i miei debiti li pago. Vuoi continuare a viaggiare con me? Ti aumenterò lo stipendio."

"Qual è la destinazione?"

"California. Ma lascerò questa imbarcazione, me ne hanno appena offerta una a vapore ed è un'opportunità che aspettavo da anni. Mi piacerebbe che venissi con me."

Tao Chi'en aveva sentito parlare degli steamer e ne era terrorizzato. L'idea di enormi caldaie d'acqua bollente che producevano vapore e muovevano delle macchine infernali poteva essere venuta in mente solo a gente molto frettolosa. Non era meglio viaggiare sull'onda dei venti e delle correnti? Perché sfidare la natura? Correvano voci su caldaie scoppiate in alto mare che avevano cucinato vivo l'equipaggio. I brandelli di carne umana, bolliti come gamberi, erano stati sparati in tutte le direzioni in pasto ai pesci, mentre le anime di quei poveri disgraziati, disintegrate nei bagliori dell'esplosione e dei vortici di vapore, non si sarebbero mai potute riunire con i loro antenati. Tao Chi'en ricordava perfettamente l'aspetto della sorellina minore quando le si era rovesciata addosso la pentola d'acqua calda, esattamente come ricordava i suoi orribili gemiti di dolore e le convulsioni che ne avevano accompagnato la morte. Non era disposto a correre un rischio del genere. Neanche l'oro californiano, che a quanto pareva era sparpagliato a terra come si trattasse di sassolini, lo tentava più di tanto. Non doveva niente a John Sommers. Il capitano era un po' più tollerante della maggior parte dei *fan guey* e trattava l'equipaggio con una certa equanimità, ma non era un suo amico e non lo sarebbe mai stato.

"No, grazie, signore."

"Non hai voglia di vedere la California? Puoi diventare ricco in poco tempo e tornare in Cina trasformato in un magnate."

"Sì, ma a vela."

"Perché? I vapori sono più moderni e più rapidi."

Tao Chi'en non provò neanche a spiegare le sue motivazioni. Rimase in silenzio guardando a terra con il cappello in mano mentre il capitano terminava di bersi il suo whisky.

"Non posso obbligarti," disse alla fine Sommers. "Ti darò una lettera di raccomandazione per il mio amico Vincent Katz, del brigantino *Emilia*, anche lui in procinto di salpare nei prossimi giorni per la California. È un olandese piuttosto particolare, molto religioso e rigido, ma è una brava persona e un buon marinaio. Il tuo viaggio sarà più lento del mio ma magari ci vedremo a San Francisco e se ci avrai ripensato potrai sempre tornare a lavorare con me."

Il capitano John Sommers e Tao Chi'en si strinsero la mano per la prima volta.

IL VIAGGIO

Raggomitolata nella sua tana nella stiva, Eliza iniziò lentamente a morire. Al buio e alla sensazione di essere murata viva si sommava il lezzo, un miscuglio tra l'odore del contenuto dei pacchi e delle casse e quello del pesce salato in barile e delle remore marine incrostate sul legno dell'imbarcazione. Il suo buon olfatto, così utile per aggirarsi nel mondo a occhi chiusi, si era trasformato in uno strumento di tortura. L'unica compagnia era quella di uno strano gatto a tre colori, sepolto come lei nella stiva per proteggerla dai topi. Tao Chi'en le aveva assicurato che si sarebbe abituata al tanfo e alla reclusione, perché in caso di necessità il corpo si abitua praticamente a tutto, e aveva aggiunto che il viaggio sarebbe stato lungo e che non avrebbe mai potuto affacciarsi all'aria aperta e che quindi tanto valeva non pensarci, se non voleva impazzire. Avrebbe avuto acqua e cibo, le promise che si sarebbe incaricato lui di portarli tutte le volte che scendere nella stiva non avesse destato sospetti. Il brigantino era piccolo ma zeppo di gente e non sarebbe stato difficile inventarsi qualche pretesto per svignarsela.

"Grazie, quando saremo arrivati in California le darò la spilla con i turchesi."

"La tenga da parte, mi ha già pagato. Ne avrà bisogno. Ma cosa ci va a fare in California?"

"Vado a sposarmi. Il mio fidanzato si chiama Joaquín. La febbre dell'oro l'ha colpito e se n'è andato. Mi ha detto che sarebbe tornato, ma non posso aspettarlo."

Appena la nave abbandonò la baia di Valparaíso e si trovò in alto mare, Eliza iniziò a delirare. Per ore rimase sdraiata al buio come un animale nel suo stesso sudiciume, stando così male da non riuscire a ricordare dove si trovasse né perché, fino a quando la porta della stiva si aprì e apparve Tao Chi'en, illuminato da un pezzo di candela, per portarle un piatto di cibo. Gli bastò darle un'occhiata per rendersi conto che la ragazza non sarebbe riuscita a ingoiare niente. Diede la cena al gatto, andò a cercare un secchio d'acqua e tornò per lavarla. Prima le diede un forte infuso di zenzero e poi le applicò una dozzina dei suoi aghi d'oro fino a quando lo stomaco non si fu calmato. Eliza non ebbe modo di rendersi conto che Tao Chi'en l'aveva denudata completamente, lavata dolcemente con acqua di mare e massaggiata dalla testa ai piedi con lo stesso balsamo raccomandato per i tremori da malaria. Poco dopo stava dormendo, avvolta nella sua coperta castigliana con il gatto ai piedi, mentre Tao Chi'en, in coperta, sciacquava i suoi vestiti in mare, attento a non richiamare l'attenzione dei marinai che, comunque, a quell'ora riposavano. Diversamente da quanti provenivano dai tre mesi di navigazione dall'Europa e avevano già superato la prova, tutti i passeggeri imbarcatisi da poco soffrivano di mal di mare come Eliza.

Nei giorni successivi, mentre i nuovi passeggeri dell'*Emilia* si abituavano agli scossoni delle onde e si adattavano al tran tran che avrebbe caratterizzato tutta la traversata, nel fondo della stiva Eliza si ammalava sempre di più. Tao Chi'en scendeva tutte le volte che poteva per darle dell'acqua e per cercare di debellare la nausea, ma con stupore verificava che, invece di diminuire, il malessere aumentava. Cercò di curarla con i metodi tradizionali cui ricorreva in casi simili e con altri che improvvisò alla disperata, ma Eliza non riusciva a trattenere quasi nulla nello stomaco e si stava disidratando. Le preparava acqua con sale e zucchero e gliela somministrava a cucchiaiate con infinita pazienza, ma trascorsero due settimane senza che si potesse apprezzare alcun miglioramento e arrivò un momento in cui la pelle della ragazza sembrava pergamena e lei non riuscì più a sollevarsi per fare gli esercizi che Tao le imponeva. "Se non ti muovi, il corpo si intorpidisce e le idee si offuscano," le ripeteva. Il brigantino toccò i porti di Coquimbo, Caldera, Antofagasta, Iquique e Arica e in tutte le brevi soste cercò di convincerla a sbarcare e a trovare la maniera di tornare a casa, perché vedeva che si stava progressivamente debilitando ed era spaventato.

Si erano appena lasciati alle spalle il porto di Callao, quando la salute di Eliza subì un tracollo inevitabile. Tao Chi'en si era procurato al mercato una provvista di foglie di coca, le cui proprietà medicinali conosceva bene, e tre galline vive che pensava di tenere nascoste e di sacrificare a una a una, dato che la malata aveva bisogno di alimenti più sostanziosi delle magre razioni previste. Cucinò la prima in un brodo di zenzero fresco e scese con l'intenzione di dare a Eliza la zuppa, anche a forza. Accese una lanterna di sebo di balena, si fece strada tra le merci e si avvicinò alla topaia in cui si trovava la ragazza, che stava a occhi chiusi e sembrava non accorgersi della sua presenza. Sotto il suo corpo si estendeva una vasta macchia di sangue. Lo *zhong yi* lanciò un grido e si chinò su di lei, sospettando che la povera disgraziata avesse trovato la maniera di suicidarsi. Non poteva biasimarla, in simili condizioni lui avrebbe fatto la stessa cosa, pensò. Le sollevò la camicia, ma non c'era nessuna ferita visibile e toccandola si rese conto che era ancora viva. La scosse fino a quando non aprì gli occhi.

"Sono incinta," ammise lei, alla fine, con un fil di voce.

Tao Chi'en si prese la testa tra le mani e si perse in una litania di querimonie nel dialetto del suo villaggio natale cui non faceva ricorso da quindici anni: se l'avesse saputo non l'avrebbe mai aiutata, come poteva esserle venuto in mente di imbarcarsi per la California in stato interessante, era pazza, ecco cosa ci mancava, un aborto, se moriva lui era perduto, bel pasticcio quello in cui l'aveva messo, che stupido, gli stava bene, come aveva fatto a non intuire il perché di tutta quella fretta di scappare dal Cile... Aggiunse imprecazioni e maledizioni in inglese, ma lei era svenuta di nuovo ed era al riparo da qualsiasi rimprovero. La prese tra le braccia e la cullò come un neonato, mentre la rabbia iniziava a trasformarsi in smisurata compassione. Per un attimo gli balenò l'idea di rivolgersi al capitano Katz e di confessargli tutta la storia, ma la reazione di questi era imprevedibile. Quell'olandese luterano, che trattava le donne a bordo come appestate, si sarebbe infuriato se avesse saputo che ne trasportava un'altra, nascosta e oltretutto incinta e moribonda. E a lui quale castigo avrebbe riservato? No, non poteva dirlo a nessuno. L'unica alternativa era attendere che Eliza si spegnesse, se questo era il suo karma, e poi gettare il suo corpo in mare insieme alla spazzatura della cucina. L'unica cosa che poteva fare per lei, in caso l'avesse vista soffrire troppo, era aiutarla a morire con dignità.

Si stava dirigendo verso l'uscita quando, di pelle, avvertì una presenza estranea. Spaventato, sollevò la lanterna e vide con perfetta chiarezza nel cerchio tremulo della luce la sua adorata Lin che lo osservava da vicino con quell'espressione scherzosa sul viso trasparente che costituiva il suo maggiore incanto. Indossava il vestito di seta verde ricamato con fili dorati, quello delle grandi occasioni, i capelli raccolti in un semplice chignon trattenuto da bastoncini d'avorio e due peonie fresche sulle orecchie. Così l'aveva vista l'ultima volta, quando le vicine l'avevano vestita per la cerimonia funebre. L'apparizione della sposa nella stiva fu talmente reale che il panico lo colse: gli spiriti, per quanto fossero stati buoni in vita, in genere con i mortali si comportavano crudelmente. Cercò di scappare verso la porta, ma lei gli sbarrò il passo. Tao Chi'en cadde in ginocchio, tremando, senza abbandonare la lanterna, il suo unico appiglio alla realtà. Accennò una preghiera per esorcizzare i demoni, nell'eventualità che avessero assunto la forma di Lin per confonderlo, ma non riuscì a ricordare le parole e dalle sue labbra uscì solamente un lungo lamento d'amore rivolto a lei e di nostalgia per il passato. Allora Lin con la sua indimenticabile tenerezza si chinò su di lui, avvicinandosi tanto che se Tao avesse osato avrebbe potuto baciarla, e gli sussurrò che non era venuta da così lontano per spaventarlo, ma per ricordargli i doveri di un medico rispettabile. Come Eliza, anche lei era stata sul punto di dissanguarsi dopo aver dato alla luce la sua bambina e in quell'occasione lui era stato capace di salvarla. Perché non faceva la stessa cosa per quella ragazza? Cosa stava succedendo al suo amato Tao? Aveva forse perso il suo buon cuore e si era trasformato in uno scarafaggio? La morte prematura non era il karma di Eliza, gli assicurò. Se una donna è disposta ad attraversare il mondo sepolta in un buco infernale pur di ritrovare il suo uomo, è solo perché ha molto *qi*.

"La devi aiutare, Tao, se muore senza aver rivisto il suo amato non avrà mai pace e il suo fantasma ti perseguiterà per sempre," lo ammonì Lin prima di dissolversi.

"Aspetta!" supplicò l'uomo allungando una mano per trattenerla, ma le sue dita si chiusero nel vuoto.

Tao Chi'en rimase a lungo prostrato a terra, cercando di recuperare il senno, fino a quando il suo cuore sconvolto smise di galoppare e il tenue aroma di Lin si fu dissipato nella cantina. "Non andartene, non andartene," ripeté mille volte, in preda all'amore. Alla fine riuscì a rimettersi in piedi, ad aprire la porta e a uscire all'aria aperta.

Era una notte tiepida. L'Oceano Pacifico splendeva come argento sotto i riflessi della luna e una brezza leggera gonfiava le vecchie vele dell'*Emilia*. Molti passeggeri si erano già ritirati o giocavano a carte nelle cabine, alcuni per passare la notte avevano appeso le loro amache tra il disordine delle macchine, i finimenti dei cavalli e le casse che riempivano la coperta, mentre altri si intrattenevano, a poppa, nella contemplazione dei delfini che giocherellavano nella scia di spuma della nave. Tao Chi'en alzò gli occhi verso l'immensa volta celeste con gratitudine. Per la prima volta dalla sua morte, Lin l'aveva visitato senza ritrosia. Prima di intraprendere la vita da marinaio, l'aveva sentita vicina in varie occasioni, soprattutto quando sprofondava in meditazione, ma in quei momenti era facile confondere la debole presenza del suo spirito con la nostalgia di vedovo. Lin era solita passargli di fianco sfiorandolo con le sue dita sottili, ma a lui rimaneva il dubbio se fosse davvero lei e non un'invenzione della sua anima tormentata. Pochi minuti prima, invece, nella stiva, non aveva avuto dubbi: il viso di Lin gli era apparso raggiante e preciso come quella luna sul mare. Si sentì accompagnato e felice, come nelle notti del passato quando lei dormiva accoccolata fra le sue braccia dopo aver fatto l'amore.

Tao Chi'en si diresse verso il dormitorio dell'equipaggio, dove disponeva di un'angusta cuccetta di legno, lontana dal giro d'aria che si infiltrava dalla porta. Era impossibile dormire in quell'aria rarefatta e pestilenziale, ma dalla partenza da Valparaíso non aveva mai dovuto farlo perché il clima estivo permetteva di sdraiarsi a terra in coperta. Cercò il baule che aveva inchiodato a terra per proteggerlo dai colpi delle onde, si tolse la chiave dal collo, aprì il lucchetto ed estrasse la valigetta e un'ampolla di laudano. Poi sottrasse con cautela una doppia razione d'acqua dolce e in cucina cercò degli stracci, che in mancanza di meglio sarebbero tornati utili.

Stava tornando verso la stiva quando una mano si posò sul suo braccio. Si girò sorpreso e vide una delle cilene che, sfidando l'ordine perentorio del capitano di non farsi vedere dopo il tramonto, era uscita per sedurre qualche cliente. La riconobbe immediatamente. Di tutte le donne a bordo, Azucena Placeres era la più simpatica e la più coraggiosa. Durante i primi giorni era stata l'unica disposta ad aiutare i passeggeri in preda al mal di mare e si era anche occupata con dedizione di un marinaio che, cadendo dall'albero, si era rotto un braccio. In questo modo si era guadagnata perfino il rispetto del severo capitano Katz, che da allora aveva chiuso un occhio sulla sua indisciplina. I servizi di infermiera Azucena li prestava gratuitamente, ma chi osava mettere una mano sulle sue carni sode doveva pagare in denaro contante e sonante, perché il buon cuore non andava confuso con la stupidità, diceva. "Questo è il mio unico capitale e se non ne ho rispetto sono fregata," spiegava dandosi allegre manate sulle natiche. Azucena Placeres si rivolse a lui con quattro parole comprensibili in qualsiasi lingua: cioccolato, caffè, tabacco, brandy. Come faceva tutte le volte che si imbatteva in Tao, gli spiegò con gesti arditi il suo desiderio di barattare uno qualsiasi di quei lussi con i suoi favori, ma lo *zhong yi* si liberò di lei con uno spintone e tirò dritto per la sua strada.

Tao Chi'en trascorse buona parte della notte vicino alla febbricitante Eliza. Lavorò su quel corpo esausto con i limitati strumenti della sua valigetta, la sua lunga esperienza e una titubante tenerezza fino a quando lei espulse un mollusco sanguinolento. Tao Chi'en lo esaminò alla luce della lanterna e riuscì a determinare con certezza che si trattava di un feto di diverse settimane e che era completo. Per pulire completamente il ventre collocò i suoi aghi nelle braccia e nelle gambe della giovane, provocandole forti contrazioni. Quando fu sicuro del risultato respirò sollevato: rimaneva solo da chiedere l'intervento di Lin per evitare un'infezione. Fino a quella notte per lui Eliza rappresentava semplicemente un accordo commerciale e in fondo al suo baule c'era la collana di perle a testimoniarlo. Era solo una ragazza sconosciuta per la quale non pensava di nutrire alcun interesse personale, una *fan guey* dai piedi grandi e dal temperamento aguerrito cui sarebbe costato parecchio trovarsi un marito, dal momento che non mostrava desiderio di piacere né alcuna inclinazione per servire un uomo, questo era evidente. Adesso che era rovinata da un aborto, non si sarebbe mai più sposata. Nemmeno l'amante, che tra l'altro l'aveva già abbandonata una volta, l'avrebbe desiderata come sposa, nel caso improbabile che un giorno fosse riuscita a trovarlo. Ammetteva che, per essere una straniera, Eliza non era del tutto brutta; perlomeno c'era un lieve sapore orientale nei suoi occhi allungati e i suoi capelli erano lunghi, neri e lucidi come la coda orgogliosa di un cavallo imperiale. Se avesse avuto una diabolica capigliatura gialla o rossa, come le tante che aveva visto da quando aveva abbandonato la Cina, forse non le si sarebbe nemmeno avvicinato; ma né il suo discreto aspetto né la sua determinazione l'avrebbero aiutata, il suo destino era segnato, non c'erano speranze per lei: in California sarebbe finita a fare la prostituta. Aveva frequentato molte di queste donne a Canton e a Hong Kong. Doveva gran parte del suo sapere medico agli anni di pratica sui corpi di quelle sventurate devastati da botte, malattie e droghe. Diverse volte nel corso di quella lunga notte pensò che, malgrado le istruzioni di Lin, forse sarebbe stato più nobile lasciarla morire salvandola così da un orribile destino, ma era stato pagato in anticipo, si disse, e doveva rispettare il contratto. No, questa non era l'unica ragione, ammise, visto che sin dall'inizio aveva messo in discussione i motivi che lo inducevano a imbarcare clandestinamente sulla nave quella ragazza. Il rischio era incalcolabile e non era sicuro di aver commesso una simile imprudenza solamente per il valore delle perle. Qualcosa nella coraggiosa determinazione di Eliza lo aveva commosso, qualcosa nella fragilità del suo corpo e nel selvaggio amore che professava per l'amante gli ricordava Lin...

All'alba, finalmente, Eliza smise di sanguinare. La febbre era altissima e la ragazza tremava nonostante il caldo insopportabile della stiva, ma i battiti del polso erano migliorati e respirava tranquilla nel sonno. Comunque non era ancora fuori pericolo. Tao Chi'en desiderava rimanere lì per vegliarla, ma calcolò che mancava poco all'alba e presto sarebbe suonata la campana che lo richiamava al suo turno di lavoro. Stremato, si trascinò in coperta, si lasciò cadere bocconi sul tavolato e dormì come un bambino fino a quando l'amichevole pacca di un altro marinaio non lo svegliò per ricordargli il suo dovere. Immerse la testa in un secchio d'acqua di mare per darsi uno scossone e, ancora intontito, si diresse in cucina a bollire la zuppa di avena che costituiva la colazione di bordo. Tutti, compreso il sobrio capitano Katz, la mangiavano senza commentare, salvo i cileni che protestavano in coro nonostante disponessero della maggior quantità di viveri, visto che erano stati gli ultimi a imbarcarsi. Gli altri avevano invece esaurito le provviste di tabacco, alcol e ghiottonerie nei mesi di navigazione che avevano affrontato prima di toccare Valparaíso. Era corsa voce che alcuni cileni fossero aristocratici e che per questo motivo non sapessero lavarsi le mutande o far bollire l'acqua del tè. Chi viaggiava in prima classe portava con sé dei servi che pensava di utilizzare nelle miniere d'oro, perché l'idea di sporcarsi personalmente le mani non gli passava neanche per la testa. Altri preferivano pagare i marinai per essere serviti, dato che le donne si rifiutavano perentoriamente di farlo; potevano guadagnare dieci volte tanto ricevendoli per una decina di minuti nell'intimità della loro cabina e non c'era motivo di passare due ore a lavar loro la biancheria. L'equipaggio e il resto dei passeggeri ridevano di quei signorini viziati, ma mai di fronte a loro. I cileni avevano modi cortesi, sembravano timidi e sfoggiavano buone maniere e spirito cavalleresco, ma la minima scintilla era sufficiente per scatenare la superbia. Tao Chi'en cercava di star loro alla larga. Quegli uomini non celavano il loro disprezzo nei confronti suoi e di due viaggiatori neri imbarcatisi in Brasile, che pur avendo pagato un biglietto a prezzo intero, erano gli unici a non disporre di una cabina e a non essere autorizzati a dividere la tavola con gli altri. Tao preferiva le cinque umili cilene, con il loro solido senso pratico, il loro perenne buon umore e quella vocazione materna che affiorava nei momenti del bisogno.

Svolse il lavoro di quella giornata come un sonnambulo, con la mente fissa su Eliza, ma fino a sera non ebbe un momento libero per andare a trovarla. A metà mattina i marinai erano riusciti a pescare uno squalo enorme che aveva agonizzato in coperta dando terribili colpi di coda e a cui nessuno aveva osato avvicinarsi per finirlo a bastonate. A Tao Chi'en, in qualità di cuoco, era spettato scorticarlo, tagliarlo a pezzi, cucinare parte della carne e salarne il resto, mentre i marinai lavavano il sangue dalla coperta con spazzole e i passeggeri festeggiavano l'orrendo spettacolo con le ultime bottiglie di champagne, anticipando il banchetto serale. Conservò il cuore per la zuppa di Eliza e le pinne per essiccarle, perché valevano una fortuna sul mercato degli afrodisiaci. A mano a mano che passava le ore occupandosi dello squalo, Tao Chi'en si immaginava Eliza morta nella stiva. Provò un'intensa felicità quando poté scendere e rendersi conto che era ancora viva e che sembrava star meglio. L'emorragia era cessata, la brocca d'acqua era vuota e tutto lasciava pensare che avesse avuto momenti di lucidità nel corso di quella lunga giornata. Ringraziò brevemente Lin per il suo ausilio. La ragazza aprì gli occhi con difficoltà, aveva le labbra secche e il viso arrossato dalla febbre. La aiutò a sollevarsi e le fece bere un potente infuso di *tangkuei*, che ridà sangue. Quando fu sicuro che lo trattenesse nello stomaco le diede dei sorsi di latte fresco, che lei inghiottì avidamente. Rinvigorita, annunciò che aveva fame e chiese dell'altro latte. Le mucche che si trovavano a bordo, poco avvezze a navigare, ne producevano poco, erano ridotte pelle e ossa e si parlava già di ammazzarle. A Tao Chi'en l'idea di bere latte sembrava ripugnante, ma il suo amico Ebanizer Hobbs lo aveva informato della sua prerogativa di restituire il sangue perduto. Se Hobbs lo utilizzava nelle diete dei feriti gravi, doveva sortire lo stesso effetto in questo caso, pensò.

"Sto per morire, Tao?"

"Non ancora," sorrise lui, accarezzandole la testa.

"Quanto manca per arrivare in California?"
"Molto. Non pensarci. Adesso devi fare la pipì."
"No, ti prego," si schermì lei.
"Come no? Devi farla!"
"Davanti a te?"
"Sono uno *zhong yi*. Non puoi vergognarti con me. E poi ho già visto tutto quello che c'era da vedere del tuo corpo."
"Non riesco a muovermi, non ce la farò a sopportare il viaggio, Tao, preferisco morire..." singhiozzò Eliza appoggiandosi a lui per accomodarsi sulla bacinella.
"Coraggio, bambina! Lin dice che hai molto *qi* e che non sei arrivata così lontano per morire a mezza strada."
"Chi?"
"Non importa."
Quella notte Tao capì che non si sarebbe potuto occupare di lei da solo, aveva bisogno di aiuto. Il giorno dopo, non appena le donne uscirono dalla loro cabina e si installarono a poppa, come sempre facevano, per lavare la biancheria, intrecciarsi i capelli e cucire piume e perline sui loro vestiti da lavoro, fece segno ad Azucena Placeres che doveva parlarle. Durante il viaggio non avevano mai usato l'abbigliamento da meretrici, vestivano pesanti gonne scure e bluse senza fronzoli, calzavano ciabatte, nel pomeriggio si avvolgevano nelle loro mantelle, si pettinavano con due trecce sulla schiena e non si truccavano. Sembravano un gruppo di semplici contadine affaccendate nei lavori domestici. La cilena strizzò l'occhio con allegra complicità alle compagne e lo seguì in cucina. Tao Chi'en le consegnò un bel pezzo di cioccolato, sottratto alla riserva della tavola del capitano, e cercò di spiegarle il suo problema, ma siccome lei non capiva niente d'inglese, lui cominciò a perdere la pazienza. Azucena Placeres annusò il cioccolato e un sorriso infantile illuminò la sua tonda faccia da india. Prese la mano del cuoco e se la mise su un seno, indicandogli la cabina delle donne, libera a quell'ora, ma lui ritirò la mano, prese quella di lei e la guidò alla botola d'accesso alla stiva. Azucena, tra lo stupito e il curioso, si difese debolmente, ma lui non le diede modo di rifiutarsi, aprì la botola e la spinse per la scaletta, continuando a sorriderle per tranquillizzarla. Per alcuni istanti rimasero al buio, fino a quando Tao non trovò la lanterna appesa a una trave e riuscì ad accenderla. Azucena rideva: a quanto pareva, quel cinese stravagante aveva compreso i termini dell'accordo. Non l'aveva mai fatto con un asiatico ed era curiosa di sapere se la dotazione era uguale a quella degli altri uomini,

ma il cuoco, che non accennava ad approfittare dell'intimità, la trascinò invece per un braccio facendosi strada in quel labirinto di involti. Temette che l'uomo fosse un pazzo e iniziò a dare degli strattoni per divincolarsi, ma Tao non la liberò e la obbligò a procedere fino a quando la lanterna illuminò il porcile in cui giaceva Eliza.

"Gesù, Giuseppe e Maria!" esclamò Azucena facendosi il segno della croce, terrorizzata, non appena la vide.

"Dille di aiutarci," chiese Tao Chi'en a Eliza in inglese, scuotendola affinché si riprendesse.

Eliza ci mise un buon quarto d'ora a tradurre balbettando le brevi istruzioni di Tao Chi'en, che aveva estratto la spilla con i turchesi dal sacchetto dei gioielli e la brandiva davanti agli occhi della tremante Azucena. L'accordo, le disse, consisteva nello scendere due volte al giorno a lavare Eliza e a darle da mangiare senza che nessuno se ne accorgesse. Se l'avesse rispettato, a San Francisco la spilla sarebbe stata sua, ma se avesse detto una sola parola a qualcuno, l'avrebbe scannata. L'uomo si era tolto il coltello dalla cintola e glielo stava passando davanti al naso, mentre con l'altra mano levava in alto la spilla, per far sì che il messaggio risultasse ben chiaro.

"Hai capito?"

"Di' a questo disgraziato di un cinese che ho capito e che può metter via il coltello; che, se si distrae un momento, senza volerlo mi manda all'altro mondo."

Per un lasso di tempo che sembrò interminabile, Eliza si dibatté nei deliri della febbre, assistita da Tao di notte e da Azucena Placeres di giorno. La donna approfittava delle prime ore della mattina e di quella della siesta, quando la maggior parte dei passeggeri sonnecchiava, per squagliarsela con circospezione in cucina, dove Tao le consegnava la chiave. Le prime volte scendeva nella stiva con una fifa maledetta, ma ben presto la sua buona indole naturale e la spilla ebbero la meglio sulla paura. Iniziava con lo strofinare Eliza con uno straccio insaponato per toglierle il sudore dell'agonia e poi la obbligava a mangiare le pappe di latte e avena e i brodi di gallina con riso irrobustiti con *tangkuei* che Tao Chi'en preparava, le somministrava le erbe che lui le prescriveva e di sua iniziativa le dava una tazza al giorno di infuso di borragine. Confidava ciecamente in quel metodo per ripulire il ventre da una gravidanza; borragine e un'immagine della Vergine del Carmine erano stati i primi oggetti che lei e le compagne d'avventura avevano collocato nei bauli da viaggio, perché senza quella salvaguardia le strade della California potevano rivelarsi dure da esplorare. L'ammalata vagò persa negli spazi della morte fino alla mattina in cui attraccarono nel porto di Guayaquil. Alla piccola borgata mezzo divorata dall'esuberante vegetazione equatoriale, approdavano poche barche e solo per commerciare frutti tropicali e caffè, ma il capitano Katz aveva promesso di consegnare delle lettere a una famiglia di missionari olandesi. Quella corrispondenza si trovava nelle sue mani da più di sei mesi e non era uomo capace di mancare alla parola data. La notte precedente, in preda a una calura simile a un rogo, Eliza aveva sudato la febbre fino all'ultima goccia, aveva sognato di scalare a piedi nudi l'incandescente pendio di un vulcano in eruzione e si era svegliata inzuppata ma lucida e con la fronte fresca. Tutti i passeggeri, donne comprese, e buona parte dell'equipaggio, scesero per un paio d'ore per sgranchirsi le gambe, fare un bagno nel fiume e rimpinzarsi di frutta, ma Tao Chi'en rimase a bordo per insegnare a Eliza ad accendere e a fumare la pipa che si trovava nel suo baule. Nutriva dubbi sulle cure da prescrivere alla ragazza e questa era una delle occasioni in cui avrebbe dato qualsiasi cosa per i consigli del suo saggio maestro. Comprendeva la necessità di mantenerla tranquilla per aiutarla a far passare il tempo nella prigione della stiva, ma Eliza aveva perso molto sangue e Tao temeva che la droga le guastasse quello rimasto. Prese la decisione esitando, dopo aver supplicato Lin di vegliare da vicino sul sonno di Eliza.

"Oppio. Ti farà dormire, così il tempo passerà più in fretta."

"Oppio! Ma fa impazzire!"

"Tu sei comunque pazza e quindi non hai molto da perdere," sorrise Tao.

"Vuoi uccidermi, vero?"

"Certo. Non ci sono riuscito quando stavi morendo dissanguata e adesso ci provo con l'oppio."

"Ah, Tao, ho paura..."

"Molto oppio fa male. Poco dà consolazione e io te ne darò assai poco."

La ragazza non sapeva quanto fosse molto o poco. Tao Chi'en le dava da bere le sue tisane – *osso di drago* e *conchiglia d'ostrica* – e le razionava l'oppio per regalarle qualche ora di misericordioso dormiveglia senza permetterle di perdersi completamente in un paradiso senza ritorno. Passò le settimane successive volando in altre galassie, lontano dalla tana insalubre dove il suo corpo giaceva prostrato, e si svegliava solo quando scendevano a darle da mangiare, a lavarla e a obbligarla a fare qualche passo nell'angusto labirinto della stiva. Non sentiva il tormento di pulci e pidocchi e nemmeno quell'odore nauseabondo che all'inizio le era risultato intollerabile, perché le droghe sconvolgevano il suo portentoso olfatto. Entrava e usciva dai sogni senza alcun controllo e senza riuscire a ricordarli, ma Tao Chi'en aveva ragione: il tempo passava più in fretta. Azucena Placeres non capiva perché Eliza viaggiasse in quelle condizioni. Nessuna di loro aveva pagato il biglietto, si erano imbarcate con un contratto con il capitano che avrebbe riscosso l'importo una volta arrivati a San Francisco.

"Se sono vere le voci che girano, in un giorno solo ti metti in tasca cinquecento dollari. I minatori pagano in oro puro. È da mesi che non vedono donne, sono disperati. Parla con il capitano e pagalo all'arrivo," insisteva nei momenti in cui Eliza si alzava.

"Non sono una di voi," replicava Eliza intontita nella dolce bruma delle droghe.

Alla fine, in un momento di lucidità, Azucena Placeres riuscì a far confessare a Eliza parte della sua storia. Immediatamente l'idea di aiutare una fuggitiva d'amore si impadronì della sua immaginazione e da quel momento curò l'ammalata con maggior dedizione. Ormai non si limitava a rispettare il contratto nutrendola e lavandola, ma rimaneva con lei anche solo per il gusto di vederla dormire. Se era sveglia, le raccontava la sua vita e le insegnava a recitare il rosario, attività che, a suo dire, era la migliore per far passare le ore senza pensare e, al contempo, guadagnarsi il cielo senza molti sforzi. Per una come lei, della sua professione, spiegò, era un ottimo sistema. Risparmiava scrupolosamente una parte delle entrate per comprare indulgenze alla Chiesa, per ridurre in questo modo i giorni di purgatorio da passare nell'altra vita, anche se, stando ai suoi calcoli, non sarebbero mai state sufficienti per tutti i suoi peccati. Trascorsero intere settimane senza che Eliza sapesse se era giorno o notte. Aveva la vaga sensazione che a volte ci fosse una presenza femminile al suo fianco, ma poi si addormentava e si svegliava confusa, senza poter dire se avesse sognato Azucena Placeres o se davvero esistesse una donna dalle trecce nere, il naso schiacciato e gli zigomi alti che sembrava una versione giovanile di Mama Fresia.

Il clima rinfrescò un poco quando si lasciarono alle spalle Panamá, dove il capitano proibì di scendere a terra per paura dell'epidemia di febbre gialla e si limitò a mandare un paio di marinai con una scialuppa a cercare acqua dolce, dato che la poca rimasta era diventata melmosa. Oltrepassarono il Messico e quando l'*Emilia* stava navigando nelle acque della California entrarono nella stagione invernale. Il caldo soffocante della prima parte del viaggio si trasformò in freddo e umidità; dalle valigie fecero la loro comparsa cappelli di pelo, stivali, guanti e sottane di lana. Di tanto in tanto il brigantino incrociava altre navi che salutava da lontano senza rallentare il ritmo di marcia. A ogni funzione religiosa, il capitano ringraziava per i venti favorevoli, perché sapeva di barche che avevano deviato fino alle coste delle Hawaii in cerca di propulsione per le loro vele. Ai delfini giocherelloni si aggiunsero grandi e solenni balene che li accompagnarono per lunghi tratti. All'imbrunire, quando l'acqua si tingeva di rosso per i riflessi del tramonto, gli immensi cetacei facevano l'amore in un fragore di spuma dorata, chiamandosi l'un l'altro con profondi bramiti sottomarini. E a volte, nel silenzio della notte, si avvicinavano tanto all'imbarcazione che si poteva sentire nitidamente il rumore cupo e misterioso della loro presenza. Le provviste fresche erano terminate e le razioni secche scarseggiavano; salvo giocare a carte e pescare, di svaghi non ce n'erano. I viaggiatori passavano ore a discutere i codicilli delle società costituite per l'avventura, alcune disciplinate da un rigido regolamento militare e provviste perfino di divise, altre più flessibili. Tutte si basavano fondamentalmente su un accordo allo scopo di finanziare il viaggio e le attrezzature, lavorare nelle miniere, trasportare l'oro e poi ripartirsi equamente i guadagni. Nessuno sapeva nulla dei terreni e delle distanze. Una delle società stabilì che ogni sera i membri dovessero far ritorno all'imbarcazione, dove pensavano di vivere per mesi, e depositare l'oro di quel giorno in una cassaforte. Il capitano Katz spiegò loro che non poteva affittare l'*Emilia* come fosse un hotel perché pensava di tornare in Europa il prima possibile e, comunque, le miniere si trovavano a centinaia di miglia dal porto, ma venne ignorato. Erano in viaggio da cinquantadue settimane, la monotonia dell'acqua infinita alterava i nervi e al minimo pretesto scoppiavano risse. Quando un passeggero cileno fu sul punto di scaricare il suo schioppo su un marinaio yankee al quale Azucena Placeres faceva troppe moine, il capitano Vincent Katz confiscò le armi, rasoi compresi, con la promessa che le avrebbe restituite in vista di San Francisco. L'unico autorizzato a maneggiare coltelli era il cuoco, cui spettava l'ingrato compito di ammazzare a uno a uno gli animali domestici. Quando anche l'ultima mucca andò a finire in pentola, Tao Chi'en improvvisò un'elaborata cerimonia per ottenere il perdono degli animali sacrificati e ripulirsi del sangue versato, poi disinfettò il coltello, passandolo diverse volte sulla fiamma di una torcia.

Non appena la nave entrò nelle acque della California, Tao Chi'en sospese gradualmente le erbe tranquillanti e l'oppio a Eliza, si adoperò per nutrirla e la obbligò a fare esercizi affinché potesse uscire dalla prigione con le sue gambe. Azucena Placeres la insaponava con pazienza e trovò perfino la maniera di lavarle i capelli con tazzine d'acqua, mentre le parlava della sua triste vita di meretrice e dell'allegra illusione di arricchirsi in California per poter tornare in Cile trasformata in una signora, con sei bauli di vestiti di lusso e un dente d'oro. Tao Chi'en ancora non sapeva bene come far sbarcare Eliza, ma se era riuscito a farla salire a bordo in un sacco, sicuramente poteva utilizzare lo stesso sistema per farla scendere. E una volta a terra, la ragazza non sarebbe più stata sotto la sua responsabilità. L'idea di separarsi definitivamente da lei gli procurava un misto di incredibile sollievo e di incomprensibile ansia.

Quando mancavano poche leghe per arrivare a destinazione, l'*Emilia* prese a bordeggiare la costa nord della California. Secondo Azucena Placeres era talmente simile a quella cilena che sicuramente la barca non aveva fatto che girare in tondo come le aragoste e ora si trovavano di nuovo a Valparaíso. Migliaia di lupi marini e di foche si staccavano dalle rocce e si lasciavano cadere pesantemente in acqua, in mezzo all'insopportabile gazzarra di gabbiani e pellicani. Non si vedeva anima viva sugli scogli, né traccia di case, e nemmeno l'ombra degli indiani che, si diceva, abitavano da secoli quelle regioni incantate. Alla fine si avvicinarono ai faraglioni che annunciavano la prossimità della Porta dell'Oro, la famosa Golden Gate, la soglia della baia di San Francisco. Una spessa bruma avvolse l'imbarcazione come un mantello, non si vedeva a mezzo metro di distanza e il capitano, per paura di urtare gli scogli, ordinò di rallentare la marcia e di gettare l'ancora. Erano molto vicini e l'impazienza dei passeggeri si era trasformata in esagitazione. Parlavano tutti contemporaneamente, mentre si preparavano a calpestare la terraferma e a dirigersi di corsa ai giacimenti in cerca del tesoro. Negli ultimi giorni la maggior parte delle società di sfruttamento delle miniere si era sciolta, il tedio della navigazione aveva creato inimicizie tra i soci e ognuno ora pensava solo per sé, sprofondando in sogni di incalcolabile ricchezza. Non mancò chi dichiarò il proprio amore alle prostitute e chi chiese al capitano di sposarli prima dello sbarco, perché era girata voce che il bene più scarso in quelle terre barbare erano proprio le donne. Una delle peruviane accettò la proposta di un francese che era in mare da talmente tanto tempo da non ricordare nemmeno il proprio nome, ma il capitano Katz si rifiutò di celebrare le nozze quando venne a sapere che l'uomo aveva una moglie e quattro figli ad Avignone. Le altre rifiutarono in modo assoluto i pretendenti: avevano intrapreso un viaggio così penoso per essere libere e ricche, certamente non per diventare le serve senza stipendio del primo disgraziato che si offrisse in sposo.

L'entusiasmo degli uomini andò placandosi a mano a mano che passavano le ore immobili, sommersi nella lattiginosa irrealtà della foschia. Il secondo giorno finalmente il cielo si liberò all'improvviso, fu possibile disancorare e intraprendere a vele spiegate l'ultima tappa del lungo viaggio. Passeggeri ed equipaggio salirono in coperta per ammirare la stretta imboccatura della Golden Gate, sei miglia di navigazione sospinta da un vento d'aprile sotto un cielo trasparente. Su entrambi i lati della costa si levavano colline coronate da boschi, incise come ferite dall'eterno lavorio delle onde, alle spalle rimaneva l'Oceano Pacifico e di fronte si stendeva la splendida baia come un lago di acqua argentata. Una salva di applausi salutò la fine dell'ardua traversata e l'inizio dell'avventura dell'oro per quegli uomini e quelle donne, come anche per i venti marinai che decisero in quel preciso istante di abbandonare la nave al suo destino e di lanciarsi anch'essi verso le miniere. Gli unici a rimanere impassibili furono il capitano olandese Vincent Katz, che rimase al suo posto nei pressi del timone senza rivelare il minimo turbamento perché l'oro non lo commuoveva e l'unico suo desiderio era tornare ad Amsterdam in tempo per trascorrere il Natale con la sua famiglia, ed Eliza Sommers, che dal ventre del veliero non seppe che erano arrivati se non parecchie ore dopo.

La prima cosa che sconcertò Tao Chi'en, entrando nella baia, fu il bosco di alberi maestri. Era impossibile calcolare quanti fossero, ma contò più di un centinaio di imbarcazioni abbandonate in un disordine da fine battaglia. Qualsiasi lavoratore a giornata guadagnava in un giorno più di un marinaio in un mese di navigazione; questi ultimi non solo disertavano per l'oro, ma anche perché tentavano di arricchirsi trasportando sacchi, facendo il pane o lavorando il ferro per le attrezzature. Alcune imbarcazioni vuote venivano affittate come depositi o alberghi improvvisati, mentre altre erano abbandonate a se stesse e diventavano depositi d'alghe marine e nidi di gabbiani. Un secondo sguardo rivelò a Tao Chi'en la città aperta come un ventaglio sui pendii delle colline, un viluppo di tende da campo, di capanne di assi e cartone e qualche edificio, semplice, ma di buona fattura, i primi di quell'insediamento appena sorto. Dopo aver gettato l'ancora accolsero la prima scialuppa e non era l'imbarcazione della capitaneria di porto, come si erano immaginati, ma quella di un cileno desideroso di dare il benvenuto ai suoi compatrioti e di ricevere la posta. Si trattava di Feliciano Rodríguez de Santa Cruz, che aveva cambiato il suo nome altisonante in Felix Cross per far sì che gli yankee potessero pronunciarlo. Benché molti dei viaggiatori fossero suoi amici personali, nessuno lo riconobbe, perché del signorino con finanziera e baffi lucidi di brillantina che avevano visto l'ultima volta a Valparaíso non rimaneva nulla; ai loro occhi apparve un cavernicolo irsuto, con la pelle abbronzata di un indiano, abbigliamento da montanaro, stivaloni russi fino a mezza coscia e due pistoloni in vita, accompagnato da un nero dall'aspetto altrettanto selvaggio, anch'egli armato come un bandito. Quest'ultimo era uno schiavo fuggiasco che, una volta entrato in California, era diventato un uomo libero, ma non essendo stato in grado di sopportare l'estrema frugalità della vita di miniera, aveva preferito guadagnarsi da vivere come gorilla. Quando Feliciano si fece riconoscere fu accolto con grida d'entusiasmo e praticamente portato in trionfo fino al ponte di prima classe, dove i passeggeri in massa gli chiesero notizie. La loro unica curiosità era sapere se il minerale abbondava come si diceva, domanda alla quale replicò che ce n'era anche di più e, estraendo dalla sua borsa una sostanza gialla dalla forma di cacca schiacciata, annunciò che si trattava di una pepita da mezzo chilo che era disposto a barattare con tutto il liquore di bordo; ma l'affare non si concluse perché rimanevano solamente tre bottiglie, il resto era stato consumato durante il viaggio. La pepita, disse, era stata trovata dai valorosi minatori cileni che lavoravano per lui sulle rive dell'American River. Dopo aver brindato con l'ultima riserva d'alcol e aver ricevuto le lettere della moglie, il cileno passò a informarli su come sopravvivere in quella regione.

"Fino a qualche mese fa vigeva un codice d'onore e perfino i farabutti che lavoravano a giornata si comportavano con onestà.

Si poteva lasciare l'oro in una tenda senza sorveglianza e nessuno lo toccava, ma adesso è tutto cambiato. Regna la legge della giungla e l'unico codice è quello dell'avidità. Non separatevi dalle armi e andate in giro a coppie o a gruppi, questa è terra di fuorilegge," spiegò.

Diverse scialuppe avevano circondato la nave; gli uomini che si erano avvicinati gridavano proponendo gli affari più disparati, decisi com'erano a comprare qualsiasi articolo che a terra vendevano poi a cinque volte il prezzo pagato. Ben presto gli incauti viaggiatori avrebbero scoperto l'arte della speculazione. Nel pomeriggio apparvero il capitano del porto accompagnato da un agente della dogana e dietro a loro due scialuppe con diversi messicani e un paio di cinesi che si offrirono per trasportare il carico della nave sul molo. Chiedevano un patrimonio, ma non c'era alternativa. Il capitano del porto non dimostrò nessuna intenzione di esaminare i passaporti o di controllare l'identità dei passeggeri.

"Documenti? Non se ne parla! Siete arrivati nel paradiso della libertà. Qui non esiste la carta bollata," annunciò.

Le donne, invece, lo interessarono molto. Si vantava di essere il primo ad assaggiare a una a una tutte quelle che sbarcavano a San Francisco, anche se non erano tante come avrebbe desiderato. Raccontò che le prime ad apparire in città, parecchi mesi prima, furono ricevute da una moltitudine di uomini euforici che fecero la fila per ore pur di non perdere il turno e che pagarono a prezzo d'oro, in polvere, in pepite, in monete e persino in lingotti. Si trattava di due intrepide ragazze yankee arrivate da Boston al Pacifico, passando per l'istmo di Panamá. Aggiudicarono i loro servigi al miglior offerente e guadagnarono in un giorno le normali entrate di un anno. Da allora ne erano arrivate più di cinquecento, e fatta eccezione per qualche nordamericana o francese, erano per lo più messicane, cilene, peruviane, ma il loro numero era comunque insignificante rispetto alla crescente invasione di uomini giovani e soli.

Azucena Placeres non ebbe il piacere di sentire queste notizie perché Tao Chi'en l'aveva condotta nella stiva non appena era venuto a sapere della presenza dell'agente della dogana. Non avrebbe potuto far scendere la ragazza in un sacco sulle spalle di uno scaricatore come era salita, perché i colli sarebbero stati sicuramente ispezionati. Eliza rimase sorpresa quando li vide, perché erano entrambi irriconoscibili: lui sfoggiava camicia e calzoni puliti, la sua treccia serrata brillava come se l'avesse oliata e si era

185

accuratamente rasato, e dal canto suo Azucena Placeres aveva cambiato i suoi panni da contadina per una tenuta da battaglia: portava un vestito blu con piume intorno alla scollatura, un'acconciatura alta coronata da un cappello e labbra e guance color carminio.

"Il viaggio è finito e sei ancora viva, bambina," le annunciò allegramente.

Pensava di prestare a Eliza uno dei suoi numerosi vestiti e di farla sbarcare come se fosse una in più del gruppo, idea che come le spiegò non aveva niente di strano visto che sicuramente quella sarebbe stata la sua professione in terraferma.

"Sono venuta per sposarmi con il mio fidanzato," replicò Eliza per la centesima volta.

"In questi casi non c'è fidanzato che tenga. Se per mangiare bisogna venderla, la si vende. In una situazione del genere, non puoi stare a pignoleggiare sui dettagli, bambina."

Tao Chi'en le interruppe. Se per due mesi le donne a bordo erano state sette, non ne potevano scendere otto, fu il suo ragionamento. Aveva osservato bene il gruppo di messicani e cinesi che era salito a bordo per scaricare e che aspettava in coperta gli ordini del capitano e dell'agente della dogana. Fece segno ad Azucena di pettinare i lunghi capelli di Eliza in una coda come la sua, mentre lui andava a prendere un suo cambio d'abiti. Vestirono la ragazza con dei pantaloni, una camicia stretta in vita da una corda e un cappello di paglia a ombrello. In quei due mesi in cui aveva sguazzato nelle secche dell'inferno, Eliza aveva perso peso ed era macilenta e pallida come carta di riso. Con i vestiti di Tao Chi'en, così grandi per lei, sembrava un bambino cinese denutrito e triste. Azucena Placeres la prese tra le sue robuste braccia da lavandaia e le stampò un bacio emozionato sulla fronte. Le si era affezionata e in fondo la rallegrava l'idea di un fidanzato che la aspettava, perché non riusciva a immaginarla sottoposta alle brutalità della vita che sopportava lei.

"Sembri un passerotto," disse ridendo Azucena Placeres.

"E se mi scoprono?"

"Qual è il peggio che ti possa capitare? Che Katz ti obblighi a pagare il biglietto. Lo puoi pagare con i gioielli; non te li sei portati dietro apposta?" rispose la donna.

"Nessuno deve sapere che sei qui. Solo così il capitano Sommers non ti cercherà in California," disse Tao Chi'en.

"Se mi troverà, mi riporterà in Cile."

"E per quale motivo? Sei comunque disonorata. Sono cose

che i ricchi non sopportano. La tua famiglia dovrebbe essere felice della tua fuga; così non dovrà sbatterti per strada."

"Solo questo? In Cina ti ammazzerebbero per quello che hai fatto."

"Senti un po', cinese, non siamo nel tuo paese e quindi non spaventare la ragazzina. Puoi uscire tranquillamente, Eliza. Nessuno baderà a te. Saranno tutti distratti a guardare me," la rassicurò Azucena Placeres, congedandosi in un turbine di piume blu, con la spilla di turchesi appuntata sulla scollatura.

Le cose andarono effettivamente così. Le cinque cilene e le due peruviane, nelle loro più esuberanti tenute da conquista, furono lo spettacolo del giorno. Scesero nelle scialuppe su scalette di corda, precedute da sette fortunati marinai che si erano contesi il privilegio di sostenere sulla loro testa le natiche femminili, in mezzo al coro di fischi e di applausi delle centinaia di persone ammucchiate nel porto per riceverle. Nessuno prestò la minima attenzione ai messicani e ai cinesi che, come una fila di formiche, si passavano i bagagli di mano in mano. Eliza prese posto in una delle ultime scialuppe insieme a Tao Chi'en, che annunciò ai compatrioti che il ragazzino era sordomuto e un po' imbecille e che quindi era inutile cercare di comunicare con lui.

ARGONAUTI

Tao Chi'en ed Eliza Sommers misero piede per la prima volta a San Francisco alle due del pomeriggio di un martedì di aprile del 1849. A quell'epoca, migliaia di avventurieri vi avevano già transitato brevemente diretti ai giacimenti. Un vento ostinato rendeva difficile procedere, ma il giorno era limpido e poterono apprezzare il panorama della baia nella sua splendida bellezza. Tao Chi'en aveva un aspetto stravagante con la sua valigetta da medico, dalla quale non si separava mai, un fagotto sulla schiena, il cappello di paglia e il poncho di lana multicolore comprato da uno degli scaricatori messicani. In quella città, tuttavia, l'apparenza non contava granché. A Eliza tremavano le gambe, che non usava da due mesi, e soffriva il mal di terra come aveva sofferto il mal di mare, ma l'abbigliamento maschile le dava una libertà sconosciuta e non si era mai sentita tanto invisibile. Una volta ripresasi dalla sensazione di essere nuda, poté godersi la brezza che le si infilava nelle maniche della camicia e nei pantaloni. Abituata al carcere della sottoveste, ora respirava a pieni polmoni. Faceva molta fatica a trasportare la piccola valigia con i graziosi abitini che Miss Rose aveva preparato con le migliori intenzioni e, vedendola barcollare, Tao Chi'en gliela prese e se la mise in spalla. La coperta castigliana arrotolata sotto il braccio pesava tanto quanto la valigia, ma Eliza capì che non poteva abbandonarla perché di notte sarebbe stata il bene più prezioso. A capo chino, nascosta dietro il cappello di paglia, avanzava a stento nella spaventosa anarchia del porto. Il villaggio di Yerba Buena, fondato da una spedizione spagnola nel 1769, contava meno di cinquecento abitanti, ma appena si era sparsa la voce dell'oro erano iniziati a giungere gli avventurieri. Nel giro di pochi mesi quel quieto paesino si era svegliato con il nome di San Francisco e la sua fama aveva raggiunto perfino i paesi lontani. Per il momento non era ancora una vera città, ma solo un gigantesco accampamento di uomini di passaggio.

La febbre dell'oro non lasciò indifferente nessuno: fabbri, falegnami, maestri, medici, soldati, ricercati, predicatori, panettieri, rivoluzionari e docili matti di tutti i tipi si erano lasciati alle spalle famiglia e averi pur di attraversare mezzo mondo all'inseguimento dell'avventura. "Cercano l'oro e per strada perdono l'anima," aveva instancabilmente ripetuto il capitano Katz in ognuna delle brevi funzioni religiose che la domenica imponeva ai passeggeri e all'equipaggio dell'*Emilia*, ma nessuno gli aveva badato, tutti obnubilati dall'illusione di una ricchezza immediata che avrebbe cambiato la loro vita. Per la prima volta nella storia, l'oro si trovava sparpagliato per terra e senza padrone, gratuito e in abbondanza, a portata di mano di chiunque avesse deciso di raccoglierlo. Dalle rive più lontane arrivavano gli argonauti: europei in fuga da guerre, epidemie e tirannidi; yankee ambiziosi e coraggiosi; neri a caccia della libertà; russi e abitanti dell'Oregon vestiti di pelli come gli indiani; messicani, cileni e peruviani; banditi australiani; contadini cinesi affamati che rischiavano la testa violando la proibizione imperiale di abbandonare la patria. Nei vicoli inzaccherati di San Francisco si mescolavano tutte le razze.

Le strade principali, costituite da ampi semicerchi i cui estremi toccavano la spiaggia, si incrociavano con rettilinei che scendevano dalle ripide colline e terminavano al molo, e alcuni erano tanto scoscesi che nemmeno i muli riuscivano a inerpicarsi. All'improvviso soffiava un vento di tempesta che sollevava mulinelli di polvere e sabbia, ma poco dopo l'aria si placava e il cielo tornava limpido. Esistevano già svariati edifici veri e propri e ce n'erano dozzine in costruzione, tra cui quelli che si annunciavano come futuri hotel di lusso, ma per il resto non si vedeva che un'accozzaglia di alloggi provvisori, baracche, casupole di lamiera, legno o cartone, tende di olona e tettoie di paglia. Le piogge dell'inverno appena passato avevano trasformato il molo in uno stagno, i pochi veicoli si impantanavano nel fango e bisognava posare delle assi per attraversare i canali di scolo pieni di spazzatura, di migliaia di bottiglie rotte e di altri avanzi. Non esistevano né canalizzazioni né fogne e i pozzi erano inquinati; il colera e la dissenteria facevano stragi, tranne fra i cinesi, che d'abitudine bevevano tè, e i cileni, cresciuti con l'acqua infetta del loro paese e pertanto immuni da qualsiasi batterio. L'eterogenea moltitudine brulicava in preda a una frenetica attività, spingendo e inciampando con materiali da costruzione, barili, casse, asini e carretti. Gli scaricatori cinesi tenevano in equilibrio i pesi alle estremità di pertiche senza preoccuparsi di chi colpivano al loro passaggio; i messicani, forti e pazienti, si caricavano sulla schiena l'equivalente del loro peso e salivano i pendii trottando; i malesi e gli hawaiani approfittavano di qualsiasi pretesto per dare inizio a una rissa; gli yankee si mettevano a capo di improvvisate attività commerciali eliminando chi li intralciava; i californiani, nati sul posto, esibivano con boria belle giacche ricamate, speroni d'argento e pantaloni aperti sui lati con una doppia fila di bottoni d'oro dalla vita agli stivali. Lo schiamazzo di zuffe o di incidenti si aggiungeva al rumore confuso di martelli, seghe e pale. Si sentiva sparare con raccapricciante frequenza, ma nessuno si scomponeva per un morto in più o in meno, quando invece il furto di una scatola di chiodi radunava immediatamente un gruppo di indignati cittadini disposti a farsi giustizia da sé. La proprietà valeva molto più della vita e qualsiasi ruberia oltre i cento dollari veniva pagata con la forca. Abbondavano le sale da gioco, i bar e i saloon, addobbati con immagini di donne nude, in mancanza di quelle in carne e ossa. Nei tendoni si vendeva di tutto, soprattutto liquori e armi, a prezzi esorbitanti perché nessuno aveva il tempo di mercanteggiare. I clienti pagavano quasi sempre in oro senza fermarsi a raccogliere la polvere che rimaneva attaccata ai piatti della bilancia. Tao Chi'en decise che la famosa *Gum San*, la Montagna Dorata della quale tanto aveva sentito parlare, era un inferno, e calcolò che con quei prezzi i suoi risparmi sarebbero serviti a ben poco e dato che l'unica moneta accettata era il metallo puro, anche il sacchetto di gioielli di Eliza sarebbe stato inutile.

Eliza si fece strada nella confusione come meglio poté, appiccicata a Tao Chi'en e riconoscente ai suoi abiti maschili, visto che di donne non se ne vedevano da nessuna parte. Le sette viaggiatrici dell'*Emilia* erano state portate a spalla in uno dei molti saloon, dove senz'altro avevano già iniziato a guadagnare i duecentosettanta dollari del biglietto che dovevano al capitano Vincent Katz. Tao Chi'en era venuto a sapere dagli scaricatori che la città era divisa in settori e che ogni nazionalità occupava un rione. Lo avevano avvertito di non avvicinarsi alla zona dei farabutti australiani che potevano attaccarli semplicemente per divertimento, e gli avevano indicato come raggiungere l'ammasso di tende e casupole dove vivevano i cinesi. Fu in quella direzione che iniziò a camminare.

"Come farò a trovare Joaquín in questa baraonda?" chiese Eliza, sentendosi sperduta e impotente.

"Se c'è un quartiere cinese, ci sarà anche quello cileno. Cercalo."

"Non ho intenzione di separarmi da te, Tao."

"Stasera torno alla nave," la avvertì lui.

"Perché? Non ti interessa l'oro?"

Tao Chi'en affrettò il passo e lei regolò il suo per non perderlo di vista. Così arrivarono al quartiere cinese – *Little Canton*, come veniva chiamato –, un paio di stradine insalubri dove lui si sentì immediatamente a casa perché non si vedeva una sola faccia da *fan guey*, l'aria era impregnata dei deliziosi aromi della cucina del suo paese e si sentivano parlare diversi dialetti, soprattutto il cantonese. Per Eliza, invece, fu come sbarcare su un altro pianeta, non capiva una sola parola e le sembrava che fossero tutti furibondi per gesticolare gridando a quel modo. Neanche lì vide delle donne, ma Tao le indicò un paio di finestrelle sprangate da cui si affacciavano dei visi disperati. Era da due mesi che non stava con una donna e queste lo stavano chiamando, ma conosceva troppo bene le stragi provocate dalle malattie veneree per correre un rischio del genere con una di quelle donne di basso rango. Erano contadine comprate per qualche moneta e portate lì dalle più remote province della Cina. Pensò a sua sorella, venduta dal padre, e un'ondata di nausea lo fece ripiegare su se stesso.

"Cosa c'è, Tao?"

"Brutti ricordi... Queste ragazze sono schiave."

"Ma non hanno detto che in California non ci sono schiavi?"

Entrarono in un ristorante, segnalato con le tradizionali strisce di stoffa gialla, dotato di un lungo tavolone gremito di uomini che, gomito a gomito, divoravano in fretta il cibo. Il rumore delle bacchette contro le scodelle e la conversazione ad alta voce erano musica per le orecchie di Tao Chi'en. Attesero in piedi in doppia fila fino a quando riuscirono a sedersi. Non si trattava di scegliere, ma di approfittare di ciò che si trovava a portata di mano. Bisognava essere abili e afferrare il piatto al volo prima che qualcuno più lesto lo intercettasse, ma Tao riuscì a prenderne uno per Eliza e uno per sé. Lei osservò con diffidenza un liquido verdastro in cui galleggiavano filamenti pallidi e molluschi gelatinosi. Si vantava di riconoscere qualsiasi ingrediente dall'aroma, ma quel piatto non le parve nemmeno commestibile, aveva l'aspetto di acqua di stagno abitata da girini, anche se presentava il vantaggio di non esigere bacchette per essere consumato perché lo si poteva sorbire direttamente dalla scodella. La fame ebbe la meglio sulla diffidenza e si decise ad assaggiarlo, mentre alla sue spalle una fila di avventori impazienti le gridava di sbrigarsi. Il piatto risultò essere delizioso e molto volentieri ne avrebbe preso un altro, ma Tao Chi'en non le diede il tempo e prendendola per un braccio la riportò fuori. Lo seguì per i negozi del quartiere in cui reintegrò i prodotti medicinali della valigetta e parlò con il paio di erboristi cinesi che operavano in città, e poi in una bisca delle molte che c'erano nel quartiere. Si trattava di un edificio di legno con pretese lussuose, decorato da dipinti di donne voluttuose mezze nude. L'oro in polvere veniva pesato prima di essere cambiato in monete, a sedici dollari l'oncia, o semplicemente si depositava l'intera borsa sulla tavola. Americani, francesi e messicani costituivano la maggior parte dei clienti, ma c'erano anche avventurieri provenienti dalle Hawaii, dal Cile, dall'Australia e dalla Russia. I giochi più popolari erano il *monte* messicano, il *lasquenet* e il *vingt-et-un*. Siccome i cinesi preferivano il *fan tan* e scommettevano solo gli spiccioli, non erano ben accolti ai tavoli dove si facevano puntate alte. Non si vedeva un solo nero ai tavoli, anche se ve n'erano che suonavano o servivano; più tardi dissero loro che se i neri entravano nei bar o nelle bische ricevevano una consumazione gratis, ma poi dovevano andarsene o venivano cacciati fuori a colpi di pistola. C'erano tre donne nel salone, due giovani messicane dagli occhi vivaci, vestite di bianco e intente a fumarsi una sigaretta dietro l'altra, e una francese con un bustino aderente e un trucco pesante, più matura, ma graziosa. Giravano per i tavoli incitando a giocare e a bere e sparivano abbastanza spesso al braccio di qualche cliente dietro un pesante tendaggio di broccato rosso. Tao Chi'en venne a sapere che chiedevano un'oncia d'oro per un'ora di compagnia nel bar e diverse centinaia di dollari per passare l'intera nottata con un uomo solo, ma la francese era più cara e non trattava con neri e cinesi.

Disorientata nel suo ruolo di ragazzo orientale, Eliza si sedette esausta in un angolo mentre Tao conversava qua e là informandosi sui particolari relativi all'oro e alla vita in California. Protetto dal ricordo di Lin, Tao Chi'en riusciva a sopportare più facilmente la tentazione delle donne che non quella del gioco. Il suono delle fiche del *fan tan* e dei dadi sulla superficie del tavolo lo chiamava con voce da sirena. La vista del mazzo di carte in mano ai giocatori lo faceva sudare, ma riuscì ad astenersi, corroborato dalla convinzione che, se fosse venuto meno alla promessa, la buona sorte l'avrebbe abbandonato per sempre. A distanza di diversi anni, dopo infinite avventure, Eliza gli chiese a quale buona sorte facesse riferimento e lui, senza pensarci su due volte, le rispose "quella di essere vivo e di averti conosciuta". Nel pomeriggio Tao venne a sapere che i giacimenti si trovavano presso il fiume Sacramento, l'American River e il San Joaquín e nelle loro centinaia di ramificazioni, ma le cartine non erano affidabili e le distanze spaventose. L'oro facile della superficie iniziava a scarseggiare. Certo, non mancavano minatori fortunati che inciampavano in pepite grosse come scarpe, ma la maggior parte doveva accontentarsi di un pugno di polvere guadagnata con uno sforzo smisurato. Si parlava molto dell'oro, gli dissero, ma poco della fatica con cui lo si ricavava. C'era bisogno di un'oncia al giorno per ottenere un qualche guadagno, sempre ammesso che si fosse disposti a fare una vita da cani, perché i prezzi erano capricciosi e l'oro se ne andava in un batter d'occhio. Invece i mercanti e gli usurai si arricchivano, come un loro compatriota che si era dedicato al lavaggio della biancheria e che in pochi mesi si era costruito una solida casa e stava pensando di tornare in Cina, di comprarsi varie spose e di dedicarsi alla produzione di figli maschi; o un altro che prestava soldi in una bisca al dieci per cento d'interessi all'ora, vale a dire a più dell'ottantasettemila per cento all'anno. Gli vennero confermate storie favolose di pepite enormi, di polvere mescolata in abbondanza alla sabbia, di filoni di quarzo, di muli che staccavano una pietra con le zampe e sotto appariva un tesoro, ma per diventare ricchi erano necessari lavoro e fortuna. Agli yankee mancava la pazienza, non sapevano lavorare in squadra e venivano sopraffatti dalla disorganizzazione e dall'avidità. Messicani e cileni si intendevano di miniere, ma avevano le mani bucate, quelli dell'Oregon e i russi perdevano tempo a litigare e a bere. I cinesi, invece, per quanto miseri fossero i loro averi, riuscivano a guadagnare perché erano frugali, non si ubriacavano e lavoravano come formiche diciotto ore al giorno senza far pause né lamentarsi. I *fan guey* erano irritati con i cinesi per il loro successo, li misero in guardia, per cui era necessario dissimulare, farsi passare per tonti, non provocarli o l'avrebbero pagata cara, come toccava agli orgogliosi messicani. Sì, li informarono, c'era un accampamento di cileni; restava un po' ai margini della città, nella punta a destra, e si chiamava Cilecito, ma ormai era troppo tardi per avventurarsi da quelle parti accompagnato solo da quel fratello ritardato.

"Io torno alla nave," annunciò Tao Chi'en a Eliza quando uscirono dalla bisca.

"Ho le vertigini, come se stessi per cadere."

"Sei stata molto ammalata. Hai bisogno di mangiar bene e di riposare."

"Non posso fare tutto ciò da sola, Tao. Per favore, aspetta ad andartene..."

"Ho firmato un contratto, il capitano mi farà cercare."

"E da chi? Tutte le barche sono state abbandonate. Non rimane nessuno a bordo. Quel capitano potrà pure sgolarsi ma nessuno dei suoi marinai rientrerà."

"E adesso cosa faccio con lei?" si chiese Tao Chi'en ad alta voce in cantonese. Il loro accordo scadeva a San Francisco, ma non se la sentiva di abbandonarla al suo destino in quel luogo. Era in trappola, perlomeno fino a quando Eliza non si fosse sentita più in forze, si fosse messa in contatto con qualche cileno o avesse rintracciato l'alloggio di quel suo sfuggente fidanzato. Non sarebbe stato difficile, immaginò. Per quanto San Francisco sembrasse confusa, per i cinesi non c'erano segreti in nessun luogo, poteva benissimo aspettare fino al giorno successivo e accompagnarla a Cilecito. Il buio era calato dando a quel posto un aspetto tetro. Le casupole erano quasi tutte di olona e le lampade al loro interno le rendevano trasparenti e luminose come diamanti. Le torce e i falò per la strada e la musica delle case da gioco contribuivano a dare un senso di irrealtà. Tao Chi'en cercò alloggio per la notte e s'imbatté in un grande capannone di circa venticinque metri di lunghezza per otto di larghezza, fatto di tavole e placche metalliche recuperate dalle barche incagliate e coronato da un'insegna di hotel. All'interno si trovavano due piani di cuccette sopraelevate, semplici mensole di legno su cui si poteva sdraiare un uomo rannicchiato, con un bancone in fondo in cui si vendevano liquori. Non esistevano finestre e l'aria entrava unicamente dalle fessure tra le placche delle pareti. Con un dollaro ci si guadagnava il diritto a pernottare, portandosi la biancheria per il letto. I primi arrivati occupavano le cuccette, gli altri si accomodavano a terra, ma a loro non le diedero, anche se ce n'erano di libere, perché erano cinesi. Si buttarono a terra usando il bagaglio come cuscino, protetti unicamente dal poncho e dalla coperta castigliana. Presto il locale si riempì di uomini di diverse razze e aspetto che si sdraiavano uno di fianco all'altro in strette file, vestiti e con le armi alla mano. Il pestilenziale odore di sudiciume e di effluvi organici, sommato al russare e alle voci alterate di quanti si perdevano nei loro incubi, rendevano difficile il sonno, ma Eliza era talmente stanca che non si rese conto del trascorrere delle ore. Si svegliò all'alba tremando per il freddo raggomitolata contro la schiena di Tao Chi'en e fu allora che scoprì il suo profumo di mare. Sulla nave si confondeva con la distesa d'acqua che li circondava, ma quella notte capì che era la fragranza peculiare del corpo di quell'uomo. Chiuse gli occhi, si strinse ancora di più a lui e si riaddormentò immediatamente.

Il giorno successivo partirono alla ricerca di Cilecito, che lei riconobbe subito perché una bandiera cilena sventolava tronfia in cima a un palo e perché la maggior parte degli uomini portava i *maulinos*, tipici cappelli a forma di cono. Occupava all'incirca otto o dieci isolati ed era pieno di gente, tra cui donne e bambini che avevano viaggiato con gli uomini, tutta indaffarata in qualche lavoro o attività. Gli alloggi erano costituiti da tende, capanne e casupole di assi circondate da un groviglio di utensili e spazzatura; c'erano anche ristoranti, hotel improvvisati e bordelli. Si potevano stimare in un paio di migliaia i cileni stabilitisi nel quartiere, ma nessuno li aveva contati e in realtà si trattava solo di un luogo di transito per chi era appena arrivato. Eliza si rallegrò quando sentì la lingua del suo paese e vide un'insegna su una malridotta tenda di olona che annunciava *pequenes* e *chunchules*. Si avvicinò e, dissimulando l'accento cileno, ordinò una porzione di questi ultimi. Tao Chi'en rimase a guardare quello strano alimento, servito, in mancanza di piatti, in un pezzo di carta di giornale, senza riuscire a capire cosa diavolo fosse. Eliza gli spiegò che si trattava di trippa di maiale fritta nello strutto.

"Ieri mi sono mangiata la tua zuppa cinese. Oggi tu ti mangi i miei *chunchules* cileni," gli ordinò.

"Come mai parlate spagnolo, cinesi?" inquisì gentilmente il venditore.

"Il mio amico non lo parla; io sì perché sono stato in Perú," replicò Eliza.

"E cosa cercate da queste parti?"

"Cerchiamo un cileno che si chiama Joaquín Andieta."

"E perché?"

"Abbiamo un messaggio da dargli. Lo conosce?"

"Da qui negli ultimi mesi è passata molta gente. Nessuno si

ferma più di qualche giorno; se ne vanno subito ai giacimenti. Alcuni tornano, altri no."

"E Joaquín Andieta?"

"Non mi ricordo, ma vado a chiedere."

Eliza e Tao Chi'en si sedettero a mangiare all'ombra di un pino. Venti minuti dopo il venditore di cibo tornò accompagnato da un uomo dall'aspetto di indiano del Nord, gambe corte e spalle ampie, il quale disse che Joaquín Andieta era partito in direzione dei filoni di Sacramento almeno un paio di mesi prima, anche se lì nessuno teneva d'occhio il calendario o controllava il girovagare altrui.

"Andiamo a Sacramento, Tao," decise Eliza non appena si furono allontanati da Cilecito.

"Ancora non puoi viaggiare. Ti devi rimettere un po'."

"Riposerò là, quando l'avrò trovato."

"Preferisco tornare indietro con il capitano Katz. La California non fa per me."

"Ma cosa ti succede? Hai orzata al posto del sangue? Sulla barca non è rimasto nessuno, tranne quel capitano con la sua Bibbia. Tutti vanno in cerca d'oro e tu invece pensi di continuare a fare il cuoco per uno stipendio da due soldi!"

"Non credo alla fortuna facile. Voglio una vita tranquilla."

"Va bene; se non è l'oro, ci sarà qualcos'altro che ti possa interessare..."

"Imparare."

"Imparare cosa? Sai già molto."

"Ho ancora tutto da imparare!"

"Allora sei arrivato nel posto giusto. Non sai niente di questo paese. Qui c'è bisogno di medici. Quanti uomini credi che ci siano nelle miniere? Migliaia! E hanno tutti bisogno di un dottore! Questa è la terra delle opportunità, Tao. Vieni con me a Sacramento. E poi, se non vieni con me, non andrò molto lontano..."

Per un prezzo ridicolo, date le penose condizioni del mezzo, Tao Chi'en ed Eliza si imbarcarono per il Nord, navigando per l'ampia baia di San Francisco. La barca era zeppa di viaggiatori muniti dei loro complicati attrezzi per l'estrazione, e nessuno riusciva a muoversi in quello spazio ridotto, stipato di casse, utensili, ceste e sacchi di provviste, polvere da sparo e armi. Il capitano e il secondo erano due yankee che, nonostante il pessimo aspetto, non lesinavano sugli scarsi alimenti e perfino sulle loro bottiglie di liquore. Tao Chi'en trattò con loro il prezzo del biglietto di Eliza; a lui permisero invece di barattare il viaggio con i suoi servizi di marinaio. I passeggeri, tutti armati di grosse pistole alla cintura, oltre che di coltelli e rasoi, durante il primo giorno praticamente non si rivolsero la parola, se non per insultarsi per qualche gomitata o qualche calcio, inevitabili in quel caos. All'alba del secondo giorno, dopo una lunga notte fredda e umida trascorsa all'ancora nei pressi della costa, data l'impossibilità di navigare al buio, si sentivano tutti circondati da nemici. Le barbe incolte, la sporcizia, il cibo abominevole, le zanzare, il vento e la corrente contraria contribuivano a irritare gli animi. Tao Chi'en, l'unico senza piani né mete, appariva perfettamente sereno e quando non doveva combattere con la vela ammirava l'incantevole panorama della baia. Eliza, invece, era disperata nel suo ruolo di sordomuto tonto. Tao Chi'en l'aveva sbrigativamente presentata come fratello minore ed era riuscito a sistemarla in un angolo abbastanza protetto dal vento, dove lei era rimasta così quieta e silenziosa che poco dopo nessuno si ricordava più della sua presenza. La sua coperta castigliana stillava acqua, lei tremava dal freddo e aveva le gambe addormentate, ma la rincuorava l'idea di avvicinarsi minuto dopo minuto a Joaquín. Si toccava il petto dove erano nascoste le lettere d'amore e in silenzio le recitava a memoria. Il terzo giorno i passeggeri avevano perso gran parte dell'aggressività e giacevano prostrati, coi vestiti zuppi, un tantino ubriachi e parecchio demoralizzati.

La baia risultò ben più ampia di quanto pensassero, le distanze segnate sulle loro patetiche cartine non corrispondevano per nulla a quelle reali, e quando credettero di essere giunti a destinazione scoprirono che c'era una seconda baia da attraversare, la baia di San Pablo. Sulle rive si intravedevano accampamenti e scialuppe gremite di gente e di mercanzie, e dietro a esse fitti boschi. Ma nemmeno lì si concluse il viaggio, perché prima dovettero passare attraverso un canale impetuoso per entrare in una terza baia, quella di Suisun, in cui la navigazione si fece ancora più lenta e difficile, e poi in un fiume angusto e profondo che li condusse fino a Sacramento. Finalmente si trovavano vicino alla terra in cui era stata scoperta la prima scheggia d'oro. Quell'insignificante frammento, dalle dimensioni di un'unghia femminile, aveva provocato un'incontrollabile invasione, aveva cambiato il volto della California e l'anima della nazione nordamericana, come avrebbe avuto modo di scrivere pochi anni dopo Jacob Todd, divenuto giornalista. "Gli Stati Uniti sono stati fondati da pellegrini, pionieri e umili immigrati, sostenuti da un'etica del lavoro duro e del coraggio di fronte alle avversità. L'oro ha tirato fuori il peggio del carattere americano: l'avidità e la violenza."

Il capitano spiegò loro che la città di Sacramento era sbocciata nell'ultimo anno, dalla sera alla mattina. Il porto era affollato dalle più diverse imbarcazioni, le strade erano ben tracciate, c'erano case ed edifici in legno, negozi, una chiesa e un buon numero di bische, bar e bordelli, e tuttavia sembrava lo scenario di un naufragio per la gran quantità di sacchi, finimenti, attrezzi e ogni sorta di rifiuti seminati a terra dai minatori che avevano abbandonato tutto per recarsi ai filoni. Grandi uccellacci neri volavano sulla spazzatura e per le mosche era festa grande. Eliza calcolò che in un paio di giorni avrebbe potuto percorrere il paese casa per casa: trovare Joaquín Andieta non sarebbe stato difficile. I passeggeri del barcone, che la prossimità del porto aveva reso vivaci e amichevoli, condividevano le ultime sorsate di liquore, si congedavano a grandi pacche e cantavano in coro a proposito di una certa Susanna, per lo stupore di Tao Chi'en che non riusciva a farsi una ragione di una tanto repentina trasformazione. Lui ed Eliza sbarcarono prima degli altri per via del loro bagaglio ridotto e si diressero senza esitare verso la zona cinese, dove riuscirono a procacciarsi cibo e alloggio sotto un tendone di tela cerata. Eliza non poteva seguire le conversazioni in cantonese e l'unica cosa che desiderava era raccogliere informazioni sul suo innamorato, ma Tao Chi'en le ricordò che doveva tacere e le chiese di pazientare e mantenere la calma. Quella stessa notte allo *zhong yi* toccò curare la spalla slogata di un compatriota; rimise l'osso al suo posto e si conquistò immediatamente il rispetto dell'accampamento.

La mattina successiva i due iniziarono le ricerche di Joaquín Andieta. Verificarono che i compagni di viaggio erano già pronti per intraprendere il cammino verso i giacimenti; alcuni erano riusciti a trovare dei muli per trasportare i bagagli, ma la maggior parte di loro viaggiava a piedi e si era sbarazzata di buona parte dei beni. Girarono l'intero paese senza trovare traccia di chi cercavano, ma ad alcuni cileni sembrava di ricordare qualcuno con quel nome, passato di lì uno o due mesi prima. Consigliarono loro di risalire il fiume; lì forse l'avrebbero incontrato, era tutta questione di fortuna. Un mese era un'eternità. Nessuno poteva ricordare chi era stato lì il giorno prima, i nomi e i destini altrui non avevano interesse. L'unica ossessione era l'oro.

"Cosa faremo adesso, Tao?"

"Lavoreremo. Senza soldi non si può fare niente," replicò lui, gettandosi in spalla alcuni pezzi di stoffa trovati tra i rifiuti abbandonati.

"Non posso aspettare! Devo trovare Joaquín! Di soldi ne ho."

"Soldi cileni. Non serviranno a molto..."

"E i gioielli che mi sono rimasti? Qualcosa varranno pure..."

"Tienili da conto. Qui valgono poco. Devo lavorare per potermi comprare un mulo. Mio padre andava di paese in paese a curare la gente. Mio nonno anche. Posso farlo anch'io, ma qui le distanze sono grandi. Ho bisogno di un mulo."

"Un mulo? Ne abbiamo già uno: tu. Testone come sei."

"Meno testone di te."

Recuperarono dei pali e alcune assi, chiesero in prestito qualche attrezzo e riuscirono a mettere insieme un alloggio, con la stoffa che fungeva da tetto, una gracile casupola, pronta a crollare al primo colpo di vento forte, ma che almeno li poteva proteggere dalla rugiada notturna e dalle piogge primaverili. Era corsa voce della perizia di Tao Chi'en e presto iniziarono ad accorrere pazienti cinesi, che si fecero garanti dello straordinario talento di quello *zhong yi*, e poi messicani e cileni e infine qualche americano ed europeo. Quando si venne a sapere che Tao Chi'en era abile quanto i tre dottori bianchi e si faceva pagare di meno, in molti vinsero la ripugnanza nei confronti dei "celestiali" e decisero di provare la scienza asiatica. C'erano giorni in cui Tao Chi'en era talmente occupato da doversi far aiutare da Eliza. La affascinava vedere le sue mani delicate ed esperte prendere il battito cardiaco nelle braccia o nelle gambe, palpare il corpo degli ammalati come se li accarezzasse, inserire gli aghi in punti misteriosi che solo lui sembrava conoscere. Quanti anni aveva quell'uomo? Una volta glielo chiese e lui replicò che, contando anche tutte le reincarnazioni, sicuramente ne aveva tra i sette e gli ottomila. A occhio Eliza gliene dava una trentina, anche se a volte, quando rideva, sembrava più giovane di lei. Tuttavia quando si chinava su un malato in concentrazione assoluta, acquisiva l'aspetto venerando di una tartaruga; allora era facile credere che il suo fardello fosse di molti secoli. Lo osservava ammirata mentre esaminava l'urina dei suoi pazienti in un bicchiere e, dall'odore e dal colore, era in grado di diagnosticare mali occulti, o quando studiava le pupille con una lente d'ingrandimento per dedurre cosa mancava o cosa eccedeva nell'organismo. A volte si limitava a collocare le mani sul ventre o sul capo del paziente, chiudeva gli occhi e dava l'impressione di perdersi in un lungo sogno.

"Cosa stavi facendo?" gli chiedeva poi Eliza.

"Sentivo il suo dolore e gli trasmettevo energia. L'energia negativa produce sofferenze e malattie; quella positiva può curare."

"E com'è questa energia positiva, Tao?"

"Come l'amore: calda e luminosa."

Estrarre pallottole e curare ferite da coltello erano interventi di routine ed Eliza perse la ripugnanza per il sangue e imparò a cucire la carne umana con la stessa tranquillità con cui prima ricamava le lenzuola della dote. La pratica chirurgica svolta insieme all'inglese Ebanizer Hobbs si rivelò di grande utilità per Tao. In quella terra infestata da serpi velenose non mancava mai chi ne veniva punto e giungeva, gonfio e blu, portato a spalle dai compagni. Le acque inquinate diffondevano democraticamente il colera, epidemia per la quale non si conosceva un rimedio, nonché altre malattie dai sintomi molto sgradevoli, ma non sempre fatali. Tao Chi'en incassava modiche tariffe comunque sempre in anticipo, perché l'esperienza gli suggeriva che chi è spaventato paga senza batter ciglio, mentre chi ha potuto tirare un sospiro di sollievo mercanteggia. Al momento di riscuotere, gli si presentava l'anziano precettore con espressione di rimprovero, ma Tao lo scacciava. "Maestro, non posso permettermi il lusso di essere generoso in queste circostanze," borbottava. Le parcelle non prevedevano l'anestesia e chi desiderava il conforto delle droghe o degli aghi doveva pagare un supplemento. Faceva un'eccezione per i ladri, che, dopo un processo sommario, erano sottoposti a frustate o al taglio delle orecchie: i minatori si vantavano della loro giustizia rapida e nessuno era disposto a finanziare e a vigilare una prigione.

"Perché dai criminali non ti fai pagare?" gli chiese Eliza.

"Perché preferisco che mi debbano un favore," replicò lui.

Tao Chi'en sembrava deciso a stabilirsi lì. Non lo aveva detto alla sua amica, ma desiderava non muoversi più per dare il tempo a Lin di trovarlo. Erano diverse settimane che sua moglie non si metteva in contatto con lui. Eliza, invece, contava le ore, ansiosa di proseguire il viaggio, e a mano a mano che trascorrevano i giorni si sentiva dominata da sentimenti contraddittori nei confronti del compagno d'avventura. Gli era riconoscente per come la proteggeva e si prendeva cura di lei; sempre attento alla sua buona alimentazione, la copriva di notte, le somministrava erbe e applicava aghi per rafforzarle il *qi*, come diceva; ma era irritata dalla sua calma, che interpretava come mancanza di audacia. L'espressione serena e il facile sorriso di Tao Chi'en a volte la catturavano e altre la indisponevano. Non capiva perché non sentisse minimamente la tentazione di far fortuna nelle miniere, mentre tutti quanti intorno a lui, e in particolare i suoi compatrioti cinesi, non pensavano ad altro.

"Neanche a te interessa l'oro," replicò imperturbabile quando lei glielo rimproverò.

"Io sono venuta qui per un altro motivo. E tu perché sei venuto?"

"Perché ero marinaio. Non avevo pensato di fermarmi qui fino a quando tu non me l'hai chiesto."

"Non sei un marinaio, sei un medico."

"Qui posso tornare a essere medico, almeno per un po'. Avevi ragione, c'è molto da imparare in questo luogo."

Questi erano i progetti di Tao in quei giorni. Si mise in contatto con gli indigeni per esaminare le erbe dei loro sciamani. Si trattava di miserabili gruppi di indiani vagabondi, ricoperti da lerce pellicce di coyote e cenci europei, che nella corsa all'oro avevano perso tutto. Andavano di qua e di là con le loro donne stanche e i loro bambini affamati, cercando di lavare l'oro dei fiumi nelle fini ceste di vimini, ma appena trovavano un luogo adatto venivano cacciati a suon di pallottole. Quando venivano lasciati in pace, costruivano i loro piccoli villaggi di capanne o di tende e si stabilivano fino a quando non erano obbligati a partire di nuovo. Familiarizzarono con il cinese che ricevevano mostrandogli rispetto perché lo consideravano un *medicine man* – un uomo saggio – e amavano condividere il loro sapere. Eliza e Tao Chi'en si sedevano con loro in cerchio intorno a una cavità in cui cucinavano sulle pietre calde una pappina di ghiande, o arrostivano bacche e locuste che a Eliza sembravano deliziose. Poi fumavano, conversando in un misto di inglese, di segni e delle poche parole della lingua dei nativi che avevano imparato. In quei giorni sparirono alcuni minatori yankee e, benché i loro corpi non fossero stati ritrovati, i loro compagni accusarono gli indiani di averli assassinati e per rappresaglia presero d'assalto un villaggio, fecero quaranta prigionieri tra donne e bambini e come monito giustiziarono sette uomini.

"Se trattano così gli indiani, che sono i padroni di questa terra, i cinesi sicuramente li trattano molto peggio, Tao. Devi renderti invisibile, come me," disse Eliza con terrore quando venne a sapere cosa era successo.

Ma Tao Chi'en non aveva tempo per imparare i trucchi dell'invisibilità, era troppo occupato a studiare le piante. Compiva lunghe escursioni per raccoglierne degli esemplari da confrontare con quelle che si usavano in Cina. Affittava un paio di cavalli o camminava a piedi per miglia e miglia sotto un sole inclemente, portandosi Eliza come interprete, per raggiungere i ranch dei messicani che vivevano in quella regione da generazioni e ne conoscevano la flora e la fauna. Avevano da poco perso la California nella guerra con gli Stati Uniti e quei grandi ranch, che prima ospitavano centinaia di lavoratori a giornata in un sistema comunitario, iniziavano a cadere a pezzi. I trattati tra i due paesi erano rimasti sulla carta. All'inizio i messicani, esperti di estrazioni, insegnarono a chi era giunto da poco i procedimenti per ottenere l'oro, ma ogni giorno arrivavano sempre più forestieri a invadere un territorio che sentivano loro. Nella pratica, i gringo li disprezzavano, come facevano con tutti i rappresentanti di qualsiasi altra razza. Prese avvio un'instancabile persecuzione contro gli ispani, cui veniva negato il diritto di sfruttare le miniere in quanto non americani, mentre venivano accettati come tali i farabutti australiani e gli avventurieri europei. Migliaia di braccianti senza lavoro tentavano la fortuna nelle miniere, ma, quando la persecuzione dei gringo si faceva intollerabile, emigravano a sud o si trasformavano in malviventi. In alcune delle rustiche case delle famiglie rimaste, Eliza poteva trascorrere un po' di tempo in compagnia femminile, un lusso raro che, in quei pochi momenti, le restituiva la tranquilla felicità dei bei tempi nella cucina di Mama Fresia. Erano le uniche occasioni in cui poteva evadere dal mutismo obbligato e parlare la sua lingua. Quelle madri forti e generose, che sgobbavano gomito a gomito con gli uomini nei lavori più pesanti, provate dalla fatica e dall'indigenza, si commuovevano davanti a quel ragazzo cinese dall'aspetto così fragile, stupite dal fatto che parlasse lo spagnolo come una di loro. Le consegnavano volentieri i segreti della natura usati da secoli per alleviare i più diversi malanni e, già che c'erano, le ricette dei loro piatti saporiti, che lei annotava sui suoi quaderni, certa che prima o poi sarebbero tornate utili. Nel frattempo lo *zhong yi* ordinò a San Francisco le medicine occidentali che l'amico Ebanizer Hobbs gli aveva insegnato a usare a Hong Kong. Ripulì anche un pezzo di terra vicino alla capanna, lo recintò per difenderlo dai cervi e piantò le erbe fondamentali per la sua professione.

"Santo cielo, Tao! Pensi di fermarti qui fino a quando non saranno sbocciati questi rachitici germogli?" protestava Eliza, esasperata alla vista di quei talli sbiaditi e di quelle foglie gialle, senza ottenere più che un gesto vago di risposta.

Sentiva che ogni giorno trascorso l'allontanava dal suo destino, che Joaquín Andieta si addentrava sempre più in quella regione sconosciuta, forse in direzione delle montagne, mentre lei perdeva il suo tempo a Sacramento facendosi passare per il fratello scemo di un guaritore cinese. Era solita affibbiare a Tao Chi'en i peggiori epiteti, ma aveva il buon gusto di farlo in castigliano, esattamente come di certo faceva lui quando le rivolgeva la parola in cantonese. Avevano perfezionato i segni per comunicare davanti agli altri senza parlare e la stretta convivenza li aveva portati ad assomigliarsi tanto che nessuno metteva in dubbio la loro parentela. Se non erano occupati con qualche paziente, andavano in giro per il porto e per negozi, a chiacchierare e a indagare su Joaquín Andieta. Eliza cucinava e ben presto Tao Chi'en si abituò ai suoi piatti, anche se di tanto in tanto scappava alle mense cinesi della città, dove poteva ingollare tutto quello che la pancia riusciva a contenere per un paio di dollari, una bazzecola, se si teneva conto che una cipolla costava un dollaro. Davanti agli altri comunicavano a gesti, ma da soli lo facevano in inglese. Malgrado gli occasionali insulti nelle due lingue, trascorrevano la maggior parte del tempo lavorando fianco a fianco come buoni compagni e occasioni per ridere certo non mancavano. Tao era sorpreso di poter condividere con Eliza momenti di buon umore, nonostante gli inevitabili inciampi della lingua e le diversità culturali. E comunque erano proprio queste differenze a strappare le risate: non riusciva a credere che una donna facesse e dicesse tali esagerazioni. La osservava con curiosità e inconfessabile tenerezza, spesso ammutoliva di ammirazione per lei, le attribuiva il coraggio di un guerriero, ma quando la vedeva cedere gli sembrava una bambina ed era vinto dal desiderio di proteggerla.

Anche se era aumentata un po' di peso e aveva un colorito migliore, era ancora debole, era evidente. Non appena il sole tramontava, iniziava ad assopirsi, si avvolgeva nella coperta e si addormentava e lui si sdraiava al suo fianco. Si abituarono a tal punto a queste ore di intimità in cui respiravano all'unisono che i corpi si adattavano da soli nel sonno e se uno si girava, anche l'altro lo faceva per non separarsi. A volte si svegliavano incollati tra le coperte, avvinti. Se era lui a destarsi per primo, godeva di quegli attimi che gli riportavano alla memoria le ore felici insieme a

Lin, immobile, per impedirle di cogliere il suo desiderio. Non sospettava che la stessa cosa succedesse anche a Eliza, grata a quella presenza maschile che le consentiva di immaginare come sarebbe stata la sua vita con Joaquín Andieta, se avesse avuto maggior fortuna. Nessuno dei due alludeva mai a quanto succedeva di notte, come fosse un'esistenza parallela della quale non erano coscienti. Non appena si vestivano, la segreta malia di quegli abbracci spariva completamente e tornavano a essere due fratelli. In rare occasioni Tao Chi'en si allontanava da solo per misteriose escursioni notturne dalle quali rientrava con discrezione. Eliza si asteneva dall'indagare perché le bastava annusarlo: era stato con una donna, poteva persino distinguere i profumi dolciastri delle messicane. Lei rimaneva sepolta sotto la coperta, a tremare nel buio e a vigilare sul minimo suono, impugnando un coltello, spaventata, chiamandolo con il pensiero. Non sapeva giustificare questo desiderio di piangere che la invadeva, quasi fosse stata tradita. Comprendeva vagamente che forse gli uomini erano diversi dalle donne; per quel che la riguardava, non provava il minimo bisogno di sesso. I casti abbracci notturni erano sufficienti a placare la sua smania di compagnia e di tenerezza e nemmeno quando pensava al suo antico amante sperimentava l'urgenza dei tempi della stanza degli armadi. Non sapeva se in lei amore e desiderio fossero la stessa cosa e se in mancanza del primo il secondo non potesse insorgere, o se la lunga malattia in nave avesse distrutto qualcosa di fondamentale nel suo corpo. Una volta aveva osato chiedere a Tao se poteva ancora avere figli, perché per diversi mesi non aveva più mestruato, e lui le aveva assicurato che non appena avesse recuperato forze e salute sarebbe tornata alla normalità, e che proprio a quello scopo le applicava i suoi aghi. Quando l'amico scivolava silenziosamente al suo fianco dopo le scappatelle, lei fingeva di dormire profondamente, anche se in realtà rimaneva sveglia per ore, offesa da quell'odore di un'altra donna che si era installato tra loro. Da quando erano sbarcati a San Francisco, era tornata al pudore al quale Miss Rose l'aveva educata. Tao Chi'en l'aveva vista nuda durante le settimane della traversata e la conosceva esternamente e intimamente, ma comprese le sue ragioni e non fece domande, limitandosi a indagare sul suo stato di salute. Perfino quando le collocava gli aghi stava ben attento a non urtare la sua ritrosia. Non si svestivano in presenza l'uno dell'altro e vigeva un tacito accordo per rispettare l'intimità nell'uso della fossa dietro alla capanna che serviva da latrina, ma per il resto si condivideva tutto, dal denaro ai vestiti.

Molti anni dopo, riguardando le annotazioni relative a quell'epoca, Eliza si sarebbe chiesta con stupore perché nessuno dei due volesse ammettere l'indubitabile attrazione che provava, perché si rifugiassero nel pretesto del sonno per toccarsi e durante il giorno ostentassero freddezza. Avrebbe concluso che l'amore per qualcuno di un'altra razza pareva loro impossibile, convinti com'erano che nel mondo non ci fosse posto per una coppia come loro.

"Tu pensavi solamente al tuo amante," avrebbe precisato Tao Chi'en, che allora avrebbe avuto già i capelli grigi.

"E tu a Lin."

"In Cina si può avere più di una moglie e Lin è sempre stata tollerante."

"E poi ti facevano ribrezzo i miei piedi grandi," l'avrebbe preso in giro.

"È vero," avrebbe replicato lui con la massima serietà.

A giugno si abbatté un'estate impietosa, le zanzare si moltiplicarono, le serpi uscirono dai loro buchi per passeggiare impunemente e le piante di Tao Chi'en sbocciarono rigogliose come in Cina. Le orde di argonauti continuavano ad arrivare, sempre più numerose. Siccome Sacramento era il porto di accesso, il suo destino non fu quello di dozzine di altri paesi che spuntavano come funghi nei pressi dei giacimenti auriferi, si sviluppavano rapidamente e sparivano all'improvviso non appena si esauriva il minerale di facile estrazione. La città cresceva di minuto in minuto, venivano aperti nuovi spacci e i terreni, che non si regalavano più come all'inizio, venivano venduti ai prezzi salati di San Francisco. Si costituì un abbozzo di governo e frequenti erano le assemblee che deliberavano dettagli amministrativi. Fecero la loro comparsa speculatori, leguleii, evangelisti, giocatori di professione, banditi, tenutarie con ragazze di vita e altri araldi del progresso e della civiltà. Di lì passavano le centinaia di uomini infiammati di speranza e ambizione, diretti ai giacimenti, come pure quelli sfiniti e ammalati che facevano ritorno dopo mesi di duro lavoro, pronti a dilapidare i loro guadagni. Il numero dei cinesi aumentava di giorno in giorno e ben presto si contrapposero due bande rivali. I *tongs* erano clan chiusi, i cui membri si aiutavano reciprocamente come fratelli nelle difficoltà della vita quotidiana e del lavoro, che favorivano però anche corruzione e crimine. Tra i cinesi arrivati da poco c'era un altro *zhong yi* e con lui Tao

Chi'en ebbe modo di trascorrere ore di completa felicità paragonando le terapie e citando Confucio. Gli ricordava Ebanizer Hobbs, perché non si accontentava delle cure tradizionali e cercava anche nuove strade.

"Dobbiamo studiare la medicina dei *fan guey*, la nostra non è sufficiente," gli diceva, e lui era pienamente d'accordo perché più imparava, più aveva la sensazione sia di non sapere niente, sia che la vita non gli sarebbe bastata per studiare tutto quello che gli mancava.

Eliza mise in piedi una bottega di *empanadas* che vendeva a peso d'oro, prima ai cileni e poi anche agli yankee che mostrarono fin da subito di gradirle. Iniziò preparandole con carne di vacca, quando poteva comprarla dai ranchero messicani che portavano bestiame rubato da Sonora, ma siccome in genere scarseggiava, le sperimentò con carne di cervo, lepre, oca selvatica, tartaruga, salmone e persino orso. I suoi fedeli clienti consumavano tutto con sommo piacere, perché l'alternativa erano fagioli in scatola e maiale salato, l'invariabile dieta dei minatori. Nessuno disponeva di tempo per cacciare, pescare o cucinare; frutta e verdura non si riusciva a trovarne e il latte era un lusso più raro dello champagne; tuttavia non mancavano farina, strutto e zucchero, e si trovavano anche noci, cioccolato, qualche spezia, pesche e prugne secche. Eliza iniziò a preparare torte e biscotti, che ottennero lo stesso successo delle *empanadas*, e anche pani, in un forno di terracotta che improvvisò ricordando quello di Mama Fresia. Se riusciva a procurarsi uova e pancetta affiggeva un'insegna in cui annunciava la colazione; allora gli uomini si mettevano in fila pur di sedersi in pieno sole davanti a un tavolo sgangherato. Quelle deliziose vivande, preparate da un cinese sordomuto, ricordavano loro le domeniche in famiglia nelle loro case, così lontane da lì. L'abbondante colazione che prevedeva uova fritte con pancetta, pane appena sfornato, torta di frutta e caffè a volontà, costava tre dollari. Alcuni clienti, emozionati e riconoscenti perché da mesi non assaggiavano niente di simile, depositavano un dollaro supplementare di mancia nel barattolo. Un giorno, a metà estate, Eliza si presentò a Tao Chi'en con i suoi risparmi in mano.

"Con questi possiamo comprare i cavalli e partire," gli annunciò.

"Per dove?"

"Per andare a cercare Joaquín."

"Io non sono interessato a trovarlo. Rimango qui."

"Ma non vuoi conoscere questo paese? Ci sono molte cose da vedere e da imparare, Tao. Mentre io cerco Joaquín, tu puoi acquisire la tua famosa saggezza."

"Le mie piante stanno crescendo e poi non mi piace andare di qua e di là."

"Va bene. Io me ne vado."

"Da sola non arriverai lontano."

"Questo lo vedremo."

Quella notte dormirono ognuno a un'estremità della capanna senza rivolgersi la parola. Il giorno dopo Eliza uscì presto per andare a comprare il necessario per il viaggio, compito non certo facile visto il suo ruolo di muto, e tornò alle quattro del pomeriggio insieme a un cavallo messicano, brutto e pieno di spellature ma forte. Comprò anche degli stivali, due camicie, pantaloni resistenti, guanti di cuoio, un cappello a tesa larga, un paio di sporte di alimenti secchi, un piatto, una tazza e un cucchiaio di latta, un buon coltello d'acciaio, una borraccia per l'acqua, una pistola e una carabina che non sapeva caricare né tanto meno utilizzare. Passò il resto del pomeriggio a organizzare i bagagli e a cucire i gioielli e i soldi rimasti in una fascia di cotone, la stessa che usava per schiacciarsi i seni, sotto la quale portava sempre con sé l'involto di lettere d'amore. Si rassegnò ad abbandonare la valigia con i vestiti, la sottoveste e gli stivaletti che ancora conservava. Con la coperta castigliana improvvisò una sella, proprio come aveva visto tante volte fare in Cile; si tolse i vestiti di Tao Chi'en che aveva indossato per mesi e si provò quelli appena acquistati. Poi affilò il coltello con una striscia di cuoio e si tagliò i capelli all'altezza della nuca. La sua lunga treccia nera rimase per terra come una biscia morta. Si guardò in un frammento di specchio rotto e si ritenne soddisfatta; con il viso sporco e le sopracciglia ingrossate con una linea a carbone, poteva ingannare chiunque. In quel momento arrivò Tao Chi'en, di ritorno da uno degli incontri con l'altro *zhong yi*, e per un attimo non riconobbe il cow-boy armato che aveva invaso la sua proprietà.

"Domani parto, Tao. Grazie di tutto, sei più di un amico, sei un fratello. Mi mancherai..."

Tao Chi'en non rispose. Quando scese la sera lei si sdraiò vestita in un angolo e lui si sedette fuori, nella brezza estiva, a contare le stelle.

IL SEGRETO

Il giorno in cui Eliza partì da Valparaíso nascosta nella stiva dell'*Emilia*, i tre fratelli Sommers cenarono all'Hotel Inglés ospiti di Paulina, la moglie di Feliciano Rodríguez de Santa Cruz, e rientrarono tardi alla loro casa di Cerro Alegre. Non seppero della scomparsa della ragazza fino a una settimana dopo, perché la immaginavano insieme a Mama Fresia nella tenuta di Agustín del Valle.

Il giorno successivo, John Sommers firmò il contratto di capitano del *Fortuna*, il nuovissimo vapore di Paulina. Con un semplice documento contenente i termini dell'accordo si concluse l'affare. Era stato sufficiente che si fossero visti una volta per fidarsi reciprocamente e non avevano tempo da perdere in minuzie legali, la smania di arrivare in California li accomunava. Nonostante gli appelli alla prudenza pubblicati sui giornali e ripetuti in apocalittiche omelie dai pulpiti delle chiese, l'intero Cile era irretito dalla stessa lusinga. Il capitano impiegò solo qualche ora a reclutare l'equipaggio del suo vapore, perché le lunghe file di postulanti contagiati dalla febbre dell'oro continuavano ad aggirarsi per i moli. Molti di loro trascorrevano la notte dormendo per terra pur di non perdere il posto. Fra lo stupore di altri uomini di mare, che stentavano a capire le sue ragioni, John Sommers si rifiutò di caricare passeggeri, di modo che la sua imbarcazione avrebbe viaggiato praticamente vuota. Non offrì spiegazioni. Aveva in mente un progetto da filibustiere per evitare che i suoi marinai disertassero una volta arrivati a San Francisco, ma lo tenne per sé, perché se l'avesse reso pubblico, non ne avrebbe trovato uno solo disposto a imbarcarsi. Non comunicò nemmeno alla ciurma che prima di prendere la rotta per il Nord avrebbero compiuto un insolito giro a Sud. Attendeva di trovarsi in alto mare per farlo.

"E dunque lei si sente in grado di guidare il mio vapore e di tenere sotto controllo l'equipaggio, non è così, capitano?" gli chiese per l'ennesima volta Paulina mentre gli allungava il contratto da firmare.

"Sì, signora, non abbia paura. Posso salpare nel giro di tre giorni."

"Molto bene. Sa di cosa c'è bisogno in California, capitano? Di prodotti freschi: frutta, verdura, uova, formaggio di buona qualità, insaccati. Questo è ciò che noi venderemo là."

"Ma come? Arriverà tutto marcio..."

"Lo trasporteremo con ghiaccio," disse lei imperturbabile.

"Con cosa?"

"Con ghiaccio. Lei prima andrà a sud a prendere il ghiaccio. Sa dove si trova la laguna di San Rafael?"

"Vicino a Puerto Aisén."

"Mi fa piacere che conosca quelle zone. Mi hanno detto che lì si trova uno dei più bei ghiacciai azzurri. Voglio che riempia il *Fortuna* di pezzi di ghiaccio. Cosa ne pensa?"

"Mi scusi, signora, ma mi sembra una follia."

"Proprio così. Per questo non è venuta in mente a nessuno. Si porti dei barili di sale grosso, una buona provvista di sacchi e mi avvolga dei pezzi belli grandi. Ah! Immagino che dovrà far coprire i suoi uomini per non farli congelare. E già che ci siamo, capitano, mi faccia la cortesia di non parlarne con nessuno, così non ci ruberanno l'idea."

John Sommers si congedò da lei sconcertato. Prima pensò che la donna fosse impazzita, ma poi, più ci rimuginava, più l'avventura lo intrigava. Inoltre, non aveva niente da perderci. Lei poteva rovinarsi; lui avrebbe comunque percepito lo stipendio, anche se il ghiaccio si fosse sciolto strada facendo. E se quella follia avesse avuto successo, lui avrebbe ricevuto come da contratto un bonus di tutto rispetto. La settimana dopo, quando scoppiò la notizia della scomparsa di Eliza, lui era diretto al ghiacciaio con le caldaie che ansimavano e non ne fu messo al corrente che al ritorno, quando approdò a Valparaíso per caricare i prodotti che Paulina aveva predisposto venissero trasportati nel nido di neve in California, dove il marito e il cognato li avrebbero venduti a un prezzo di parecchio superiore al loro valore. Se andava tutto come aveva pianificato, con tre o quattro viaggi del *Fortuna* lei avrebbe avuto più denaro di quanto avesse mai sognato; aveva calcolato quanto ci avrebbero messo altri impresari a copiare la sua iniziativa prima di infastidirla con la loro concorrenza. E in quanto a lui, be', portava anche lui un articolo che pensava di aggiudicare al migliore offerente: libri.

Quando Eliza e la tata non rientrarono a casa il giorno stabilito, Miss Rose mandò il cocchiere con un biglietto per assicurarsi che la famiglia del Valle fosse rimasta ancora nella tenuta e che Eliza stesse bene. Un'ora dopo apparve alla sua porta la moglie di Agustín del Valle, molto allarmata. Di Eliza non sapeva niente, disse. La famiglia non si era mossa da Valparaíso perché suo marito era prostrato da un attacco di gotta. Non vedeva Eliza da mesi. Miss Rose ebbe sufficiente sangue freddo per dissimulare: si era sbagliata, si scusò, Eliza era a casa di un'altra amica, si era confusa, le era molto riconoscente per essersi disturbata a venire personalmente... La signora del Valle non credette a una sola parola, come era da attendersi e, prima che Miss Rose riuscisse ad avvisare il fratello Jeremy in ufficio, la fuga di Eliza Sommers era sulla bocca di tutta Valparaíso.

Il resto del giorno Miss Rose lo trascorse a piangere e Jeremy Sommers a congetturare. Ispezionando la camera di Eliza trovarono le lettere d'addio, che rilessero diverse volte nella vana ricerca di qualche pista. Non riuscirono nemmeno a localizzare Mama Fresia per interrogarla e fu solo allora che si resero conto che della donna, che per diciotto anni aveva lavorato per loro, non conoscevano nemmeno il cognome. Non le avevano mai chiesto da dove venisse, né se avesse famiglia. Mama Fresia, come gli altri servi, apparteneva al vago limbo dei fantasmi utili.

"Valparaíso non è Londra, Jeremy. Non possono essere andate molto lontano. Bisogna cercarle."

"Ti rendi conto dello scandalo che scoppierà quando inizieremo a indagare tra i nostri amici?"

"Cosa vuoi che mi interessi quello che dirà la gente! La cosa più importante è trovare Eliza presto, prima che si metta nei guai."

"Francamente, Rose, se ci ha abbandonati a questo modo, dopo tutto quello che abbiamo fatto per lei, vuol dire che nei guai c'è già."

"Cosa vuoi dire? Che tipo di guai?" chiese Miss Rose inorridita.

"Un uomo, Rose. È l'unico motivo per cui una ragazza può commettere una stupidaggine di tali proporzioni. Tu lo sai meglio di chiunque altro. Con chi può essere Eliza?"

"Non riesco neanche a immaginarlo."

Miss Rose poteva immaginarlo perfettamente. Sapeva chi era il responsabile di quella tremenda disgrazia: quel tizio dall'aspetto funereo che alcuni mesi prima aveva portato a casa della merce, il dipendente di Jeremy. Non ne conosceva il nome, ma l'avrebbe scoperto. Tuttavia non disse niente al fratello perché credette di essere ancora in tempo per riscattare la fanciulla dalle insidie di un amore difficile. Ricordava con precisione da notaio ogni particolare della sua esperienza con il tenore viennese, l'angoscia di allora era ancora a fior di pelle. Non lo amava più, era vero, se l'era strappato dall'anima da secoli, ma bastava bisbigliare il suo nome per sentire nel petto un fragoroso rintocco di campana. Karl Bretzner era la chiave del suo passato e della sua personalità: il fugace incontro con lui aveva determinato il suo destino e la donna in cui si era trasformata. Se si fosse innamorata di nuovo come allora, pensò, si sarebbe comportata allo stesso modo, pur sapendo che quella passione le avrebbe spezzato la vita. Forse Eliza avrebbe avuto miglior fortuna e l'amore avrebbe imboccato una strada dritta; forse, nel suo caso, l'amante non era impegnato, non aveva figli e una sposa tradita. Doveva trovare la ragazza, affrontare quel maledetto seduttore, obbligarli a sposarsi e poi, a cose fatte, presentare la situazione a Jeremy, che alla lunga avrebbe finito per accettarla. Sarebbe stato difficile, data la rigidità del fratello nelle questioni d'onore, ma come aveva perdonato lei, avrebbe perdonato anche Eliza. Persuaderlo sarebbe stato compito suo. Non si era assunta il ruolo di madre in tutti quegli anni per rimanersene a braccia conserte davanti a un errore della sua unica figlia, concluse.

Mentre Jeremy Sommers si rinchiudeva in un silenzio opportuno e dignitoso che, tuttavia, non lo poteva salvaguardare dalle chiacchiere sfrenate, Miss Rose si mise in azione. Dopo pochi giorni aveva scoperto l'identità di Joaquín Andieta e, con orrore, aveva appreso che si trattava nientemeno che di un ricercato dalla giustizia. Era accusato di aver falsificato la contabilità della Compagnia Britannica d'Importazione ed Esportazione e di aver rubato della merce. Capì che la situazione era ben più grave di quanto si fosse immaginata: Jeremy non avrebbe mai accettato un simile individuo in seno alla famiglia. Peggio ancora, non appena fosse riuscito a mettere le mani addosso all'ex dipendente l'avrebbe sicuramente mandato in prigione, anche se si fosse trattato del marito di Eliza. "A meno che io non trovi il modo di obbligarlo a ritirare le accuse contro quel verme e non riesca a ripulirgli il nome per il bene di tutti noi," borbottò tra sé Miss Rose, furibonda. Per prima cosa doveva trovare gli amanti, poi avrebbe pensato a come sistemare il resto. Si guardò bene dal menzionare la sua scoperta e passò il resto della settimana a fare indagini a destra e a manca fino a quando, nella Libreria Santos Tornero, le parlarono della madre di Joaquín Andieta. Riuscì a conoscere il suo indirizzo semplicemente chiedendo nelle chiese; esattamente come si immaginava, i sacerdoti cattolici conoscevano a uno a uno i loro fedeli.

Il venerdì, a mezzogiorno, si presentò alla donna. Si recò da lei piena di boria, animata da una giusta indignazione e pronta a dirgliene quattro, ma a mano a mano che avanzava per le stradine contorte di quel quartiere, dove non aveva mai messo piede, iniziò a ridimensionarsi. Si pentì del vestito scelto, si dispiacque per quel cappello troppo civettuolo e per gli stivaletti bianchi, si sentì ridicola. Bussò alla porta imbarazzata per un senso di vergogna, che si trasformò in sincera umiltà non appena vide la madre di Andieta. Non si era immaginata tale devastazione. Era una donnina da nulla, dagli occhi febbricitanti e l'espressione triste. Le sembrò anziana, ma guardandola meglio capì che era ancora giovane e che doveva essere stata bella, ma non c'era dubbio che fosse ammalata. La ricevette senza scomporsi, abituata alle signore ricche che si recavano da lei per commissionarle lavori di cucito e di ricamo. Si passavano l'indirizzo l'una con l'altra e quindi non era strano che una dama sconosciuta bussasse alla sua porta. Questa volta si trattava di una straniera, lo si poteva dedurre da quell'abito color farfalla, nessuna cilena avrebbe osato vestirsi così. La salutò senza sorridere e la fece entrare.

"Si sieda signora, prego. In cosa posso servirla?"

Miss Rose si sedette sul bordo della sedia che le veniva offerta e non riuscì a spiccicare parola. Tutto quello che aveva pianificato di dirle era svanito dalla sua mente in un lampo di totale compassione per quella donna, per Eliza e per se stessa, e le lacrime avevano preso a sgorgarle come ruscelli, lavandole il viso e l'anima. La madre di Joaquín Andieta, turbata, le prese una mano tra le sue.

"Cosa le succede, signora? La posso aiutare?"

E allora Miss Rose aveva iniziato a raccontarle tra i singhiozzi nel suo spagnolo da gringa che la sua unica figlia era sparita da più di una settimana, che era innamorata di Joaquín, che si erano conosciuti qualche mese prima e che da allora la ragazza non era più stata la stessa, si aggirava in preda alle fiamme dell'amore, era evidente a tutti, tranne che a lei che era stata talmente egoista e distratta da non essersene accorta in tempo, ma adesso era tardi perché i due erano scappati. Eliza si era rovinata la vita esattamente come lei aveva fatto a suo tempo. E continuando a sciorinare una cosa dopo l'altra senza riuscire a trattenersi, arrivò a raccontare a quell'estranea ciò che mai aveva rivelato, le parlò di Karl Bretzner e dei suoi amori orfani e dei vent'anni trascorsi da allora col cuore addormentato e il ventre disabitato. Pianse copiosamente le perdite taciute nel corso della sua vita, i momenti di rabbia nascosti per buona educazione, per i segreti che le gravavano addosso come i ceppi di un prigioniero, per il prezzo con cui aveva salvato le apparenze, e per l'ardente gioventù buttata al vento semplicemente a causa della cattiva sorte di essere nata donna. E quando alla fine non ebbe più fiato per singhiozzare, rimase seduta, senza riuscire a capire che cosa le fosse successo né da dove venisse quella diafana sensazione di sollievo che iniziava a pervaderla.

"Prenda un po' di tè," disse la madre di Joaquín Andieta dopo un lunghissimo silenzio, posandole una tazza sbeccata in mano.

"Per favore, la prego, mi dica se Eliza e suo figlio sono amanti. Non sono impazzita, vero?" mormorò Miss Rose.

"Può darsi, signora. Anche Joaquín aveva perso la testa. Ma non mi rivelò mai il nome della ragazza."

"Mi aiuti, devo ritrovare Eliza..."

"Glielo posso assicurare: non è con Joaquín."

"Come fa a dirlo?"

"Non mi ha detto che la bambina è sparita solamente da una settimana? Mio figlio se n'è andato in dicembre."

"Se n'è andato, ha detto? Dove?"

"Non lo so."

"La capisco, signora. Al suo posto anch'io cercherei di proteggerlo. So che suo figlio ha problemi con la giustizia. Le do la mia parola d'onore che lo aiuterò, mio fratello è il direttore della Compagnia Britannica d'Importazione ed Esportazione e farà quel che gli dirò. Non rivelerò a nessuno dove si trova suo figlio, voglio solo parlare con Eliza."

"Sua figlia e Joaquín non sono insieme, mi creda."

"So che Eliza l'ha seguito."

"Non può averlo seguito, signora. Mio figlio se n'è andato in California."

Il giorno in cui il capitano Sommers tornò a Valparaíso con il *Fortuna* carico di ghiaccio azzurro trovò ad attenderlo sul molo i suoi fratelli, come sempre, ma gli bastò osservarne le facce per capire che era successo qualcosa di molto grave. Rose era emaciata e non appena l'abbracciò iniziò a piangere irrefrenabilmente.

"Eliza è sparita," lo informò Jeremy, talmente adirato che a stento riusciva a pronunciare le parole.

Non appena si trovarono soli, Rose raccontò a John quanto aveva saputo dalla madre di Joaquín Andieta. In quegli interminabili giorni in cui aveva atteso il fratello preferito cercando di mettere insieme tutte le tessere del puzzle, si era convinta che la ragazza avesse seguito il suo amante in California, perché lei sicuramente avrebbe fatto la stessa cosa. John Sommers passò il giorno successivo a fare indagini al porto e così venne a sapere che Eliza non aveva acquistato un biglietto, in nessuna imbarcazione figurava nelle liste dei viaggiatori, mentre invece le autorità avevano registrato un tal Joaquín Andieta, imbarcatosi in dicembre. Ipotizzò che la ragazza avesse usato un altro nome per depistarli e rifece lo stesso percorso fornendo di lei una descrizione dettagliata, ma nessuno l'aveva vista. Una ragazza, quasi una bambina, che viaggiava da sola o semplicemente accompagnata da un'india avrebbe sicuramente richiamato l'attenzione, gli assicurarono; inoltre erano assai poche le donne che andavano a San Francisco, solamente quelle dalla vita spensierata e talvolta la moglie di un capitano o di un commerciante.

"Non può essersi imbarcata senza lasciare tracce, Rose," concluse il capitano dopo averle riferito minuziosamente le sue ricerche.

"E Andieta?"

"Sua madre non ti ha mentito. Il suo nome figura in una lista."

"Si era appropriato di alcune merci della Compagnia. Sono certa che l'abbia fatto solo perché non aveva altro modo per finanziarsi il viaggio. Jeremy non sospetta che il ladro che sta cercando sia l'amante di Eliza e spero che non lo venga mai a sapere."

"Non sei stanca di tanti segreti, Rose?"

"E cosa vuoi che faccia? La mia vita è fatta di apparenze, non di verità. Jeremy è fatto di pietra, lo conosci quanto me. Cosa facciamo per la bambina?"

"Domani partirò per la California, il vapore è già carico. Se è vero che là le donne sono poche come dicono, sarà facile trovarla."

"Ma non è sufficiente, John!"

"Hai qualche idea migliore?"

Quella sera, durante la cena, Miss Rose insistette ancora una volta sulla necessità di ricorrere a tutti i mezzi a disposizione per ritrovare la ragazza. Jeremy, che si era mantenuto al margine della frenetica attività della sorella senza offrire un consiglio né esprimere un qualsiasi sentimento, salvo il fastidio per essere oggetto di uno scandalo sociale, dichiarò che Eliza non meritava tutto quel chiasso.

"Questa atmosfera isterica è davvero molto sgradevole. Vi suggerisco di calmarvi. Perché la cercate? Anche se la troverete, non tornerà a metter piede in questa casa," annunciò.

"Eliza non significa niente per te?" lo redarguì Miss Rose.

"Non è questo il punto. Ha commesso un errore imperdonabile e deve pagarne le conseguenze."

"Come le ho pagate io per quasi vent'anni?"

Un gelido silenzio cadde nella sala da pranzo. Non avevano mai parlato apertamente del passato e Jeremy non sapeva neanche se John fosse al corrente di quanto era successo tra la sorella e il tenore viennese, perché lui si era ben guardato dal riferirglielo.

"Quali conseguenze, Rose? Ti perdonai e ti accolsi di nuovo. Non hai niente da rimproverarmi."

"E perché, se sei stato così generoso con me, non puoi esserlo anche con Eliza?"

"Perché sei mia sorella e proteggerti è un mio dovere."

"Eliza è come fosse mia figlia, Jeremy!"

"Ma non lo è. Non abbiamo alcun obbligo nei suoi confronti: non fa parte di questa famiglia."

"Sì che ne fa parte!" gridò Miss Rose.

"Basta!" li interruppe il capitano sferrando sul tavolo un pugno che fece ballare piatti e bicchieri.

"Sì che ne fa parte, Jeremy. Eliza appartiene alla nostra famiglia," ripeté Miss Rose singhiozzando con il viso tra le mani. "È figlia di John..."

Jeremy ascoltò allora dai fratelli la rivelazione di un segreto che avevano tenuto nascosto per sedici anni. Quell'uomo di poche parole, così controllato da sembrare invulnerabile alle umane emozioni, per la prima volta esplose e tutto quello che aveva taciuto in quarantasei anni di impeccabile flemma britannica sgorgò a fiotti, affogandolo in un torrente di rimproveri, di rabbia e umiliazioni, perché "guarda che razza di scemo sono stato, Dio mio, ho vissuto sotto lo stesso tetto, in un covo di bugie, senza avere sospetti, convinto che i miei fratelli fossero persone per bene e che tra noi regnasse la fiducia, mentre invece ci lega una consuetudine alle menzogne, un'abitudine alla falsità, chissà quante cose mi avete sistematicamente tenuto nascoste, ma questo è il colmo, perché diavolo non me lo rivelaste, cosa ho fatto per essere trattato come un mostro, per meritarmi di essere manipolato a questo modo? Mi merito forse che sfruttiate la mia generosità e che contemporaneamente mi disprezziate, perché non si può chiamare in altro modo, se non disprezzo, questo modo di coinvolgermi nelle bugie per poi escludermi: avete bisogno di me solo per pagare i conti, è stato così per tutta la vita, da quando eravamo piccoli vi siete sempre presi gioco di me..."

Ammutoliti, senza trovare la maniera di giustificarsi, Rose e John sopportarono la lavata di testa, e quando il fratello maggiore ebbe concluso la geremiade, nella sala da pranzo regnò un lungo silenzio. Tutti e tre erano esausti. Per la prima volta nella loro vita si erano confrontati privi della maschera delle buone maniere e della cortesia. Qualcosa di fondamentale, che li aveva sostenuti nel fragile equilibrio di un tavolo a tre gambe, sembrava irrimediabilmente rotto; tuttavia a mano a mano che Jeremy riprendeva fiato, mentre si sistemava una ciocca caduta sulla fronte e la cravatta spiegazzata, i suoi lineamenti tornavano all'espressione impenetrabile e arrogante di sempre. Allora Miss Rose si alzò in piedi, gli si avvicinò da dietro la sedia e gli mise una mano sulla spalla, l'unico gesto di intimità che osò fare, con il petto che le doleva di tenerezza per quel fratello solitario, quell'uomo silenzioso e malinconico che le aveva fatto da padre e che non si era mai data la pena di guardare negli occhi. Si rese conto che non sapeva proprio niente di lui e che in tutta la sua vita non l'aveva mai toccato.

Diciassette anni prima, la mattina del 15 marzo 1832, Mama Fresia era uscita in giardino ed era inciampata in una scatola ordinaria di sapone di Marsiglia coperta da un foglio di giornale. Incuriosita, si era avvicinata per vedere di cosa si trattasse e sollevando la carta aveva scoperto una neonata. Era corsa in casa gridando e un attimo dopo Miss Rose era china sul bebè. Allora aveva vent'anni, era fresca e bella come una pesca, indossava un abito color topazio e il vento le scompigliava i capelli sciolti, esattamente come Eliza ricordava o immaginava. Le due donne avevano sollevato la scatola e l'avevano portata nella stanza del cucito, dove avevano tolto i giornali per tirar fuori la bambina avvolta alla bell'e meglio in un panciotto di lana. Non doveva essere rimasta alle intemperie per molto tempo, avevano dedotto, perché nonostante il ventaccio mattutino il corpo era tiepido e lei dormiva placidamente. Miss Rose aveva ordinato all'india di andare a cercare una coperta pulita, lenzuola e forbici per improvvisare dei pannolini. Quando Mama Fresia era tornata, il panciotto era sparito e il bebè nudo strillava tra le braccia di Miss Rose.

"Riconobbi immediatamente il panciotto. L'avevo fatto io per John l'anno prima. Lo nascosi perché anche tu l'avresti riconosciuto," spiegò a Jeremy.

"Chi è la madre di Eliza, John?"

"Non ricordo il nome..."

"Non sai come si chiama? Quanti bastardi pensi di aver seminato per il mondo?" esclamò Jeremy.

"Era una ragazza del porto, una cilena, ricordo che era molto carina. Non la rividi mai più e non venni mai a sapere che era incinta. Quando Rose mi mostrò il panciotto, un paio d'anni dopo, mi venne in mente che l'avevo messo addosso a quella ragazza sulla spiaggia perché faceva freddo e poi mi ero dimenticato di chiederglielo. Devi capirmi, Jeremy, la vita dei marinai è così. Non sono una bestia..."

"Eri ubriaco."

"Può darsi. Quando capii che Eliza era mia figlia, cercai di rintracciare la madre, ma era scomparsa. Forse era morta, non lo so."

"Per qualche motivo, la madre decise che noi avremmo dovuto allevare la bambina, Jeremy, e non mi sono mai pentita di averlo fatto. Le abbiamo dato affetto, una vita serena, educazione. Forse sua madre non poteva darle niente e per questo portò Eliza avvolta nel panciotto, perché sapessimo chi era il padre," aggiunse Miss Rose.

"Tutto qui? Uno schifoso panciotto? Questo non prova assolutamente niente. Chiunque può essere il padre. Quella donna si è disfatta della creatura con molta astuzia."

"Avevo paura che avresti reagito così, Jeremy. Ed è per questo che a suo tempo non te ne parlai," replicò sua sorella.

Tre settimane dopo essersi congedata da Tao Chi'en, Eliza si trovava con cinque minatori a lavare l'oro sulle sponde dell'American River. Non aveva viaggiato da sola. Il giorno della sua partenza da Sacramento si era unita a un gruppo di cileni diretti ai giacimenti. Avevano comprato delle cavalcature, ma nessuno si intendeva di animali e i ranchero messicani avevano mascherato abilmente l'età e i difetti dei cavalli e dei muli. Erano bestie patetiche, con le spellature dissimulate dalla vernice e drogate, che, perso lo slancio dopo poche ore di marcia, si trascinavano zoppicando. Ogni cavaliere portava con sé un carico di attrezzi, armi e contenitori di latta, così che la triste comitiva avanzava a passo lento in mezzo a un frastuono metallico. Strada facendo si disfacevano del bagaglio che rimaneva sparso vicino alle croci che punteggiavano il paesaggio a indicare i defunti. Eliza si presentò con il nome di Elías Andieta: era appena giunto dal Cile su incarico della madre per cercare il fratello Joaquín ed era disposto a passare al setaccio l'intera California pur di adempiere alla consegna.

"Quanti anni hai, moccioso?" le chiesero.

"Diciotto."

"Ne dimostri quattordici. Non sei un po' giovane per cercare l'oro?"

"Ne ho diciotto e non cerco oro, ma mio fratello Joaquín," ripeté.

I cileni erano giovani, allegri e l'entusiasmo che li aveva spinti ad abbandonare la loro terra era ancora vivo, per quanto iniziassero ad accorgersi che le strade non erano lastricate di tesori come avevano raccontato loro. All'inizio Eliza non mostrò mai il viso, tenendo sempre il cappello sugli occhi, ma ben presto si accorse che gli uomini non si guardano molto tra loro. Presero per vero che si trattava di un ragazzo e non furono stupiti dalla forma del suo corpo, dalla sua voce o dai suoi modi. Ognuno talmente preso dai fatti suoi, non notarono che non orinava con loro e che, quando incrociavano una pozza d'acqua in cui rinfrescarsi, mentre loro si denudavano, lei si buttava vestita e con il cappello in testa, sostenendo che così ne approfittava per lavare contemporaneamente i vestiti. D'altra parte sull'igiene si poteva anche passare sopra e dopo pochi giorni Eliza era sporca e sudata quanto i suoi compagni. Scoprì che il sudiciume accomuna tutti nella medesima abiezione; il suo naso da segugio distingueva a malapena l'odore del proprio corpo da quello degli altri. La tela spessa dei pantaloni le grattava le gambe, non era abituata a cavalcare per lunghi tratti, e il secondo giorno le natiche scorticate le consentivano di camminare a stento, ma anche gli altri erano gente di città ed erano afflitti quanto lei. Il clima secco e caldo, la sete, la fatica e il perpetuo assalto delle zanzare, ben presto li privarono della voglia di far baldoria. Procedevano in silenzio, con lo strimpellio delle loro cianfrusaglie, pentiti ancor prima di essersi dedicati all'impresa. Cercarono per settimane un luogo propizio in cui stabilirsi per cercare l'oro, tempo che Eliza sfruttò per la sua ricerca di Joaquín Andieta. Né gli indizi raccolti né le cartine mal disegnate servivano a molto e quando raggiungevano un buon punto per il lavaggio dell'oro, vi ritrovavano centinaia di minatori giunti prima di loro. Ognuno aveva diritto a reclamare per sé cento piedi quadrati; marchiava il posto lavorandoci giornalmente e lasciandoci gli strumenti quando si assentava, ma se si allontanava per più di dieci giorni, altri potevano occuparlo e registrarlo a loro nome. I peggiori crimini, invadere un ettaro altrui prima della scadenza e rubare, si pagavano con la forca o a frustate, dopo un sommario processo nel quale i minatori facevano da giudici, giuria e boia. Ovunque incrociavano gruppi di cileni. Si riconoscevano dall'abbigliamento e dall'accento, si abbracciavano entusiasti, condividevano il *mate*, l'acquavite e il *charqui*, si raccontavano a tinte forti le reciproche disavventure, cantavano canzoni nostalgiche sotto le stelle e il giorno dopo si separavano frettolosamente, senza dimostrazioni di grande affetto. Dall'accento da damerini e dalle conversazioni, Eliza dedusse che alcuni erano signorini di Santiago, figurini azzimati mezzo aristocratici che pochi mesi prima usavano finanziera, scarpe di vernice, guanti di capretto e avevano i capelli imbrillantinati, ma che nei giacimenti era quasi impossibile distinguere dai più rustici zoticoni, con i quali lavoravano gomito a gomito. Le smancerie e i pregiudizi di classe andavano in fumo a contatto con la brutale realtà delle miniere, ma per l'odio razziale non era così, e al minimo pretesto scoppiava qualche rissa. I cileni, più numerosi e intraprendenti di altri ispanici, si attiravano l'odio dei gringo. Eliza venne a sapere che a San Francisco un gruppo di australiani ubriachi aveva attaccato Cilecito scatenando una battaglia campale. Nei giacimenti erano all'opera diverse compagnie cilene che si erano portate i lavoratori dai campi, coloni che per generazioni avevano vissuto in un regime feudale e che lavoravano per uno stipendio infimo, senza stupirsi che l'oro non fosse di chi lo trovava, ma del padrone. Agli occhi degli yankee questo sistema era semplicemente schiavista. Le leggi americane intendevano favorire i singoli: ogni proprietà era ridotta allo spazio che un uomo da solo riusciva a sfruttare, e le compagnie cilene gabbavano la norma registrando i diritti a nome di ognuno dei lavoranti per acquisire più terre.

C'erano bianchi di diverse nazionalità con camicie di flanella, pantaloni negli stivali e coppie di revolver; cinesi con le loro giacchette trapuntate e gli ampi calzoni; indiani con inconsistenti giacche militari e il posteriore all'aria; messicani vestiti in cotone bianco con enormi cappelli; sudamericani con poncho corti e grossi cinturoni di cuoio in cui riponevano coltello, tabacco, polvere da sparo e denaro; viaggiatori delle isole Sandwich a piedi nudi e con fasce di seta brillanti: una mescolanza di colori, culture, religioni e lingue, con un'ossessione comune. A ognuno di loro Eliza domandava di Joaquín Andieta e chiedeva di far girare la voce che suo fratello Elías lo stava cercando. Addentrandosi sempre di più in quel territorio, si rendeva conto di quanto fosse sterminato e di quanto difficile sarebbe stato ritrovare l'amante in mezzo ai cinquantamila forestieri che brulicavano ovunque.

Il gruppo di cileni esausti alla fine decise di fermarsi. Erano giunti alla valle dell'American River sotto un caldo infernale, solamente con due muli e con il cavallo di Eliza, perché gli altri animali avevano capitolato strada facendo. La terra era secca e screpolata senz'altra vegetazione che pini e roveri, ma un limpido fiume torrentizio scendeva dalle montagne saltando sulle pietre, trafiggendo la valle come un coltello. Sulle rive c'erano file e file di uomini intenti a scavare e a riempire i secchi con la terra fine che poi setacciavano grazie a un dispositivo simile alla culla di un neonato. Lavoravano con la testa al sole, le gambe nell'acqua gelida e i vestiti zuppi; dormivano sdraiati per terra senza abbandonare le armi, mangiavano pane raffermo e carne salata, bevevano acqua inquinata dalle centinaia di scavi a monte e liquore talmente adulterato che molti si ritrovavano il fegato distrutto o impazzivano. Quando Eliza vide morire due uomini nel giro di pochi giorni, in preda alle convulsioni provocate dal dolore e ricoperti dal sudore schiumoso del colera, fu riconoscente alla saggezza di Tao Chi'en, che le aveva raccomandato di non bere acqua che non fosse stata bollita. Per quanto insopportabile fosse la sete, lei aspettava fino a sera, quando si accampavano, per preparare tè o *mate*. Di tanto in tanto si udivano grida di giubilo: qualcuno aveva trovato una pepita d'oro, ma la maggioranza si accontentava di separare qualche grammo prezioso da tonnellate di terra inutile. Mesi prima si potevano ancora vedere le scaglie brillare nell'acqua limpida, ma ora la natura era stata sconvolta dalla cupidigia umana, il paesaggio alterato da cumuli di terra e pietre, buche enormi, fiumi e ruscelli deviati dai loro corsi e acqua distribuita in innumerevoli pozzanghere, migliaia di tronchi sradicati là dove prima prosperavano boschi. Per arrivare al metallo ci voleva una determinazione da titani.

Eliza non aveva intenzione di fermarsi, ma si sentiva a pezzi e non riusciva a pensare di proseguire a cavallo da sola, alla deriva. I suoi compagni occuparono un appezzamento in fondo alla fila di minatori, piuttosto lontano dal piccolo villaggio che iniziava a sorgere in quel luogo, con la sua taverna e il suo emporio per soddisfare le necessità primarie. I loro tre vicini, originari dell'Oregon, che lavoravano e ingurgitavano alcol con una resistenza fuori dal comune, non persero tempo nei saluti ai nuovi arrivati; al contrario, fecero loro immediatamente sapere che non riconoscevano il diritto ai *greasers* di sfruttare il suolo americano. Uno dei cileni ribatté sostenendo che nemmeno loro avevano questo diritto, che la terra era degli indiani, e se altre persone non fossero intervenute a placare gli animi sarebbe scoppiata una rissa. In sottofondo si sentiva un baccano continuo di pale, picconi, acqua, pietre che rotolavano e maledizioni, ma il cielo era limpido e l'aria sapeva di foglie d'alloro. I cileni si lasciarono cadere a terra morti dalla fatica e il presunto Elías Andieta accese un piccolo falò per preparare il caffè e diede da bere al cavallo. Impietosita, fece lo stesso con i poveri muli, anche se non erano suoi, e scaricò i bagagli affinché potessero riposare. La spossatezza le annebbiava la vista e a stento riusciva a dominare il tremito delle ginocchia; capì che Tao Chi'en aveva ragione quando l'aveva avvertita della necessità di rimettersi in forze prima di lanciarsi in una simile avventura. Pensò alla casetta di assi e stoffa a Sacramento, dove a quell'ora probabilmente lui stava meditando o scrivendo con un pennino e inchiostro di china nella sua bella calligrafia. Sorrise, meravigliata nel constatare come la nostalgia non evocasse la tranquilla stanza del cucito di Miss Rose o la tiepida cucina di Mama Fresia. Come sono cambiata, sospirò, guardandosi le mani bruciate dal sole inclemente e piene di vesciche.

Un giorno i suoi compagni la mandarono all'emporio a comprare i prodotti indispensabili per la sopravvivenza e una di quelle culle per setacciare la terra, marchingegno che si rivelava ben più efficace dei loro modesti trogoli. L'unica strada del paese, se così si poteva chiamare quel gruppo di case, era una fangaia disseminata di rifiuti. L'emporio, una capanna di tronchi e assi, era il centro della vita sociale per quella comunità di uomini soli. Lì si vendeva un po' di tutto, si serviva liquore e qualcosa da mangiare; di notte, quando i minatori andavano a bere, un violinista rallegrava l'ambiente con i suoi pezzi e allora qualcuno appendeva un fazzoletto alla cintura, segno che assumeva il ruolo della dama, e gli altri si disponevano a fare dei turni per farlo ballare. Non c'era una sola donna nel raggio di parecchie miglia, ma di tanto in tanto passava un carro trainato da muli carico di prostitute. Le attendevano con ansia e le ricompensavano con generosità. Il proprietario dell'emporio risultò essere un mormone loquace e di buon cuore, con tre mogli nello Utah, che faceva credito a chi si convertiva alla sua fede. Era astemio e mentre vendeva l'alcol predicava contro il vizio di berlo. Aveva conosciuto un certo Joaquín e il cognome gli sembrava simile ad Andieta, raccontò a Eliza quando lei lo interrogò, ma era passato di lì parecchio tempo prima e non sapeva dirle che direzione avesse poi preso. Lo ricordava perché era stato invischiato in una rissa tra americani e spagnoli a proposito di un ettaro. Cileni? Forse, di certo parlava castigliano, poteva anche essere messicano, disse, a lui tutti i *greasers* sembravano uguali.

"E come andò a finire?"

"Gli americani si tennero la proprietà e gli altri dovettero andarsene. Come poteva andare a finire? Joaquín e un altro uomo rimasero qui nell'emporio due o tre giorni. Misi una coperta lì in un angolo e li lasciai riposare fino a che non si furono rimessi un po', perché ne avevano prese parecchie. Non erano cattive persone. Mi ricordo di tuo fratello, un ragazzo dai capelli neri e dagli occhi grandi, piuttosto bello."

"Proprio lui," disse Eliza con il cuore che batteva al galoppo.

TERZA PARTE
1850-1853

EL DORADO

Quattro uomini trasportarono l'orso, due per lato, tirandolo con grosse corde, in mezzo a una folla esaltata. Lo trascinarono fino al centro dell'arena e lo legarono a un palo per una zampa con una catena di venti piedi e poi ci misero quindici minuti per sciogliere le funi, mentre graffiava e mordeva con un'ira da fine del mondo. Pesava più di seicento chili, aveva la pelliccia bruna, un occhio guercio, diverse spellature e cicatrici di vecchie battaglie sul dorso, ma era ancora giovane. Una bava schiumosa copriva le fauci dagli enormi denti gialli. In piedi sulle zampe posteriori, sbracciandosi inutilmente con i suoi artigli preistorici, scrutava la folla con l'occhio sano, strattonando disperatamente la catena.

Era un paesucolo sorto in pochi mesi dal nulla, costruito in un batter d'occhio da transfughi e senza ambizioni di durata. In mancanza di un'arena per i tori, come quelle presenti in tutti i paesi messicani della California, si ricorreva a un ampio spiazzo circolare, che serviva per domare i cavalli e rinchiudere i muli, rinforzato con assi e dotato di gradinate in legno su cui si sistemava il pubblico. In quel pomeriggio novembrino dal cielo color acciaio minacciava di piovere, ma non faceva freddo e la terra era secca. Dietro alla staccionata, centinaia di spettatori rispondevano a ogni ruggito dell'animale con cori di scherno. Le sole donne, una mezza dozzina di ragazze messicane con vestiti bianchi ricamati accompagnate dalle immancabili sigarette, rappresentavano, insieme all'orso, le personalità illustri e anch'esse venivano salutate dagli uomini con grida di olé, mentre le bottiglie di liquore e i sacchetti d'oro delle scommesse giravano di mano in mano. I giocatori d'azzardo, in abiti da città, panciotti fantasia, ampie cravatte e cappelli a cilindro, si distinguevano tra la massa rozza e scompigliata. Tre musicisti suonavano con i loro violini le canzoni preferite e non appena attaccarono con brio *Oh Susanna*, inno dei minatori, un paio di comici barbuti, vestiti da donna, saltarono nell'arena e compirono un giro trionfale tra oscenità e manate, sollevandosi le gonne per mostrare gambe pelose e pantaloni a campana. Il pubblico li festeggiò con una generosa pioggia di monete e uno scroscio di applausi e risate. Quando si furono ritirati, al solenne rintocco di cornetta e rullare di tamburi che annunciava l'inizio del combattimento, seguì il bramito della folla elettrizzata.

Persa nella moltitudine, Eliza seguiva lo spettacolo affascinata e inorridita. Aveva scommesso i pochi soldi rimasti nella speranza di vederli moltiplicati nel giro di qualche minuto. Al terzo rintocco di cornetta venne aperto un portellone di legno e un toro giovane, nero e lucente entrò sbuffando. Per un attimo sulle gradinate regnò un silenzio meravigliato e subito dopo un olé urlato a squarciagola accolse l'animale. Il toro si fermò sconcertato, la testa alta, coronata dalle grandi corna mai limate, gli occhi all'erta che prendevano le misure, gli zoccoli anteriori che raspavano la sabbia, fino a quando un grugnito dell'orso non attirò la sua attenzione. L'avversario l'aveva visto e in tutta fretta si era scavato una buca a poca distanza dal palo, dove si era rannicchiato, schiacciato a terra. Alle urla del pubblico il toro chinò la testa, mise in tensione i muscoli e si lanciò nella corsa sollevando una nube di sabbia, accecato dalla collera, ansimando, liberando vapore dalle narici e schiumando bava dal muso. L'orso lo stava aspettando. Ricevette la prima cornata sul dorso e nella grossa pelliccia si aprì un solco sanguinante che tuttavia non lo fece muovere di un centimetro. Il toro fece un giro al trotto nell'arena, confuso, mentre la folla lo aizzava insultandolo, immediatamente tornò alla carica, cercando di sollevare l'orso con le corna, ma questi si mantenne acquattato e sostenne l'assalto senza batter ciglio, finché non individuò il momento opportuno e con una zampata precisa gli fece a pezzi il naso. Sanguinando a fiotti, sconvolto dal dolore e senza meta, l'animale iniziò ad attaccare con testate alla rinfusa, ferendo l'avversario più di una volta senza mai riuscire però a farlo uscire dalla buca. All'improvviso l'orso si alzò e lo afferrò per il collo in un abbraccio terribile, mordendogli la nuca. Per lunghi minuti danzarono insieme nel cerchio consentito dal raggio della catena, mentre la sabbia si inzuppava sempre più di sangue e sulle gradinate rimbombavano le urla selvagge degli uomini. Alla fine il toro riuscì a liberarsi, si allontanò di qualche passo, vacillando, con le zampe molli e il pelo di brillante ossidiana tinto di rosso, e infine si piegò sulle ginocchia e cadde bocconi. Allora un assordante clamore festeggiò la vittoria dell'orso. Entrarono nell'arena due cavalieri, spararono un colpo di fucile in mezzo agli occhi del vinto, lo legarono per le zampe posteriori e lo trascinarono via. Eliza si fece strada verso l'uscita, disgustata. Aveva perso gli ultimi quaranta dollari.

Durante i mesi dell'estate e dell'autunno 1849, Eliza cavalcò lungo la Veta Madre, da sud a nord, da Mariposa a Downieville e poi a ritroso, seguendo la pista sempre più incerta di Joaquín Andieta per dirupi scoscesi, dai letti dei fiumi alle falde della Sierra Nevada. Quando chiedeva di lui, all'inizio pochi ricordavano una persona il cui nome, o la descrizione, corrispondesse, ma verso la fine dell'anno la sua figura iniziò ad acquisire contorni reali ed era questo a dare alla ragazza la forza per proseguire. Aveva fatto girare la voce che il fratello Elías lo stava cercando e in quei mesi, più di una volta, l'eco le aveva restituito la sua stessa voce. In diverse occasioni, quando chiedeva di Joaquín, veniva identificata come il fratello ancor prima di presentarsi. In quella regione selvaggia la posta arrivava da San Francisco con mesi di ritardo e i giornali ci impiegavano settimane, ma il tam tam funzionava perfettamente. Com'era possibile che Joaquín non avesse sentito dire che lo stavano cercando? Visto che non aveva fratelli, si doveva pur essere domandato chi fosse tal Elías, e se possedeva un briciolo d'intuito poteva associare quel nome al suo, e anche se non aveva sospetti, perlomeno doveva avere la curiosità di scoprire chi si stesse spacciando per suo parente. Di notte Eliza riusciva a dormire a malapena, confusa dal ginepraio di congetture e con il dubbio ostinato che il silenzio potesse spiegarsi semplicemente con la morte o con il desiderio di non essere trovato. E se davvero stava fuggendo da lei, come aveva insinuato Tao Chi'en? Passava le giornate a cavallo e le notti sdraiata a terra nel primo posto che capitava, al riparo della sua coperta castigliana e con gli stivali per cuscino, senza spogliarsi. La sporcizia e il sudore avevano smesso di infastidirla, mangiava quando era possibile, le uniche precauzioni adottate erano far bollire l'acqua da bere e non guardare i gringo negli occhi.

In quel periodo si contavano già più di centomila argonauti e continuavano ad arrivarne altri, disseminati lungo la Veta Madre, che capovolgevano il mondo, spostando montagne, deviando fiumi, distruggendo boschi, polverizzando pietre, rimuovendo tonnellate di sabbia e scavando buche gigantesche. Nelle zone in cui c'era oro, quel paesaggio idilliaco che era rimasto intatto dall'inizio dei tempi si era trasformato in un incubo lunare. Eliza era perennemente stravolta, ma aveva recuperato un po' di forze e perduto la paura. Le tornarono le mestruazioni nel momento meno opportuno, perché era difficile dissimularle in compagnia di uomini, ma le accolse con gratitudine, come segno del fatto che finalmente il suo corpo era guarito. "I tuoi aghi mi hanno fatto bene, Tao. Spero di avere dei figli in futuro," scrisse all'amico, certa che non avrebbe avuto bisogno di altre spiegazioni per capire. Non si separava mai dalle sue armi, benché non le sapesse usare e sperasse di non trovarsi in condizione di doverci provare. Solo una volta sparò in aria per mettere in fuga dei giovani indiani che si erano avvicinati troppo e che le erano parsi minacciosi, ma se si fosse battuta con loro ne sarebbe uscita molto male dato che era incapace di colpire un asino a cinque metri di distanza. Non aveva perfezionato la mira, bensì l'arte di rendersi invisibile. Poteva entrare nei paesi senza richiamare l'attenzione, mescolandosi ai gruppi di latini in cui un ragazzo col suo aspetto passava inosservato. Aveva imparato a imitare perfettamente l'accento peruviano e quello messicano e così poteva confondersi con uno di loro quando cercava alloggio. Modificò anche il suo inglese britannico in favore dell'americano e iniziò a impiegare le parolacce indispensabili per essere accettata tra i gringo. Si rendeva conto che parlando come loro veniva rispettata; l'importante era non dare spiegazioni, parlare il meno possibile, non chiedere niente, lavorare per badare a sé, tener testa quando veniva provocata e aggrapparsi a una piccola Bibbia che aveva comprato a Sonora. Anche i più violenti provavano una superstiziosa deferenza per quel libro. Li stupiva quel ragazzo imberbe dalla voce femminile che di sera leggeva le Sacre Scritture, ma non la canzonavano apertamente, anzi, alcuni si trasformavano in suoi protettori, pronti a battersi con chiunque la dileggiasse. In quegli uomini soli e spietati, che erano partiti in cerca di fortuna come i mitici eroi dell'antica Grecia e che ora si trovavano a dover lottare per la sopravvivenza, spesso malati, dediti all'alcol e alla violenza, c'era un inconfessato anelito alla tenerezza e all'ordine. Le canzoni romantiche inumidivano loro gli occhi ed erano disposti a pagare qualsiasi cifra per una fetta di torta di mele che offrisse loro un attimo di conforto contro la nostalgia del focolare; facevano lunghi giri pur di avvicinarsi a una casa in cui ci fosse un bimbo e rimanevano poi a contemplarlo in silenzio come si trattasse di un miracolo.

"Non temere, Tao, non viaggio da sola, sarebbe una follia," scriveva Eliza all'amico. "Bisogna muoversi in gruppi numerosi, ben armati e sempre all'erta, perché negli ultimi tempi le bande di fuorilegge si sono moltiplicate. Nonostante il loro terrificante aspetto gli indiani sono piuttosto pacifici, ma se vedono un uomo indifeso lo privano delle sue più ambite proprietà: cavalli, armi, stivali. Mi sposto insieme ad altri viaggiatori: commercianti che vanno da un paese all'altro con i loro prodotti, minatori in cerca di nuovi filoni, famiglie di agricoltori, cacciatori, imprenditori e agenti di proprietà, che iniziano a invadere la California, giocatori, pistoleri, avvocati e altre canaglie che in linea di massima sono i compagni di viaggio più divertenti e generosi. Da queste parti girano anche predicatori, sono sempre giovani e sembrano matti illuminati. Bisogna averne parecchia di fede per percorrere tremila miglia attraverso praterie vergini allo scopo di combattere i vizi altrui. Partono dalle loro case animati da zelo e passione, intenzionati a portare la parola di Cristo in questi luoghi così fuori mano, senza preoccuparsi degli ostacoli e delle avversità perché Dio marcia al loro fianco. Chiamano i minatori 'gli adoratori del vitello d'oro'. Devi leggere la Bibbia, Tao, altrimenti non capirai mai i cristiani. Questi pastori non vengono mai sconfitti dalle vicissitudini materiali, ma molti soccombono con l'anima a pezzi, impotenti davanti alla forza soggiogante della cupidigia. È di conforto vederli non appena arrivano, ancora innocenti, ed è triste incrociarli quando Dio ha smesso di proteggerli, e viaggiano come anime in pena da un accampamento all'altro, assetati e con un sole implacabile sulla testa, per predicare in piazze e taverne davanti a un pubblico indifferente che li ascolta senza togliersi il cappello e vederli poi, cinque minuti dopo, ubriacarsi con qualche donnetta. Ho conosciuto un gruppo di artisti itineranti, Tao, poveri diavoli che si fermavano nei paesi per intrattenere la gente con pantomime, canzoni piccanti e commedie grossolane. Ho viaggiato con loro per diverse settimane e ho fatto parte dello spettacolo. Se trovavamo un piano, suonavo, altrimenti facevo la parte della dama giovane e tutti si meravigliavano di quanto mi fossero congeniali i ruoli femminili. Dovetti abbandonarli perché la situazione iniziava a mandarmi in confusione, non sapevo più se ero una donna vestita da uomo, un uomo vestito da donna o un'aberrazione della natura."

Eliza fece amicizia con il postino e quando poteva cavalcava con lui, perché viaggiava velocemente e aveva molti contatti; se c'è qualcuno che può trovare Joaquín è lui, pensava. L'uomo portava la posta ai minatori e tornava con le borse d'oro da depositare nelle banche. Era uno dei molti visionari arricchitisi con la febbre dell'oro senza aver mai preso in mano una pala o un piccone. Chiedeva due dollari e mezzo per portare una lettera a San Francisco e, approfittando dell'ansia dei minatori di ricevere notizie da casa, riscuoteva un'oncia d'oro per la consegna delle lettere a loro indirizzate. Guadagnava un patrimonio con questa attività, i clienti non mancavano e nessuno protestava per i prezzi dato che di alternative non ce n'erano, non potevano abbandonare le miniere per andare a caccia di corrispondenza o depositare i guadagni a cento miglia di distanza. Eliza cercava anche la compagnia di Charley, un ometto pieno di storie, che faceva la concorrenza ai mulattieri messicani nel trasporto di merci. Anche se non temeva nemmeno il diavolo in persona, era sempre felice di avere una scorta, perché aveva bisogno di orecchie per i suoi racconti. Quanto più lo osservava, tanto più cresceva in Eliza la certezza che, come per lei, si trattasse di una donna vestita da uomo. Charley aveva la pelle indurita dal sole, masticava tabacco, imprecava come un bandito e non si separava mai dalle sue pistole e dai suoi guanti, ma una volta Eliza riuscì a vedere le sue mani ed erano piccole e bianche come quelle di una fanciulla.

Finì per innamorarsi della libertà. Era vissuta tra quattro mura in casa Sommers, in un ambiente sempre identico a se stesso, in cui il tempo girava in tondo e in cui si intravedeva a malapena la linea dell'orizzonte attraverso le finestre tormentate; era cresciuta nell'impenetrabile armatura delle buone maniere e delle convenzioni, allenata da sempre a compiacere e a servire, nelle limitazioni imposte dal bustino, dalla routine, dalle norme sociali e dalla paura. Il timore era sempre stato suo compagno: timore di Dio e della sua imprevedibile giustizia, dell'autorità, dei genitori adottivi, della malattia e della maldicenza, di quanto era sconosciuto e diverso, di rinunciare alla protezione della casa e di affrontare i pericoli della strada; timore della sua fragilità femminile, del disonore e della verità. La sua era stata una realtà zuccherata, fatta di omissioni, silenzi cortesi, segreti ben mantenuti, ordine e disciplina. Sua aspirazione era stata la virtù, ma ora dubitava del significato di quella parola. Dandosi a Joaquín Andieta nella stanza degli armadi aveva commesso un errore irreparabile agli occhi del mondo, ma ai suoi l'amore giustificava tutto. Non sapeva cosa avesse perduto o guadagnato con quella passione. Era partita dal Cile con il proposito di ritrovare l'amante e di diventare per sempre sua schiava, credendo che così avrebbe placato la sete di sottomissione e il recondito anelo al possesso, ma ora non si sentiva più in grado di rinunciare a quelle giovani ali che stavano iniziando a crescerle sulle spalle. Non aveva rimorsi per quanto aveva condiviso con l'amante né si vergognava della fiammata che l'aveva sconvolta, anzi, sentiva che l'aveva resa forte tutto a un tratto e che le aveva dato la fierezza necessaria per prendere delle decisioni e per pagarne le conseguenze. Non doveva spiegazioni a nessuno; se aveva commesso degli errori li aveva pagati sufficientemente cari con la perdita della famiglia, le settimane di tormento sepolta nella stiva, il figlio morto e l'assoluta incertezza circa il futuro. Quando era rimasta incinta e si era sentita in trappola, aveva scritto sul diario di aver perso il diritto alla felicità e tuttavia, in quegli ultimi mesi in cui aveva cavalcato per il dorato paesaggio californiano, aveva provato la sensazione di volare come un condor.

Una mattina si era svegliata al nitrito del suo cavallo e con la luce dell'alba in viso; si era vista circondata da superbe sequoie che come guardiani centenari avevano vegliato sul suo sonno, da dolci pendii e, in lontananza, dalle alte cime violette; e allora era stata invasa da una felicità mai sperimentata prima. Si era resa conto che ormai era sparita quella sensazione di panico sempre acquattata nella bocca dello stomaco, come un topo pronto a mordere. Le paure si erano diluite nella superba grandiosità di quel territorio. E a mano a mano che affrontava i rischi, aveva acquistato audacia e aveva perso la paura della paura.

"Sto scoprendo in me nuove forze, che forse ho sempre avuto, ma che non conoscevo perché fino a ora non avevo avuto bisogno di ricorrervi. Non so a quale curva della strada si sia persa la persona che ero prima, Tao. Ora sono un altro degli innumerevoli avventurieri dispersi sulle rive di questi fiumi trasparenti e sulle falde di queste montagne eterne. Sono uomini orgogliosi, che sopra i loro cappelli hanno solo il cielo, che non si piegano davanti a nessuno perché stanno inventando l'uguaglianza. E io voglio essere uno di loro. Alcuni camminano vittoriosi con una borsa d'oro sulle spalle e altri procedono sconfitti con l'unico fardello delle disillusioni e dei debiti, ma tutti si sentono padroni del proprio destino, della terra che calpestano, del futuro, della propria inoppugnabile dignità. Dopo averli conosciuti non posso tornare a essere una signorina come voleva Miss Rose. Ora posso capire Joaquín, quando rubava ore preziose al nostro amore per parlarmi di libertà. Era di questo che parlava... Di questa euforia, di questa luce, di questa felicità intensa come i rari momenti d'amore passati insieme che riesco a ricordare. Sento la tua mancanza, Tao. Non so con chi parlare di quello che vedo, di quello che provo. Non ho un amico in queste zone desolate e nella mia parte di uomo sto molto attenta a quel che dico. Sono sempre accigliata, perché mi credano un vero uomo. È scomodo essere uomini, ma essere donne lo è ancora di più."

Vagando da una zona all'altra arrivò a conoscere l'aspro territorio come se fosse nata lì, poteva localizzare il punto in cui si trovava e calcolare le distanze, distingueva i serpenti velenosi da quelli innocui e i gruppi ostili da quelli amichevoli, prevedeva il tempo dalla forma delle nuvole, deduceva l'ora dall'angolo della sua ombra, sapeva cosa fare quando si imbatteva in un orso e come avvicinarsi a una capanna isolata senza essere ricevuta a colpi di pistola. A volte incontrava giovani appena arrivati che trascinavano su per i pendii complicate macchine estrattive che alla fine venivano abbandonate quando risultavano inutilizzabili, o incrociava gruppi di uomini febbricitanti che scendevano dai monti dopo mesi di inutile lavoro. Non poteva dimenticare quel cadavere becchettato dagli uccelli che pendeva da un rovere con un cartello di avvertimento... Nel suo peregrinare vedeva americani, europei, kanakas, messicani, cileni, peruviani, nonché lunghe file di cinesi silenziosi agli ordini di un caposquadra che, pur appartenendo alla loro stessa razza, li trattava come servi e li pagava con le briciole. Portavano un fagotto sulla schiena e gli stivali in mano, perché avevano sempre usato pantofole e non sopportavano pesi ai piedi. Era gente parsimoniosa, viveva di niente e spendeva il meno possibile; compravano calzature grandi perché le credevano più resistenti e rimanevano sbalorditi quando appuravano che il prezzo era lo stesso di quelle piccole. Eliza affinò l'istinto a eludere i pericoli. Imparò a vivere alla giornata senza fare progetti, come le aveva consigliato Tao Chi'en. Pensava spesso a lui e gli scriveva assiduamente, ma poteva spedire le lettere solo quando arrivava a un paese con servizio postale per Sacramento. Era come lanciare messaggi nella bottiglia in mare, perché non sapeva se lui vivesse ancora in quella città e l'unico indirizzo sicuro che possedeva era quello del ristorante cinese.

Sapeva che se le sue lettere fossero arrivate fin lì, sicuramente gliele avrebbero date.

Gli raccontava del paesaggio meraviglioso, del caldo e della sete, delle colline dalle curve voluttuose, degli imponenti roveri e dei pini slanciati, dei fiumi gelati dall'acqua talmente limpida che si poteva vedere l'oro brillare nel loro letto, delle oche selvatiche che gracchiavano in cielo, dei cervi e dei grandi orsi, della dura vita dei minatori e del miraggio della fortuna facile. Gli diceva quel che entrambi già sapevano: che non valeva la pena sprecare la vita a caccia di una polvere gialla. E indovinava la risposta di Tao: che non valeva la pena nemmeno di sprecarla inseguendo un amore illusorio, ma lei tirava dritta per la sua strada perché non poteva fermarsi. Joaquín Andieta iniziava a dissolversi, la sua buona memoria non riusciva a disegnare con precisione i tratti dell'amante, doveva rileggere le lettere d'amore per essere certa che era realmente esistito, che si erano amati e che le notti nella stanza degli armadi non erano un inganno della sua immaginazione. E così rinnovava il dolce tormento dell'amore solitario. A Tao Chi'en descriveva la gente che conosceva strada facendo, le masse di immigranti messicani che si erano stabiliti a Sonora, l'unico paese in cui scorrazzavano bambini per le strade, le umili donne che l'accoglievano sempre nelle loro case d'argilla senza sospettare che fosse una di loro, le migliaia di giovani americani che si erano recati ai giacimenti quell'autunno, dopo aver attraversato via terra il continente dalle coste dell'Atlantico a quelle del Pacifico. Calcolava che fossero circa quarantamila i nuovi arrivati, ognuno di loro pronto ad arricchirsi in un batter d'occhio e a tornare trionfalmente al suo paese. Venivano chiamati "quelli del '49", nome che divenne talmente popolare da essere adottato anche da chi era arrivato prima o dopo. A est interi paesi rimanevano privi di uomini, abitati solo da donne, bambini e prigionieri.

"Vedo pochissime donne nelle miniere, ma ce ne sono alcune con sufficiente fegato da accompagnare i mariti in questa vita da cani. I bambini muoiono per le epidemie o gli incidenti; le madri li seppelliscono, li piangono e continuano a lavorare dall'alba al tramonto per impedire che la barbarie rada al suolo ogni traccia di dignità. Si arrotolano le gonne e si mettono in acqua a cercare l'oro, ma alcune scoprono che è più produttivo lavare la biancheria altrui o sfornare biscotti, e così guadagnano più loro in una settimana che i loro compagni in un mese nei giacimenti. Un uomo solo paga volentieri dieci volte il suo prezzo un pane impasta-

233

to da mani femminili: se cerco di venderlo io, vestita da Elías Andieta, mi danno solo qualche spicciolo, Tao. Gli uomini sono capaci di camminare per parecchie miglia pur di vedere una donna da vicino. Una ragazza ferma a prendere il sole davanti a una taverna in pochi minuti si ritrova sulle ginocchia una collezione di sacchettini d'oro, omaggio degli uomini istupiditi dall'evocativa visione di una gonna. E i prezzi continuano a crescere; i minatori sempre più poveri e i commercianti sempre più ricchi. In un momento di disperazione ho pagato un dollaro per un uovo e me lo sono ingoiato crudo con una spruzzata di brandy, sale e pepe, come mi aveva insegnato Mama Fresia: rimedio infallibile per la desolazione. Ho conosciuto un ragazzo che viene dalla Georgia, un poveretto che ora è squilibrato, ma che, mi hanno detto, prima non era così. All'inizio dell'anno aveva trovato un filone e dalle rocce era riuscito a raschiare con un cucchiaio novemila dollari, ma poi li perse in una sera giocando al *monte*. Ah, Tao, non puoi immaginarti che voglia ho di farmi un bagno, di preparare il tè e di sedermi a chiacchierare con te. Mi piacerebbe indossare un vestito pulito e mettermi gli orecchini che mi ha regalato Miss Rose, perché tu mi possa vedere carina e non creda che io sia un maschiaccio. Sto annotando sul mio diario tutto quello che succede, così potrò raccontarti i dettagli quando ci incontreremo, perché almeno di questo sono certa, un giorno saremo di nuovo insieme. Penso a Miss Rose e a quanto deve essere arrabbiata con me, ma non posso scriverle prima di aver trovato Joaquín, perché fino a quel momento nessuno deve sapere dove mi trovo. Se Miss Rose avesse solo una vaga idea di tutte le cose che ho visto e sentito, morirebbe. Questa è la terra del peccato, direbbe Mr Sommers, qui non ci sono né morale né leggi, imperano i vizi del gioco, l'alcol e i bordelli, ma per me questo paese è un foglio in bianco, qui posso scrivere la mia nuova vita, trasformarmi in quello che voglio, nessuno, tranne te, mi conosce, nessuno conosce il mio passato, posso nascere di nuovo. Qui non ci sono né signori né servi, ma solo gente che lavora. Ho visto antichi schiavi mettere insieme l'oro sufficiente a finanziare giornali, scuole e chiese per quelli della loro razza, lottando contro la schiavitù in California. Ne ho conosciuto uno che ha comprato la libertà della madre; la povera donna è arrivata ammalata e invecchiata, ma adesso guadagna quanto vuole vendendo cibo, ha acquistato un ranch e la domenica va in chiesa vestita di seta su una carrozza con quattro cavalli. Sai che molti marinai neri hanno disertato le navi non solo per l'oro, ma perché qui trovano l'unica forma di libertà? Ricordo le schiave cinesi che a San Francisco mi hai mostrato affacciate dietro a quelle sbarre, non posso dimenticarle, mi mettono angoscia. Da queste parti anche la vita delle prostitute è durissima, alcune si suicidano. Gli uomini attendono ore per salutare rispettosamente la nuova maestra, ma le ragazze dei saloon le maltrattano. Sai come le chiamano? Colombe infangate. E anche gli indiani si suicidano, Tao. Vengono respinti dappertutto e si aggirano affamati e disperati. Nessuno offre loro lavoro e come se non bastasse li accusano di vagabondaggio e li incatenano ai lavori forzati. I sindaci pagano cinque dollari per ogni indiano morto, li ammazzano per diporto e a volte strappano loro il cuoio capelluto. Non mancano gringo che collezionano questi trofei da esibire appesi ai finimenti. Ti farà piacere sapere che ci sono cinesi che sono andati a vivere con gli indiani. Vanno lontano, verso i boschi del Nord, dove si può ancora cacciare. Nelle praterie sono rimasti ben pochi bufali, dicono."

Alla fine del combattimento dell'orso Eliza si ritrovò senza soldi e affamata; non mangiava dal giorno prima, e decise che mai più avrebbe puntato i suoi risparmi a stomaco vuoto. Quando ormai aveva venduto tutto quello che poteva, rimase un paio di giorni senza sapere come sopravvivere e poi si mise a cercare lavoro, per scoprire che guadagnarsi da vivere era molto più facile di quanto sospettasse, e comunque certamente da preferire rispetto alla ricerca di qualcuno che sostenesse le spese. Senza un uomo che la protegga o la mantenga, una donna è perduta, le aveva ripetuto Miss Rose fino alla nausea, ma lei scoprì che non sempre era così. Calata nel ruolo di Elías Andieta trovava lavori che avrebbe potuto fare benissimo anche vestita da donna. Farsi assumere come bracciante o come bovaro era impossibile, non sapeva usare né un attrezzo né un lazzo e non aveva abbastanza forza per sollevare una pala o prendere un torello, ma non mancavano opportunità cui invece poteva aspirare. Quel giorno fece ricorso alla penna, proprio come aveva fatto tante volte prima. L'idea di scrivere lettere era stato un buon consiglio del suo amico, il postino. Se non poteva farlo nella taverna, stendeva la sua coperta castigliana in mezzo a una piazza, ci sistemava sopra carta e calamaio e poi sbandierava la sua professione a squarciagola. Molti minatori faticavano a leggere con scioltezza o a firmare, e non avevano mai scritto una lettera in vita loro, ma tutti attendevano la posta con un batticuore commovente: era l'unico contatto con le famiglie lontane. I vapori del *Pacific Mail* arrivavano a San Francisco ogni due settimane con i sacchi della corrispondenza e, non appena si profilavano all'orizzonte, la gente correva a mettersi in fila davanti all'ufficio postale. Gli impiegati ci mettevano dieci o dodici ore per distribuire il contenuto dei sacchi, ma a nessuno importava di dover aspettare una giornata intera. Da lì alle miniere la corrispondenza tardava ancora diverse settimane ad arrivare. Eliza offriva i suoi servizi in inglese e spagnolo, leggeva le lettere e preparava le risposte. Se al cliente a malapena venivano in mente due frasi laconiche per comunicare che era ancora vivo e mandare tanti saluti ai suoi, lei lo interrogava con pazienza e aggiungeva un racconto più fiorito fino a riempire perlomeno una pagina. Chiedeva due dollari a lettera, senza badare alla lunghezza, ma se aggiungeva frasi sentimentali che all'uomo mai sarebbero venute in mente, solitamente riceveva una buona mancia. Alcuni le portavano lettere da leggere e abbelliva anche queste, così il pover'uomo riceveva la consolazione di qualche parola affettuosa. Le donne, stanche di aspettare dall'altra parte del continente, in genere scrivevano solo lamentele, rimproveri o una sfilza di consigli cristiani, dimentiche del fatto che i loro uomini erano ammalati di solitudine. Un triste lunedì arrivò uno sceriffo a cercarla perché scrivesse le ultime parole di un condannato a morte, un ragazzo del Wisconsin che quella stessa mattina era stato accusato di aver rubato un cavallo. Imperturbabile, nonostante i diciannove anni compiuti di fresco, il ragazzo dettò a Eliza: "Cara mamma, spero che stia bene quando riceverà queste righe; la prego di dire a Bob e a James che oggi mi impiccano. Saluti, Theodore". Eliza cercò di ammorbidire un poco il messaggio, per evitare una sincope alla sfortunata madre, ma lo sceriffo disse che non c'era tempo per i salamelecchi. Alcuni minuti dopo diversi onesti cittadini condussero il reo in mezzo al paese, lo fecero sedere su un cavallo con una corda al collo, passarono l'altra estremità sul ramo di un rovere, diedero un colpo sulla groppa dell'animale e Theodore rimase appeso senza tante cerimonie. Non era il primo che Eliza vedeva. Perlomeno questa punizione era rapida, ma se l'accusato apparteneva a un'altra razza generalmente veniva frustato prima dell'esecuzione e, anche se lei si allontanava, le grida del condannato e la baraonda degli spettatori la inseguivano per settimane.

Quel giorno era sul punto di chiedere se poteva sistemarsi nella taverna per svolgere il suo lavoro di scribacchina, quando un gran chiasso richiamò la sua attenzione. Giusto mentre il pubblico si stava disperdendo dopo il combattimento dell'orso, nell'unica strada del paese stavano entrando dei carri trainati da muli preceduti da un ragazzino indiano che suonava un tamburo. Non erano veicoli come tutti gli altri, i rivestimenti di stoffa erano dipinti, dai tetti pendevano frange, pompon e lampade cinesi e i muli, addobbati come animali da circo, erano accompagnati da un insopportabile tintinnio di campanacci di rame. Seduta a cassetta sulla prima vettura si trovava un donnone dai seni enormi, vestita con abiti maschili e con una pipa da bucaniere tra i denti. Il secondo carro era guidato da un gigantesco individuo ricoperto da lise pelli di lupo, testa rasata, cerchi alle orecchie, armato come se dovesse partire per il fronte. Entrambe le carrozze ne avevano una a rimorchio su cui viaggiava il resto della compagnia: quattro ragazze acconciate di velluto sgualcito e broccato avvizzito, che mandavano baci al pubblico stupefatto. Lo sbigottimento durò solamente un istante; non appena riconobbero i carriaggi, una salva di grida e di colpi di pistola in aria ravvivò il pomeriggio. Fino ad allora le colombe infangate avevano regnato senza concorrenza femminile, ma la situazione era cambiata quando nei nuovi paesi si erano insediate le prime famiglie e i predicatori che scuotevano le coscienze minacciando la condanna eterna. In mancanza di chiese, organizzavano le funzioni religiose negli stessi saloon dove prosperava il vizio. Per un'ora veniva sospesa la vendita d'alcol, i mazzi di carte venivano ritirati, i quadri lascivi girati, e gli avventori ricevevano i severi rimproveri del pastore per i loro errori e la loro dissolutezza. Affacciate al balcone del secondo piano, le prostitute sopportavano filosoficamente la lavata di capo, consolate dalla certezza che nel giro di un'ora tutto sarebbe tornato nel suo alveo naturale. Finché gli affari andavano bene, non aveva molta importanza se chi le pagava per fornicare poi le incolpasse di ricevere il pagamento, come se il vizio fosse non di chi lo cercava, ma di chi induceva in tentazione. Una netta divisione tra le donne decenti e le donnacce veniva così stabilita. Stanche di corrompere le autorità e di sopportare umiliazioni, alcune si spostavano con i loro bauli in un altro luogo, dove prima o poi il ciclo si compiva nuovamente. L'idea di un servizio itinerante offriva il vantaggio non solo di eludere l'assedio delle mogli e dei religiosi, ma anche di espandere l'orizzonte alle zone più remote dove si incassava il doppio. Gli affari andavano a gonfie vele quando il clima era buono, ma l'inverno era alle porte, presto sarebbe caduta la neve e le strade sarebbero diventate intransitabili; questo era uno degli ultimi viaggi della comitiva.

I carri percorsero la strada e si fermarono all'uscita del paese, seguiti da una processione di uomini ringalluzziti dall'alcol e dal combattimento dell'orso. Anche Eliza si avviò in quella direzione per vedere da vicino la novità. Capì che sarebbero venuti meno i clienti della sua attività epistolare e che doveva trovarsi un altro modo di guadagnarsi la cena. Approfittando del cielo sereno, diversi volontari si offrirono per sganciare i muli e aiutare a scaricare un pianoforte sconquassato, che collocarono sul prato agli ordini della tenutaria che tutti chiamavano con il grazioso nome di Joe Spaccaossa. In un battibaleno fu sgomberato un pezzo di terra, vennero sistemati i tavoli e per magia apparvero bottiglie di rum e pile di cartoline di donne nude. E anche due casse di libri a poco prezzo che vennero annunciati come "romanzi d'alcova con le scene più piccanti di Francia". Venivano venduti a dieci dollari, una bazzecola, perché grazie a loro ci si poteva eccitare tutte le volte che si voleva e si potevano anche prestare agli amici; erano molto più convenienti di una donna vera, spiegò la Spaccaossa, e per dimostrarlo lesse un passaggio che il pubblicò ascoltò in un silenzio di tomba, come se si trattasse di una rivelazione profetica. Uno scroscio di risate e di battute accolse la fine della lettura e in pochi minuti non rimase un solo libro nelle casse. Nel frattempo era scesa la notte e si dovette illuminare la festa con torce. La maîtresse annunciò il prezzo esorbitante delle bottiglie di rum, ma ballare con le ragazze costava un quarto. "C'è qualcuno che sappia suonare questo maledetto pianoforte?" chiese. Allora Eliza, che ci vedeva doppio dalla fame, si fece avanti senza pensarci due volte e si sedette di fronte allo strumento scordato, invocando Miss Rose. Non suonava da dieci mesi e non aveva un buon orecchio, ma accorsero in suo aiuto l'allenamento di anni con la bacchetta metallica sulla schiena e i colpi sulle mani del professore belga. Attaccò con una delle canzonette ammiccanti che Miss Rose e suo fratello, il capitano, erano soliti cantare in duetto nei tempi innocenti delle serate musicali, prima che il destino desse un colpo di coda e il suo mondo si capovolgesse. Con stupore notò che la sua goffa esecuzione veniva accolta molto bene. In meno di due minuti comparve un rozzo violino di accompagnamento, si animò il ballo e gli uomini si contendevano le quattro donne per saltare e trottare sulla pista improvvisata. L'orco con le pelli tolse il cappello a Eliza e lo mise sul piano con un gesto talmente risoluto che nessuno osò ignorarlo e presto si riempì di mance.

Uno dei carri veniva usato esclusivamente come alloggio della tenutaria e del figlio adottivo, il bambino del tamburo; su un altro viaggiavano pigiate le altre donne, e i due rimorchi erano trasformati in alcove. Ognuno di essi, foderato con foulard multicolori, conteneva una branda con quattro colonnine e baldacchino con lembi di zanzariera, uno specchio dalla cornice dorata, lavamano e bacinella di maiolica, tappeti persiani stinti e un po' tarmati, ma ancora appariscenti, e bugie con grandi candele. Questa decorazione teatrale incoraggiava gli avventori, nascondeva la polvere delle strade e i danni derivanti dall'uso. Mentre due ragazze ballavano al suono della musica, le altre due sbrigavano rapidamente il loro compito nei carriaggi. La maîtresse, dotata di mani di fata per le carte, non trascurava di frequentare i tavoli da gioco né di riscuotere anticipatamente i servizi delle sue colombe, di vendere il rum e di ravvivare la baldoria, sempre con la pipa tra i denti. Eliza suonò le canzoni che conosceva a memoria e quando il repertorio terminava ricominciava da capo, senza che nessuno notasse la ripetizione, fino a quando non le si annebbiò la vista dalla fatica. Vedendola sul punto di cedere, il colosso annunciò una pausa, raccolse i soldi dal cappello e li mise nelle tasche della pianista, poi la prese per un braccio e la trasportò, praticamente sospesa, nella prima vettura, dove le mise in mano un bicchiere di rum. Lei lo rifiutò con un gesto appena accennato: berlo a stomaco vuoto equivaleva a una randellata in piena nuca; allora lui rovistò nel disordine di casse e recipienti ed esibì un panino e pezzi di cipolla, che lei assalì tremando d'aspettativa. Quando li ebbe divorati sollevò lo sguardo e si ritrovò davanti il tizio delle pelli che la osservava dalla sua incredibile altezza. Lo illuminava un sorriso innocente, dai denti più bianchi e più uguali del mondo.

"Hai la faccia da donna," le disse e lei ebbe un sussulto.

"Mi chiamo Elías Andieta," replicò, portandosi la mano alla pistola, come se fosse pronta a difendere il suo nome maschile a colpi di pallottole.

"Io sono Babalú il Cattivo."

"C'è un Babalú buono?"

"C'era."

"Cosa gli è successo?"

"Mi ha incontrato. Da dove vieni, bambino?"

"Dal Cile. Sto cercando mio fratello. Non ha sentito nominare Joaquín Andieta?"

"Mai, da nessuno. Ma se tuo fratello ha le palle al posto giusto, prima o poi verrà a farci visita. Tutti conoscono le ragazze di Joe Spaccaossa."

AFFARI

Il capitano John Sommers ancorò il *Fortuna* nella baia di San Francisco a distanza sufficiente dalla riva per impedire a qualche tipo coraggioso di avere l'audacia di buttarsi in acqua e di nuotare fino alla costa. Aveva avvertito l'equipaggio che l'acqua fredda e le correnti li avrebbero fatti fuori in meno di venti minuti, nel caso in cui non avessero provveduto gli squali. Era il suo secondo viaggio con il ghiaccio e si sentiva più sicuro. Prima di imboccare lo stretto canale della Golden Gate fece aprire varie botti di rum, lo distribuì generosamente tra i marinai e quando questi furono ubriachi sfoderò un paio di rivoltelle e li obbligò a sdraiarsi a terra a faccia in giù. Il secondo di bordo li incatenò con ceppi ai piedi, tra lo sbigottimento dei passeggeri imbarcati a Valparaíso che osservavano la scena dalla prima coperta senza capire cosa diavolo stesse succedendo. Nel frattempo, dal molo, i fratelli Rodríguez de Santa Cruz avevano inviato una flottiglia di scialuppe per condurre a terra i passeggeri e il prezioso carico dello steamer. L'equipaggio sarebbe stato liberato per le manovre di disancoraggio nel momento in cui l'imbarcazione fosse salpata per il ritorno, dopo aver ricevuto altro alcol e un bonus in monete autentiche d'oro e d'argento equivalente al doppio del salario. Ciò non li ricompensava dell'impossibilità di scendere a terra e addentrarsi alla ricerca delle miniere, come quasi tutti avevano progettato, ma almeno li consolava. Aveva fatto ricorso allo stesso metodo durante il primo viaggio, con eccellenti risultati, e si vantava di capitanare una delle poche imbarcazioni che non erano state abbandonate a causa della follia dell'oro. Nessuno osava sfidare quel pirata inglese, figlio di una puttana e di Francis Drake, come lo chiamavano, perché non v'era il minimo dubbio che non avrebbe esitato a scaricare i suoi tromboni sul petto di chiunque avesse provato a ribellarsi.

Sul molo di San Francisco vennero impilate le merci imbarcate da Paulina a Valparaíso: uova e formaggi freschi, frutta e verdura dell'estate cilena, burro, sidro, pesci e frutti di mare, insaccati della miglior qualità, carne vaccina e ogni sorta di volatile ripieno e condito pronto per essere cucinato. Paulina aveva commissionato alle monache pasticcini al latte e torte millefoglie, come anche intingoli tipici della cucina creola, che viaggiarono congelati nelle celle di neve azzurra. La prima spedizione era stata presa d'assalto in meno di tre giorni con un utile talmente vertiginoso che i fratelli trascurarono gli altri affari per concentrarsi sui prodigi del ghiaccio. Le lastre si scioglievano lentamente durante la navigazione, ma ne rimanevano molte che il capitano pensava di vendere a prezzi da usuraio a Panamá nel viaggio di ritorno. Fu impossibile mantenere il silenzio sul formidabile successo del primo viaggio e si diffuse alla velocità della luce la notizia che alcuni cileni navigavano con pezzi di un ghiacciaio a bordo. Immediatamente si costituirono delle società pronte a fare la stessa cosa con gli iceberg dell'Alaska, ma risultò impossibile trovare equipaggi e prodotti freschi in grado di competere con quelli cileni e Paulina poté proseguire senza rivali nell'intensa attività e dotarsi di un secondo vapore per ampliare il giro d'affari.

Anche le casse di libri erotici del capitano Sommers vennero vendute in un batter d'occhio, ma più discretamente e senza passare per le mani dei fratelli Rodríguez de Santa Cruz. Il capitano doveva evitare a qualsiasi costo che si levasse il coro di voci virtuose, come era successo in altre città, che la censura li confiscasse in quanto immorali e che finissero bruciati in pubblici roghi. In Europa circolavano segretamente in edizioni di lusso tra gran signori e collezionisti, ma la maggior parte degli introiti proveniva dalle edizioni a diffusione popolare. Erano stampati in Inghilterra, dove si vendevano clandestinamente per pochi spiccioli, ma in California il capitano guadagnava cinquanta volte il loro valore. Visto l'entusiasmo scatenato da questo tipo di letteratura, gli venne l'idea di inserirvi delle illustrazioni, dato che la maggior parte dei minatori era in grado di leggere solamente i titoli dei giornali. Le nuove edizioni erano già in corso di stampa a Londra con disegni volgari, ma espliciti, che in fin dei conti erano l'unica cosa che interessasse.

Quella sera John Sommers, sistemato nel salone del miglior hotel di San Francisco, cenava con i fratelli Rodríguez de Santa

Cruz che in pochi mesi avevano recuperato il loro aspetto aristocratico. Non rimaneva nessuna traccia degli irsuti cavernicoli che qualche mese prima avevano cercato l'oro. La fortuna l'avevano trovata lì, in pulite transazioni che potevano portare a termine dalle morbide poltrone dell'hotel, con un whisky in mano, come gente civilizzata e non come zoticoni, dicevano. Ai cinque minatori cileni che si erano portati dietro alla fine del 1848 si erano aggiunti ottanta contadini a giornata, gente umile e sottomessa che non sapeva nulla di miniere ma che imparava alla svelta, rispettava gli ordini e non si ribellava. I due fratelli li avevano messi a lavorare sulle rive dell'American River, agli ordini di leali capisquadra, mentre loro si dedicavano ai trasporti e al commercio. Comprarono due imbarcazioni per fare la traversata da San Francisco a Sacramento e duecento muli per trasportare ai giacimenti le merci che vendevano direttamente senza passare dagli empori. Lo schiavo fuggiasco che prima faceva da guardaspalle si rivelò un asso con i numeri e adesso curava la contabilità, anche lui vestito da gran signore e con in mano un calice e un sigaro, a dispetto dei mugugni dei gringo che a fatica ne tolleravano il colore, ma non avevano altra alternativa che trattare con lui.

"La sua signora le manda a dire che con il prossimo viaggio del *Fortuna* verrà con i bambini, le cameriere e il cane. Dice di iniziare a pensare alla sua sistemazione perché non ha intenzione di vivere in albergo," comunicò il capitano a Feliciano Rodríguez de Santa Cruz.

"Che idea folle! La febbre dell'oro si esaurirà in fretta e questa città tornerà a essere il villaggio che era due anni fa. Già ci sono segnali che il metallo è diminuito, non ci sono più ritrovamenti di pepite grandi come sassi. E quando tutto ciò sarà finito, a chi importerà della California?"

"Quando arrivai qui per la prima volta sembrava un accampamento di profughi e ora si è trasformata in una città come Dio comanda. Sinceramente, non credo che sparirà in un soffio, è la porta dell'Ovest dal Pacifico."

"È quel che dice Paulina nella sua lettera."

"Feliciano, segui il consiglio di tua moglie che ha un occhio di lince," lo interruppe il fratello.

"E comunque non c'è modo di impedirglielo. Nel prossimo viaggio verrà con me. Non dimentichiamo che è l'armatrice del *Fortuna*," sorrise il capitano.

Servirono loro ostriche fresche del Pacifico, uno dei pochi lussi gastronomici di San Francisco, tortore ripiene di mandorle

e pere sciroppate del carico di Paulina, che l'hotel aveva immediatamente comprato. Dal Cile veniva anche il vino rosso e lo
champagne dalla Francia. Si era sparsa la voce dell'arrivo dei cileni con il ghiaccio e i ristoranti e gli alberghi della città si erano
riempiti di avventori desiderosi di concedersi il lusso di quelle
delizie fresche prima che andassero esaurite. Stavano accenden-
do i sigari che accompagnavano il caffè e il brandy quando John
Sommers sentì una manata sulla spalla che per poco non gli fece
cadere il bicchiere. Si girò e si ritrovò di fronte Jacob Todd che
non vedeva da più di tre anni, da quando l'aveva sbarcato in Inghilterra, povero e umiliato. Era l'ultima persona che si aspettava
di vedere e ci mise qualche secondo a riconoscerlo, perché il falso missionario di quei tempi sembrava la caricatura di uno
yankee. Aveva perso peso e capelli, due lunghe basette gli incor-
niciavano la faccia, indossava un abito a quadri di una misura
troppo piccola, stivali di serpente, un incongruente cappello
bianco della Virginia e dalle quattro tasche della giacca spuntavano matite, taccuini e giornali. Si abbracciarono come vecchi compagni.

Jacob Todd si trovava a San Francisco da cinque mesi e scriveva articoli sulla febbre dell'oro che venivano regolarmente
pubblicati in Inghilterra e anche a Boston e New York. Era giunto grazie al generoso intervento di Feliciano Rodríguez de Santa
Cruz, che non aveva gettato al vento il debito che lo legava all'inglese. Da buon cileno, non dimenticava mai un favore – nemmeno un'offesa – e quando era stato informato delle sue difficoltà in
Inghilterra, gli aveva mandato soldi, un biglietto e due righe in
cui spiegava che la California era la destinazione più lontana che
si potesse raggiungere prima di intraprendere il ritorno dall'altra
parte. Nel 1845 Jacob Todd era sceso dall'imbarcazione del capitano Sommers con rinnovata salute e pieno di energie, pronto a
dimenticare l'umiliante vicenda di Valparaíso per dedicarsi anima e corpo a impiantare nel suo paese la comunità utopica che
tanto aveva sognato. Portava con sé il grosso quaderno, ingiallito
dall'uso e dall'aria di mare, fitto di annotazioni. Aveva studiato e
pianificato la comunità fin nei minimi dettagli, era certo che molti giovani – i vecchi non interessavano – avrebbero abbandonato
la loro faticosa esistenza per unirsi nella fratellanza ideale di uomini e donne liberi, all'interno di un sistema di assoluta uguaglianza, privo di autorità, poliziotti e religioni. I potenziali candi-
dati per l'esperimento si erano rivelati molto più duri di com-
prendonio di quanto si era immaginato, ma dopo qualche mese

ne aveva reclutati due o tre disposti a provarci. Mancava solo un mecenate che finanziasse il costoso progetto e bisognava trovare un terreno esteso, perché la comunità si proponeva di vivere lontana dalle aberrazioni del mondo e doveva poter soddisfare tutte le sue necessità.

Todd aveva giusto iniziato a coinvolgere un lord piuttosto bislacco che possedeva un'immensa proprietà in Irlanda, quando le voci dello scandalo di Valparaíso lo raggiunsero a Londra, incalzandolo come un cane ostinato senza dargli tregua. Anche lì le porte si chiusero per Todd; perse gli amici, i discepoli e il nobile lo ripudiarono, e il sogno dell'utopia andò a farsi benedire. Ancora una volta cercò di trovare sollievo nell'alcol e sprofondò nuovamente nel pantano dei brutti ricordi. Viveva come un topo in una pensione di infima categoria quando lo raggiunse il salvifico messaggio dell'amico. Non ci pensò su due volte. Cambiò il cognome e si imbarcò per gli Stati Uniti, pronto ad andare incontro a un nuovo e sfolgorante destino. Suo unico obiettivo era seppellire l'infamia e vivere nell'anonimato fino a quando fosse sorta l'opportunità di riavviare l'idilliaco progetto. La prima cosa da fare era trovarsi un impiego; la sua rendita si era ridotta e i gloriosi tempi dell'ozio erano ormai finiti. Arrivato a New York, si presentò in un paio di redazioni di giornale dove si offrì come corrispondente dalla California, poi intraprese il viaggio per l'Ovest passando per l'istmo di Panamá, perché non ebbe il coraggio di farlo passando per lo Stretto di Magellano e di rimettere piede a Valparaíso dove l'onta lo attendeva intatta e la bella Miss Rose avrebbe di nuovo sentito il suo nome disonorato. In California l'amico Feliciano Rodríguez de Santa Cruz lo aiutò a sistemarsi e a trovare un impiego presso il primo giornale nato a San Francisco. Jacob Todd, ora convertitosi in Jacob Freemont, per la prima volta nella sua vita si mise a lavorare, scoprendo con stupore che gli piaceva. Percorreva la regione scrivendo a proposito di tutto quello che risvegliava la sua attenzione, massacri degli indiani compresi: raccontava degli immigranti che provenivano da ogni angolo del pianeta, della sfrenata speculazione dei mercanti, della sbrigativa giustizia dei minatori e dell'immoralità diffusa. Uno dei suoi reportage per poco non gli costò la vita. Descrisse con eufemismi, ma con perfetta chiarezza, il modo in cui lavoravano alcune bische, con dadi segnati, carte truccate, liquori adulterati; riferì di droghe, di prostituzione e della pratica di intossicare con l'alcol le donne fino a lasciarle prive di sensi, per poi vendere a un dollaro il diritto di violentarle a tutti gli uomini che desiderassero partecipare al gioco. "Il tutto sotto la protezione delle stesse autorità che dovrebbero combattere tali vizi", scrisse a mo' di conclusione. Gli saltarono addosso i gangster, il capo della polizia e i politici; dovette dissolversi nel nulla per un paio di mesi finché gli animi non si furono raffreddati. Malgrado il passo falso, i suoi articoli uscivano regolarmente e si stava affermando come voce rispettata. Come disse testualmente all'amico John Sommers, cercando l'anonimato stata trovando la celebrità.

Alla fine della cena, Jacob Freemont invitò gli amici allo spettacolo del momento: una cinese che si poteva guardare, ma non toccare. Si chiamava Ah Toy e si era imbarcata in un clipper con il marito, un commerciante attempato che aveva avuto il buon gusto di morire in alto mare lasciandola libera. Lei non perse tempo in lamentazioni vedovili e per rendere più vivace il resto della traversata divenne l'amante del capitano, che si rivelò uomo generoso. Una volta scesa a San Francisco, ricca e pimpante, notò gli sguardi lascivi che la seguivano ed ebbe la brillante idea di farseli pagare. Affittò due camere, praticò dei fori nella parete divisoria e per un'oncia d'oro vendeva il privilegio di guardarla. Gli amici seguirono Jacob Freemont di buon grado e, scucendo qualche dollaro, si comprarono il diritto di saltare la fila e di entrare tra i primi. Vennero condotti in una stanza piccola, satura di fumo di tabacco, dove si pigiavano una dozzina di uomini con il naso appiccicato al muro. Si affacciarono agli scomodi buchi, sentendosi come ridicoli scolaretti, e nell'altra stanza videro una bella ragazza con indosso un kimono aperto su ambo i lati dalla vita ai piedi. Sotto era nuda. Gli spettatori ruggivano a ogni singolo e languido movimento che rivelava una parte del suo corpo delicato. John Sommers e i fratelli Rodríguez de Santa Cruz si piegarono in due dal ridere, senza riuscire a credere che il bisogno di donne fosse così forte. Si separarono, e il capitano e il giornalista andarono a farsi il bicchiere della staffa. Dopo aver ascoltato il resoconto dei viaggi e delle avventure di Jacob, il capitano decise di confidarsi.

"Si ricorda di Eliza, la bambina che viveva con i miei fratelli a Valparaíso?"

"Perfettamente."

"È scappata di casa quasi un anno fa e ho buoni motivi per credere che sia qui in California. L'ho cercata, ma nessuno ha sentito parlare di lei o di qualcuno che corrispondesse alla sua descrizione."

"Le uniche donne sole che sono arrivate qui sono prostitute."

"Non so come abbia fatto ad arrivare qui, nel caso in cui sia arrivata. L'unica cosa certa è che partì alla ricerca del suo innamorato, un giovane cileno dal nome Joaquín Andieta..."

"Joaquín Andieta! Lo conosco, era mio amico in Cile."

"È ricercato dalla giustizia. L'accusa è di furto."

"Non ci posso credere. Andieta era un giovane molto dignitoso. Aveva un orgoglio e un senso dell'onore tale che era persino difficile avvicinarlo. E mi dice che lui ed Eliza sono innamorati?"

"So solo che si era imbarcato per la California nel dicembre 1848 e che due mesi dopo la ragazza è sparita. Mia sorella è convinta che sia venuta qui a cercare Andieta, anche se non so immaginare come ci sia riuscita senza lasciare tracce. Visto che lei si muove per gli accampamenti e i paesi del Nord, magari avrà modo di sapere qualcosa..."

"Farò il possibile, capitano."

"Io e i miei fratelli le saremo eternamente grati, Jacob."

Eliza Sommers rimase con la comitiva di Joe Spaccaossa; suonava il piano e divideva a metà le mance con la tenutaria. Comprò un canzoniere di musica americana e uno di musica latina per vivacizzare le serate e durante le ore d'ozio, che erano parecchie, insegnava a leggere al bambino indiano, collaborava alle varie faccende quotidiane e cucinava. Come dicevano quelli della compagnia, non si era mai mangiato meglio. Con gli stessi ingredienti di sempre, carne secca, fagioli e pancetta, cucinava piatti saporiti sull'onda dell'entusiasmo del momento; comprava condimenti messicani e li aggiungeva alle ricette cilene di Mama Fresia ottenendo deliziosi risultati; preparava torte semplicemente a base di strutto, farina e frutta in conserva, ma quando riusciva a procurarsi uova e latte, la sua ispirazione raggiungeva vette gastronomiche sovrumane. Babalú il Cattivo non condivideva l'idea che fossero gli uomini a cucinare, ma siccome era il primo a divorare i banchetti del giovane pianista, optò per tenersi i commenti sarcastici per sé. Abituato a montare la guardia durante la notte, il gigante passava gran parte della giornata a dormire di gusto, ma appena il profumino delle pignatte raggiungeva le sue narici da drago si svegliava di soprassalto e si insediava di fianco alla cucina a sorvegliare. Era afflitto da un appetito insaziabile e non c'era provvista di cibo sufficiente a riempire la sua pancia. Prima dell'arrivo del Cilenito, come chiamavano il presunto Elías Andieta, la sua dieta di base era costituita dagli animali che riusciva a cacciare, che poi tagliava per il lungo, condiva con un pugno di sale grosso e metteva sulla brace fino a carbonizzarli. In questo modo poteva trangugiarsi un cervo in due giorni. A contatto con la cucina del pianista gli si raffinò il palato; andava quotidianamente a caccia, sceglieva le prede più delicate e gliele consegnava pulite e spellate.

Durante gli spostamenti Eliza capitanava la comitiva a cavallo del suo robusto ronzino, che malgrado il triste aspetto si rivelò nobile come un sauro purosangue, con l'inutile carabina di traverso sulla sella e il bambino del tamburo in groppa. Si sentiva così comoda nei vestiti da uomo che si domandava se un giorno sarebbe stata di nuovo in grado di vestirsi da donna. Di una cosa era certa: non avrebbe indossato un bustino nemmeno il giorno del suo matrimonio con Joaquín Andieta. Se arrivavano a un fiume, le donne ne approfittavano per raccogliere l'acqua nei barili, per lavare gli indumenti e farsi il bagno; quelli erano i momenti più difficili per lei, doveva inventarsi delle scuse sempre più arzigogolate per lavarsi senza testimoni.

Joe Spaccaossa era una robusta olandese della Pennsylvania, che aveva trovato il suo destino nello sconfinato Ovest. Aveva un talento da prestigiatore con le carte e i dadi, barare era la sua passione. Si era guadagnata da vivere con le scommesse fino a quando non le era venuto in mente di mettere in piedi l'affare delle ragazze e di percorrere la Veta Madre "in cerca d'oro", come lei definiva quel modo di svolgere l'attività estrattiva. Era certa che il giovane pianista fosse omosessuale e proprio per questo gli si affezionò in modo particolare come era successo per il piccolo indiano. Non permetteva che le ragazze si burlassero di lui o che Babalú gli si rivolgesse con dei soprannomi: non era colpa di quel povero ragazzo l'essere nato senza un pelo di barba e con quel fisico da grissino, come non era sua quella di essere nata uomo con corpo da donna. Erano scherzetti estemporanei che Dio faceva tanto per dare noia. Aveva comprato il bambino per trenta dollari da alcune guardie yankee che avevano sterminato il resto della tribù. A quel tempo aveva quattro o cinque anni, non era che uno scheletrino con la pancia gonfia di vermi, ma dopo pochi mesi di alimentazione forzata e di guerra ai capricci, perché non spaccasse tutto quello che gli passava tra le mani né prendesse a testate le ruote dei carri, la creatura era cresciuta di un palmo ed era emersa la sua vera natura da guerriero: era stoico, ermetico e paziente. L'aveva chiamato Tom Senza Tribù perché non dimenticasse il dovere della vendetta. "Il nome è inseparabile dall'essere", dicevano gli indiani, e anche Joe ci credeva, e non a caso si era inventata il cognome che portava.

Le colombe infangate della comitiva erano: due sorelle del Missouri che avevano compiuto quel lungo viaggio via terra e strada facendo avevano perso la famiglia; Esther, una diciottenne fuggita dal padre, un fanatico religioso che la frustava, e una bella messicana, figlia di padre gringo e madre india, che si spacciava per bianca e aveva imparato quattro frasi in francese per confondere i distratti perché, secondo una credenza popolare, le francesi erano più esperte. Quella società di avventurieri e ruffiani aveva anche le sue regole di aristocrazia razziale: i bianchi accettavano le meticce color cannella, ma rifiutavano qualsiasi mescolanza con i neri. Le quattro donne erano grate al loro destino per aver fatto incontrare loro Joe Spaccaossa. Esther era l'unica senza esperienza precedente, ma le altre avevano lavorato a San Francisco e conoscevano la vita dei bassifondi. Non avevano avuto in sorte saloni d'alto bordo, avevano sperimentato botte, malattie, droghe e protettori malvagi, avevano contratto un'infinità di infezioni, erano state sottoposte a cure brutali e a talmente tanti aborti che erano diventate sterili, condizione che, lungi dall'intristirle, consideravano una benedizione. Da quella vita di abiezione Joe le aveva riscattate portandosele lontano. Poi le aveva sostenute nel lungo martirio dell'astinenza per guarirle dalla dipendenza dall'oppio e dall'alcol. Le donne l'avevano ripagata con lealtà filiale perché lei per di più le trattava con giustizia e non le sfruttava. La temibile presenza di Babalú scoraggiava i clienti violenti e gli insopportabili ubriaconi, mangiavano bene e i carri itineranti erano un buon incentivo per lo spirito e la salute. In quelle colline e in quei boschi sconfinati si sentivano libere. La loro vita non era affatto facile né romantica, ma avevano risparmiato un po' di soldi e se ne sarebbero potute andare se l'avessero voluto, ma non lo facevano perché quel piccolo gruppo era quanto di più simile a una famiglia esse avessero.

Anche le ragazze di Joe Spaccaossa erano convinte che quel giovane Elías Andieta, rachitico e dalla voce flautata, fosse dell'altra sponda. Ciò lasciava loro la possibilità di svestirsi tranquillamente, lavarsi e parlare di qualsiasi argomento in sua presenza, come fosse una di loro. L'accettarono con tale naturalezza che spesso Eliza dimenticava il suo ruolo maschile, ma provvedeva poi Babalú a ricordarglielo. Si era ripromesso di trasformare quel pusillanime in un vero uomo e l'osservava da vicino, pronto a correggerlo quando si sedeva con le gambe giunte o si scuoteva la corta capigliatura con un gesto tutt'altro che virile. Le insegnò a tenere pulite e oliate le armi, ma perse la pazienza cercando di migliorarne la mira: ogni volta che premeva il grilletto il suo allievo chiudeva gli occhi. Non si lasciava impressionare dalla Bibbia di Elías Andieta, al contrario, sospettava che la usasse per giustificare i suoi modi ed era dell'avviso che, se il ragazzo non pensava di convertirsi in un maledetto predicatore, perché diavolo leggeva scempiaggini, tanto valeva leggere dei libri sconci, magari poi gli venivano delle idee da maschio. Babalù riusciva a stento a scrivere il suo nome e leggeva a fatica, ma non l'avrebbe ammesso neanche morto. Diceva di avere problemi di vista e di non distinguere bene le lettere, ma poi riusciva a sparare a cento metri di distanza in mezzo agli occhi a una lepre terrorizzata. Chiedeva spesso al Cilenito di leggere ad alta voce i vecchi giornali e i libri erotici della Spaccaossa, non tanto per i passaggi triviali, quanto per la trama, che riusciva sempre a commuoverlo. Si trattava invariabilmente di amori incendiari tra un membro della nobiltà europea e una plebea, o del contrario, di una dama aristocratica che perdeva la testa per un contadino, comunque onesto e orgoglioso. In questi racconti le donne erano sempre belle e gli amanti instancabili, intensi. Lo sfondo era costituito da una profusione di baccanali, ma a differenza degli altri romanzetti pornografici da dieci centesimi che si vendevano in quei paraggi, questi avevano un intreccio. Eliza leggeva ad alta voce senza mostrare la minima sorpresa, come se in vita sua non avesse fatto altro che praticare i peggiori vizi, mentre intorno a lei Babalú e tre delle colombe ascoltavano a bocca aperta. Esther non partecipava a queste riunioni perché descrivere quegli atti le sembrava un peccato più grande che metterli in pratica. Eliza aveva le orecchie in fiamme, ma non poteva fare a meno di riconoscere l'inaspettata eleganza con cui quelle porcherie erano state redatte: alcune frasi le ricordavano lo stile impeccabile di Miss Rose. Joe Spaccaossa, cui la passione della carne non poteva interessare di meno e che pertanto ovviamente si annoiava con quelle letture, si preoccupava personalmente di impedire che anche una di quelle parole potesse ferire le innocenti orecchie di Tom Senza Tribù. "Lo sto educando per fare di lui un capo indiano, non per fare il magnaccia," diceva, e determinata com'era a farne un uomo, proibiva al ragazzino di chiamarla nonna.

"Non sono la nonna di nessuno, per tutti i diavoli! Sono la Spaccaossa, mi hai capito o no, maledetto moccioso?"

"Sì, nonna."

Babalú il Cattivo, un ex carcerato di Chicago, aveva attraversato a piedi il continente molto prima che scoppiasse la febbre dell'oro. Parlava le lingue degli indiani e per sopravvivere aveva fatto di tutto, dall'attrazione in un circo ambulante, dove riusciva a sollevarsi un cavallo sopra la testa e a trascinare con i denti un vagone carico di sabbia, allo scaricatore nel porto di San Francisco. Lì era stato scoperto dalla Spaccaossa e assunto nella comitiva. Poteva svolgere il lavoro di diversi uomini e per la sorveglianza bastava lui. Insieme potevano mettere in fuga quanti avversari volessero, come avevano dimostrato in più di un'occasione.

"Devi essere forte o ti distruggeranno, Cilenito," consigliava a Eliza. "Non credere che io sia sempre stato forte come sono adesso. Prima ero come te, deboluccio e un po' tardone; ma poi mi sono messo a sollevare pesi e guarda ora che muscoli! Adesso nessuno osa misurarsi con me."

"Babalú, tu sei alto più di due metri e pesi quanto un vitello. Non sarò mai come te!"

"Le dimensioni non c'entrano niente, caro mio. Sono le palle quelle che contano. Io sono sempre stato grande, eppure ridevano di me."

"Chi ti prendeva in giro?"

"Tutti, persino mia madre, che riposi in pace. Ti voglio dire una cosa che non sa nessuno..."

"Dimmi..."

"Ti ricordi di Babalú il Buono? Ero io, prima. Ma da vent'anni sono Babalú il Cattivo e le cose vanno molto meglio."

COLOMBE INFANGATE

A dicembre l'inverno arrivò all'improvviso sulle pendici della sierra e migliaia di minatori dovettero abbandonare le loro parcelle di terra per trasferirsi nei paesi in attesa della primavera. La neve ricoprì con un manto pietoso il vasto territorio perforato da quelle avide formiche e l'oro sopravvissuto tornò a riposare nel silenzio della natura. Joe Spaccaossa guidò la carovana in uno dei piccoli paesi appena sorti lungo la Veta Madre e affittò un capannone in cui avrebbero passato l'inverno. Vendette i muli, comprò una grande bacinella di legno per il bagno, una cucina, due stufe, delle pezze di stoffa ordinaria e, per tutti, stivali russi che con la pioggia e il vento sarebbero risultati indispensabili. Mise la comitiva a grattare via il sudiciume dal capannone e a fare delle tende per separare le stanze, e installò i letti a baldacchino, gli specchi dorati e il pianoforte. Subito dopo iniziò il giro di visite di cortesia nelle taverne, nell'emporio e nella fucina, i poli dell'attività sociale. A mo' di giornale, il paese si avvaleva di un foglio di notizie preparato con un'antiquata macchina da stampa che aveva attraversato controvoglia il continente e che Joe impiegò per pubblicizzare con discrezione la sua attività. Oltre alle ragazze, offriva il migliore rum cubano e giamaicano, come lo definiva, anche se in realtà si trattava di un beverone da cannibali in grado di far deviare la bussola dell'anima, libri "piccanti" e un paio di tavoli da gioco. I clienti accorsero prontamente. C'era un altro bordello, ma le novità erano sempre gradite. La tenutaria dell'altro esercizio dichiarò tacitamente una guerra di menzogne contro i rivali, ma si astenne da un confronto a viso aperto con il formidabile duo Joe Spaccaossa e Babalú il Cattivo. Nel capannone ci si sollazzava dietro gli improvvisati tendaggi, si ballava sugli accordi del pianoforte e si giocavano somme considerevoli con la sorveglianza della padrona che sotto il suo tetto non accettava né sobillatori né altri bari oltre a se stessa. Eliza vide uomini perdere in un paio di notti i guadagni di mesi di fatiche titaniche e piangere poi tra le braccia delle ragazze che avevano contribuito a spennarli.

Nel giro di poco tempo i minatori si affezionarono a Joe. Nonostante il suo aspetto da corsaro, la donna aveva un cuore di madre che quell'inverno le circostanze misero alla prova. Si diffuse un'epidemia di dissenteria che prostrò metà degli abitanti e ne fece fuori più d'uno. Non appena veniva a sapere che qualcuno in qualche capanna lontana era in punto di morte, Joe chiedeva in prestito alla fucina un paio di cavalli e si recava con Babalú a soccorrere il disgraziato. Spesso li accompagnava il fabbro, un quacquero eccezionale che, pur disapprovando l'attività del donnone, era sempre disposto ad aiutare il prossimo. Joe preparava da mangiare per il malato, lo puliva, gli lavava i vestiti e lo consolava rileggendogli per la centesima volta le lettere della famiglia lontana, e intanto Babalú e il fabbro spalavano la neve, cercavano acqua, tagliavano la legna e la impilavano di fianco alla stufa. Se l'uomo stava molto male, Joe lo avvolgeva nelle coperte, lo metteva di traverso come un sacco sul suo cavallo e se lo portava a casa, dove le donne si occupavano di lui con vocazione da infermiere, felici di avere l'opportunità di sentirsi virtuose. Non potevano fare molto, tranne obbligare i pazienti a bere litri di tè zuccherato per non disidratarsi del tutto, tenerli puliti, ben coperti e a riposo, con la speranza che la dissenteria non gli prosciugasse l'anima e la febbre non gli cuocesse il cervello. Alcuni morivano, mentre altri impiegavano intere settimane per tornare in vita. Joe era l'unica a ingegnarsi per sfidare l'inverno e a recarsi fino alle capanne più isolate, e così le toccò scoprire corpi trasformati in statue di cristallo. Non tutti erano vittime della malattia, a volte c'era chi s'era sparato un colpo in bocca perché non ce la faceva più a sopportare i crampi alla pancia, la solitudine e il delirio. Un paio di volte Joe dovette chiudere l'esercizio perché il capannone era disseminato di stuoie per terra e le sue colombe non riuscivano a curare tutti i pazienti. Lo sceriffo del paese tremava quando la vedeva comparire con la sua pipa olandese e il suo imperioso vocione da profeta a reclamare aiuto. Nessuno poteva negarglielo. Gli stessi uomini che con le loro angherie avevano procurato la cattiva fama al paese, si mettevano mansuetamente al suo servizio. Non potevano contare su niente che somigliasse a un ospedale, l'unico medico era presissimo e lei si assumeva con naturalezza il compito di mobilitare le forze quando si trattava di un'emergenza. I fortunati cui salvava la vita si trasformavano in suoi devoti debitori e fu così che durante quell'inverno riuscì a tessere la rete di contatti che l'avrebbe sostenuta all'epoca dell'incendio.

Il fabbro si chiamava James Morton ed era uno dei pochi esemplari di persona buona. Provava un forte amore per l'umanità intera, perfino per i suoi nemici ideologici, che considerava in errore per ignoranza e non per intrinseca cattiveria. Incapace di commettere un atto vile, non poteva concepire l'iniquità nel prossimo, preferiva credere che la malvagità altrui fosse un'aberrazione del carattere, guaribile con il calore della pietà e dell'affetto. Proveniva da una nutrita stirpe di quacqueri dell'Ohio, dove aveva collaborato con i suoi fratelli in una catena clandestina di solidarietà per gli schiavi fuggiaschi, che venivano nascosti e portati negli stati liberi e in Canada. Con la loro attività si erano attirati le ire degli schiavisti e la notte in cui una banda aveva assaltato la fattoria e le aveva dato fuoco, la famiglia aveva osservato lo spettacolo immobile perché, fedele al suo credo, non poteva sollevare le armi contro i propri simili. I Morton avevano dovuto abbandonare la loro terra e si erano dispersi, ma si erano mantenuti in stretto contatto perché appartenevano alla rete umanitaria degli abolizionisti. A James cercare oro non sembrava un mezzo onorevole per guadagnarsi da vivere, perché non si produceva nulla e non si prestava alcun servizio. "La ricchezza svilisce l'anima, complica l'esistenza e genera infelicità," sosteneva. Inoltre l'oro era un metallo duttile, inadatto a fabbricare strumenti e lui non riusciva a comprendere il fascino che esercitava su tutti. Alto, robusto, con una fitta barba color nocciola, occhi celesti e braccia forti segnate da innumerevoli scottature, illuminato dai bagliori della sua fucina sembrava la reincarnazione del dio Vulcano. In paese c'erano solo tre quacqueri, gente tutta lavoro e famiglia, sempre contenta del proprio destino; erano astemi, evitavano i bordelli ed erano gli unici che non bestemmiavano. Si riunivano con regolarità per le loro pratiche di fede senza farsi tanto notare, predicavano con l'esempio, nella paziente attesa dell'arrivo di un gruppo di amici dall'Est che avrebbe ingrossato la comunità. Morton frequentava il capannone della Spaccaossa per aiutare le vittime dell'epidemia e fu lì che conobbe Esther. Andava a trovarla e pagava il servizio completo solo per rimanere seduto accanto a lei a chiacchierare. Non riusciva a capire perché avesse scelto quel tipo di vita.

"Fra questo e le frustate di mio padre preferisco mille volte la vita di adesso."

"Perché ti batteva?"

"Mi accusava di provocare la lussuria e di indurre al peccato. Credeva che se Eva non lo avesse tentato, Adamo sarebbe ancora in Paradiso. Forse aveva ragione, visto come mi guadagno da vivere..."

"Ci sono altri lavori, Esther."

"Questo non è così terribile, James. Chiudo gli occhi e non penso a niente. Si tratta solo di pochi minuti, che passano in fretta."

Nonostante le tribolazioni della sua professione, la ragazza manteneva la freschezza dei suoi vent'anni, e quel suo modo discreto e silenzioso di comportarsi, così diverso da quello delle compagne, non era privo di fascino. Non aveva nulla di civettuolo, era rotondetta, con un viso placido da vitella e mani forti da contadina. Paragonata alle altre colombe risultava la meno aggraziata, ma la sua pelle era luminosa e il suo sguardo dolce. Il fabbro non sapeva dire quando avesse iniziato a sognarla, a vederla nelle scintille della fucina, nella luce del metallo incandescente e nel cielo limpido, ma un giorno non era più riuscito a ignorare quella materia cotonosa che gli avvolgeva il cuore minacciando di soffocarlo. Una disgrazia peggiore che innamorarsi di quel genere di donna non poteva capitargli, sarebbe stato impossibile giustificare quel sentimento agli occhi di Dio e della comunità. Determinato a vincere la tentazione con il sudore, si rinchiudeva nella forgia a lavorare come un pazzo e alcune notti i colpi feroci del suo martello si sentivano fino all'alba.

Non appena ebbe un recapito fisso, Eliza scrisse a Tao Chi'en presso il ristorante cinese di Sacramento per comunicargli il suo nuovo nome, Elías Andieta, e per chiedergli consiglio su come combattere la dissenteria, dato che l'unico rimedio contro l'epidemia a lei noto, un pezzo di carne cruda legato all'ombelico con una fascia di lana rossa, come faceva Mama Fresia in Cile, non stava dando i risultati sperati. Sentiva dolorosamente la sua mancanza; a volte si svegliava abbracciata a Tom Senza Tribù immaginando nello smarrimento del dormiveglia che fosse Tao Chi'en, ma la riportava alla realtà l'odore di fumo del bambino. Non aveva niente della fresca fragranza di mare dell'amico. La distanza che li separava in miglia era breve, ma l'inclemenza del clima rendeva il percorso arduo e pericoloso. Pensò di accompagnare il postino per continuare a cercare Joaquín Andieta, come aveva fatto altre volte, ma nell'attesa della circostanza propizia passarono settimane. Non era solo l'inverno a contrastare i suoi piani. In quei giorni era anche esplosa la tensione tra i minatori yankee e quelli cileni nella zona meridionale della Veta Madre. I gringo, stufi della presenza degli stranieri, si erano alleati per espellerli, ma gli altri avevano opposto resistenza, prima con le armi e poi grazie a un giudice che aveva riconosciuto i loro diritti. Lungi dall'intimidire gli aggressori, la decisione del giudice sortì l'effetto di istigarli ulteriormente: diversi cileni finirono sulla forca o spinti in un burrone e i sopravvissuti furono costretti alla fuga. Come risposta si formarono bande di assaltatori simili alle molte già costituite dai messicani. Eliza capì che non poteva correre tale rischio; il suo travestimento da ragazzo latino era sufficiente perché fosse accusata di qualsiasi crimine anche senza alcun fondamento.

Alla fine del gennaio 1850 si abbatté una delle peggiori gelate che mai si fosse vista da quelle parti. Nessuno osava uscire di casa, il paese sembrava morto e per più di dieci giorni nemmeno un cliente si fece vedere al capannone. Il freddo era tale che, malgrado le stufe sempre accese, al mattino l'acqua dei catini era solidificata, e ci furono notti in cui dovettero far entrare in casa il cavallo di Eliza per risparmiargli la sorte di altri animali che all'alba si ritrovavano imprigionati in blocchi di ghiaccio. Le donne dormivano due per letto e lei con il bambino, per il quale aveva sviluppato un affetto geloso e intenso che lui ricambiava con sorniona fedeltà. L'unica persona della compagnia in grado di competere con Eliza nell'affetto del ragazzino era la Spaccaossa. "Un giorno avrò un bambino forte e coraggioso come Tom Senza Tribù, ma molto più allegro. Questa creatura non ride mai", raccontava a Tao Chi'en nelle lettere. Babalú il Cattivo non riusciva a dormire di notte e trascorreva le lunghe ore di oscurità passeggiando da un estremo all'altro del capannone con i suoi stivali russi, le sue pelli lise e una coperta sulle spalle. Smise di rasarsi la testa e sfoderò una corta criniera da lupo simile a quella della giacca. Esther gli aveva fatto a maglia un cappellino di lana giallo canarino che lo copriva fino alle orecchie, dandogli un'aria da mostruoso bebè. Fu lui a sentire quella mattina presto un fioco bussare che ebbe la prontezza di non confondere con il frastuono della tormenta. Socchiuse la porta con il revolver in mano e vide una sagoma sdraiata nella neve. Allarmato chiamò Joe e insieme, lottando contro il vento che cercava di divellere la porta, riuscirono a trascinarla dentro. Era un uomo mezzo congelato.

Non fu semplice rianimare il visitatore. Mentre Babalú lo frizionava e cercava di fargli inghiottire del brandy, Joe svegliò le donne; ravvivarono il fuoco delle stufe e misero dell'acqua a scaldare per riempire la vasca da bagno, dove lo tennero immerso fino a quando, a poco a poco, si riebbe, perse il colorito bluastro e riuscì ad articolare qualche parola. Aveva il naso, i piedi e le mani assiderati. Era un contadino dello stato messicano di Sonora, che era venuto ai giacimenti californiani come migliaia di suoi compatrioti, disse. Si chiamava Jack, nome gringo che sicuramente non era il suo, ma d'altronde in quella casa non era il primo a usarne uno falso. Durante le ore successive si trovò diverse volte sulla soglia della morte, ma quando sembrava che ormai non ci fosse più nulla da fare per lui, ritornava dall'altro mondo e inghiottiva qualche sorso di liquore. Verso le otto, quando finalmente la tormenta finì, Joe ordinò a Babalú di chiamare il dottore. Sentendola impartire questa disposizione, il messicano, che rimaneva immobile e respirava gorgogliando come un pesce, aprì gli occhi e urlò un terribile "No!", spaventandoli tutti. Nessuno doveva sapere che si trovava lì, intimò con una tale ferocia che nessuno osò contraddirlo. Non furono necessarie molte spiegazioni: era evidente che aveva problemi con la giustizia e quel paese con la forca in piazza era l'ultimo al mondo in cui un fuggiasco avrebbe voluto cercare asilo. Solamente la violenza della tormenta l'aveva obbligato a sospingersi da quelle parti. Eliza non disse nulla, ma la reazione dell'uomo non la stupì: odorava di cattiveria.

Dopo tre giorni Jack aveva recuperato parte delle forze, ma gli cadde la punta del naso e iniziarono ad andargli in cancrena due dita della mano. Nemmeno allora riuscirono a convincerlo della necessità di ricorrere al medico; preferiva marcire lentamente piuttosto che finire sulla forca, disse. Joe Spaccaossa riunì la sua gente nell'altra estremità del capannone e a bassa voce deliberarono che bisognava tagliargli le dita. Tutti gli occhi puntarono verso Babalú il Cattivo.

"Io? Manco morto!"

"Babalú, figlio di buona donna, vedi di non fare la femminuccia!" esclamò Joe furibonda.

"Fallo tu, Joe, io non ce la faccio."

"Se riesci a squartare un cervo, puoi fare anche questo. Cosa saranno mai un paio di miserabili dita?"

"Una cosa è un animale e un'altra, ben diversa, è un cristiano."

"Non ci posso credere! Questo grandissimo figlio di puttana, con il vostro permesso, ragazze, dice che non può farmi questo favore da niente dopo tutto quello che ho fatto io per lui!"

"Scusami, Joe. Ma io non ho mai fatto del male a un essere umano..."

"Ma cosa vai blaterando! Forse che non sei un assassino? Cosa ci facevi in prigione?"

"Avevo rubato del bestiame," confessò il gigante, sul punto di scoppiare a piangere per l'umiliazione.

"Lo farò io," li interruppe Eliza, pallida, ma determinata.

Rimasero a guardarla increduli. Perfino Tom Senza Tribù sembrava più idoneo a realizzare l'operazione rispetto al delicato Cilenito.

"Ho bisogno di un coltello ben affilato, di un martello, di ago, filo e stracci puliti."

Babalú si sedette a terra con la grossa testa tra le mani, inorridito, mentre le donne in rispettoso silenzio preparavano il necessario. Eliza ripassò quanto appreso da Tao Chi'en quando estraevano pallottole e ricucivano ferite a Sacramento. Se l'aveva fatto allora senza batter ciglio, sarebbe riuscita a farlo anche adesso, decise. La cosa fondamentale, secondo il suo amico, era evitare emorragie e infezioni. Non gli aveva visto fare amputazioni, ma quando curavano gli sciagurati che arrivavano senza orecchie, commentava che in altre latitudini, per lo stesso crimine, tagliavano mani e piedi. "L'ascia del boia è rapida, ma non lascia tessuti per coprire i moncherini", aveva detto Tao Chi'en. Le aveva ripetuto le lezioni del dottor Ebanizer Hobbs che aveva pratica di feriti di guerra e gli aveva insegnato come fare. "Fortunatamente in questo caso si tratta solo di due dita," pensò Eliza.

La Spaccaossa saturò di liquore il paziente finché non perse i sensi, mentre Eliza disinfettava il coltello scaldandolo sul fuoco. Fece sedere Jack su una sedia, gli fece immergere la mano in un catino con del whisky e poi gliela mise sul bordo del tavolo, con le due dita ammalate separate dalle altre. Mormorò una delle preghiere magiche di Mama Fresia e quando si sentì pronta fece un segnale silenzioso alle donne affinché tenessero fermo il paziente. Appoggiò il coltello sulle dita e diede un colpo di martello preciso, facendo affondare la lama che recise nettamente le ossa e rimase inchiodata nel tavolo. Jack cacciò un urlo che veniva dal fondo delle viscere, ma era talmente intossicato che non si accorse di niente mentre Eliza lo ricuciva ed Esther lo bendava. Nel giro di pochi minuti il supplizio era terminato. Eliza rimase a guardare le dita amputate cercando di dominare i conati di vomito, mentre le donne facevano sdraiare Jack su una delle stuoie. Babalú il Cattivo, che era rimasto il più lontano possibile dalla scena, si avvicinò timidamente, con il suo berretto da bambino in mano.

"Sei un vero uomo, Cilenito," mormorò con ammirazione.

In marzo Eliza compì silenziosamente diciotto anni, in attesa che presto o tardi apparisse il suo Joaquín alla porta, come avrebbe fatto qualsiasi uomo nel raggio di cento miglia, secondo quanto sosteneva Babalú. Jack, il messicano, si rimise in pochi giorni e se la squagliò di notte, senza congedarsi da nessuno, prima che si cicatrizzassero le ferite. Era un tipo sinistro e si rallegrarono tutti della fuga. Parlava assai poco ed era sempre all'erta, con un tono di sfida, pronto ad attaccare alla più piccola ombra di una immaginaria provocazione. Non mostrò la minima gratitudine per i favori ricevuti, al contrario, quando si svegliò dall'ubriacatura e si rese conto che gli avevano amputato le dita con cui sparare, sputò una sfilza di maledizioni e di minacce, giurando che il figlio di puttana che gli aveva rovinato la mano l'avrebbe pagata con la vita. Allora a Babalú si esaurì la pazienza. Lo prese come un bambolotto, lo sollevò alla sua altezza, gli inchiodò addosso gli occhi e gli disse con la vocina dolce che usava quando era sul punto di scoppiare:

"Sono stato io: Babalú il Cattivo. C'è qualche problema?".

Appena gli passò la febbre, Jack cercò di approfittare delle colombe per togliersi qualche sfizio, ma ricevette un coro di rifiuti: le ragazze non erano disposte a dargli qualcosa gratis e le sue tasche erano vuote, come avevano avuto modo di verificare quando l'avevano spogliato per metterlo nella vasca da bagno la notte in cui era apparso congelato. Joe Spaccaossa si prese la briga di spiegargli che, se non gli avessero tagliato le dita, avrebbe perso il braccio o la vita, e che quindi doveva proprio ringraziare il cielo di essere capitato sotto il suo tetto. Eliza non permetteva a Tom Senza Tribù di avvicinarglisi e lei stessa lo faceva esclusivamente per passargli da mangiare o per cambiargli le bende, perché quel suo odore di malvagità la disturbava come una presenza tangibile. Nemmeno Babalú poteva sopportarlo e finché rimase in casa si astenne dal parlargli. Considerava le ragazze come sorelle e andava in bestia quando Jack faceva allusioni oscene. Nemmeno in caso di estrema necessità gli sarebbe venuto in mente di ricorrere ai servizi professionali delle sue compagne, per lui sarebbe stato come commettere un incesto; quando la natura lo incalzava si recava nei locali della concorrenza e aveva avvertito il Cilenito che avrebbe dovuto fare altrettanto, nel caso improbabile in cui fosse guarito dalle sue cattive abitudini da signorina.

Mentre serviva a Jack un piatto di zuppa, Eliza finalmente osò interrogarlo a proposito di Joaquín Andieta.

"Murieta?" chiese lui, sospettoso.

"Andieta."

"Non lo conosco."

"Forse è la stessa persona," suggerì Eliza.

"Cosa vuoi da lui?"

"È mio fratello. Sono venuto dal Cile per trovarlo."

"Com'è tuo fratello?"

"Non molto alto, con i capelli e gli occhi neri, la pelle bianca, come me, però non ci assomigliamo. È magro, muscoloso, coraggioso e appassionato. Quando parla tacciono tutti."

"Joaquín Murieta è così, ma non è cileno, è messicano."

"Sicuro?"

"Sicuro non lo sono di niente, ma se vedo Murieta gli dirò che lo cerchi."

La notte successiva se ne andò e non seppero più niente di lui, ma dopo due settimane trovarono sulla porta del capannone una borsa con due libbre di caffè. Poco dopo Eliza la aprì per preparare la colazione e vide che non si trattava di caffè, ma di oro in polvere. Secondo Joe Spaccaossa poteva provenire da uno qualsiasi dei minatori ammalati che avevano curato in quel periodo, ma Eliza ebbe il presentimento che fosse stato Jack a lasciarla lì, come pagamento. Quell'uomo non voleva essere in debito con nessuno. La domenica vennero a sapere che lo sceriffo stava organizzando una squadra di guardie per cercare l'assassino di un minatore: lo avevano ritrovato nella capanna dove trascorreva da solo l'inverno con nove pugnalate nel petto e gli occhi strappati. Del suo oro non c'era traccia e per l'efferatezza del crimine la colpa cadde sugli indiani. Joe Spaccaossa non voleva guai e quindi seppellì le due libbre d'oro sotto un rovere e istruì perentoriamente la sua gente a tenere la bocca chiusa, a non citare neanche per scherzo il messicano dalle dita tagliate né la borsa del caffè. Nei due mesi successivi le guardie uccisero mezza dozzina di indiani e si dimenticarono della faccenda, perché avevano per le mani problemi più urgenti; quando fece la sua dignitosa comparsa il capo della tribù per chiedere spiegazioni, fecero fuori anche lui. Indiani, cinesi, neri o mulatti non potevano testimoniare in un processo contro un bianco. James Morton e gli altri tre quaccheri del paese furono gli unici che osarono affrontare la folla pronta al linciaggio. Disarmati, si piantarono in cerchio intorno al condannato, recitando a memoria i passaggi della Bibbia che proibivano di uccidere un proprio simile, ma la turba li fece allontanare a spintoni.

Nessuno seppe del compleanno di Eliza e quindi non lo si festeggiò, ma quella sera del 15 marzo fu comunque memorabile per lei e per tutti gli altri. I clienti erano tornati al capannone, le colombe erano sempre impegnate, il Cilenito strimpellava il piano con sincero entusiasmo e Joe faceva conti ottimisti. L'inverno non era andato così male, dopo tutto, la fase acuta dell'epidemia era passata e sulle stuoie non c'erano più malati. Quella sera una dozzina di minatori stava bevendo con assiduità, mentre fuori il vento estirpava i rami dei pini. Più o meno verso le undici si scatenò l'inferno. Nessuno fu in grado di capire come fosse stato appiccato l'incendio e Joe sospettò sempre dell'altra tenutaria. La legna prese fuoco come si fosse trattato di petardi e in un istante iniziarono a bruciare le tende, gli scialli di seta e i drappi del letto. Tutti scapparono illesi; riuscirono persino a buttarsi addosso una coperta ed Eliza a prendere al volo la scatola di latta che conteneva le sue preziose lettere. Le fiamme e il fumo avvolsero rapidamente il locale che in meno di dieci minuti ardeva come una torcia, mentre le donne mezze nude, insieme ai loro frastornati clienti, osservavano lo spettacolo totalmente impotenti. Fu allora che Eliza buttò un'occhiata per contare i presenti e si accorse inorridita che mancava Tom Senza Tribù. Il bambino era rimasto a dormire nel letto comune. Senza sapere come, strappò una coperta dalle spalle di Esther, si coprì la testa e corse trapassando con uno spintone il fragile assito in fiamme, seguita da Babalú, che cercava di trattenerla gridando e che non riusciva a capire perché si stesse buttando nel fuoco. Trovò il bambino in piedi nella coltre di fumo, con gli occhi spaventati, ma perfettamente calmo. Gli buttò la coperta addosso e cercò di prenderlo in braccio, ma era molto pesante e un accesso di tosse la piegò in due. Cadde in ginocchio e spinse Tom a correre fuori, ma lui non si mosse ed entrambi si sarebbero ridotti in cenere se Babalú non fosse apparso in quell'istante e non se ne fosse preso uno per braccio, come pacchetti, per poi uscire con loro di corsa in mezzo all'ovazione di chi attendeva fuori.

"Maledetto ragazzino! Cosa ci facevi lì dentro?" Joe rimproverava il piccolo indiano abbracciandolo, baciandolo e dandogli delle pacche per farlo respirare.

Se non bruciò mezzo paese fu solo perché il capannone si trovava isolato, come fece notare più tardi lo sceriffo che aveva esperienza di incendi, data la frequenza con cui si sviluppavano da quelle parti. Alla vista delle fiammate accorse una dozzina di volontari, capitanati dal fabbro, per cercare di domarle, ma era già tardi e riuscirono a liberare solamente il cavallo di Eliza del quale nessuno si era ricordato nel trambusto dei primi minuti e che, morto di paura, si trovava ancora legato sotto la sua tettoia. Joe Spaccaossa in quella notte perse tutto quello che possedeva al mondo e per la prima volta la videro soccombere. Con il bambino in braccio, assistette alla distruzione senza riuscire a contenere le lacrime e, quando furono rimasti solo tizzoni fumanti, nascose il viso nel petto enorme di Babalú, cui si erano bruciacchiate ciglia e sopracciglia. Visto il cedimento di quella sorta di madre che credevano invulnerabile, le quattro donne in coro scoppiarono in lacrime in un grappolo di sottovesti, capigliature scarmigliate e carni tremanti. Ma la rete di solidarietà iniziò a funzionare ancor prima che fossero spente le fiamme e in meno di un'ora c'erano alloggi per tutti nelle varie case del paese e uno dei minatori che Joe aveva salvato dalla dissenteria stava organizzando una colletta. Il Cilenito, Babalú e il bambino – i tre uomini della compagnia – trascorsero la notte nella fucina. James Morton collocò due materassi con grosse coperte vicino alla forgia sempre calda e servì una splendida colazione ai suoi ospiti, preparata con cura dalla sposa del predicatore che di domenica denunciava con voce tuonante lo spudorato esercizio del vizio, come chiamava le attività dei bordelli.

"Non è il momento di formalizzarsi, questi poveretti stanno tremando," disse la sposa del reverendo quando si presentò alla fucina con la sua pietanza di lepre, una brocca di cioccolata e biscotti alla cannella.

Sempre lei passò poi in rassegna il paese chiedendo vestiti per le colombe, che erano ancora in sottoveste, e la risposta delle altre signore fu generosa. Evitavano di passare di fronte al locale dell'altra tenutaria, ma avevano avuto qualche rapporto con Joe Spaccaossa durante l'epidemia e la rispettavano. E fu così che le quattro ragazze di vita per un po' di tempo andarono in giro vestite da signore modeste, imbacuccate dai piedi alla testa, fino a quando non riuscirono a ripristinare il loro abbigliamento festaiolo. La notte dell'incendio la moglie del pastore cercò di portarsi a casa Tom Senza Tribù, ma il bambino si aggrappò al collo di Babalú e non ci fu modo di strapparlo da lì. Il gigante passò ore insonni, con il Cilenito rannicchiato in un braccio e il bambino nell'altro, piuttosto seccato dagli sguardi sbalorditi del fabbro.

"Si tolga pure quell'idea dalla testa. Non sono checca," farfugliò indignato, ma senza allontanare nessuno dei due dormienti.

La colletta dei minatori e la borsa di caffè sepolta sotto il rovere servirono per far riparare i danni di quella casa così agevole e decorosa che Joe Spaccaossa pensò di rinunciare alla compagnia itinerante per sistemarsi lì. Mentre altri paesi sparivano quando i minatori si spostavano verso altri filoni, questo cresceva, si consolidava e si stava persino pensando di cambiargli il nome per dargliene uno più dignitoso. Quando fosse finito l'inverno, nuove ondate di avventurieri sarebbero tornate a salire per le pendici della sierra e l'altra tenutaria si stava già preparando. Joe Spaccaossa poteva contare solo su tre ragazze, perché era evidente che il fabbro pensava di sottrarle Esther, ma in qualche modo si sarebbe arrangiata. Con le sue opere di carità si era guadagnata una certa considerazione e non desiderava perderla: per la prima volta nella sua turbolenta vita si sentiva accettata da una comunità. Tutto ciò era molto più di quanto avesse avuto tra gli olandesi in Pennsylvania e alla sua età l'idea di radicarsi non era del tutto malvagia. Quando fu informata di questi progetti, Eliza decise che se Joaquín Andieta – o Murieta – non fosse apparso in primavera, avrebbe dovuto congedarsi dai suoi amici e riprendere le ricerche.

DISILLUSIONI

Verso la fine dell'autunno Tao Chi'en ricevette l'ultima lettera di Eliza, che era passata di mano in mano per vari mesi seguendo le sue tracce fino a San Francisco. Aveva lasciato Sacramento in aprile. In quella città l'inverno era stato per lui eterno; l'unico sostegno erano state le lettere di Eliza che arrivavano sporadicamente, la speranza che lo spirito di Lin lo localizzasse e l'amicizia con l'altro *zhong yi*. Si era procurato libri di medicina occidentale e si era dedicato con passione al compito di tradurli al suo amico riga per riga, così che tutti e due potessero assorbire contemporaneamente quel sapere tanto diverso dal loro. Si resero conto che in Occidente si sapeva ben poco delle piante fondamentali, della prevenzione delle malattie e del *qi*; l'energia del corpo non veniva menzionata in questi testi, ma in altri aspetti erano molto più progrediti. Con il suo amico passava giornate intere a paragonare e a discutere, ma lo studio non fu una consolazione sufficiente; l'isolamento e la solitudine gli pesavano talmente che abbandonò la sua casupola d'assi e il suo giardino di piante medicinali e si trasferì a vivere in un albergo di cinesi, dove perlomeno sentiva parlare la sua lingua e mangiava con gusto. Malgrado i suoi clienti fossero molto poveri e spesso li curasse gratuitamente, aveva messo da parte dei soldi. Se Eliza fosse tornata si sarebbero sistemati in una casa comoda, pensava, ma fino a quando fosse rimasto solo, l'albergo era sufficiente. L'altro *zhong yi* progettava di commissionare una giovane sposa in Cina e di stabilirsi definitivamente negli Stati Uniti perché, nonostante la sua condizione di straniero, lì poteva condurre un'esistenza migliore che non nel suo paese. Tao Chi'en lo ammonì contro la vanità dei *loti d'oro*, specialmente in America dove si camminava tanto e i *fan guey* si sarebbero presi gioco di una donna dai piedi da bambola. "Chieda all'intermediario di procurarle una sposa sana e sorridente, tutto il resto non importa," gli consigliò pensando al fugace transito in questo mondo della sua indimenticabile Lin e a quanto sarebbe stata più felice con i piedi e i polmoni forti di Eliza. Sua moglie doveva sentirsi sperduta, probabilmente non riusciva a orientarsi in quella strana terra. La invocava nelle ore di meditazione e nelle poesie, ma lei non tornò ad apparire nemmeno nei sogni. L'ultima volta che poté stare con Lin fu quel giorno nella stiva della nave, quando lei gli fece visita con il suo vestito di seta verde e le peonie tra i capelli per chiedergli di salvare Eliza, ma si trovavano più o meno all'altezza del Perú e da allora erano passati tanta acqua, terra e tempo, che sicuramente Lin stava vagando confusa. Si immaginava il dolce spirito che lo cercava in quello sconfinato continente senza riuscire a localizzarlo. Su suggerimento dello *zhong yi* fece dipingere un suo ritratto a un artista appena arrivato da Shangai, un vero genio del tatuaggio e del disegno che seguì le sue precise istruzioni, ma il risultato non rendeva giustizia alla trasparente bellezza di Lin. Tao Chi'en costruì un piccolo altare con il quadro, di fronte al quale si sedeva a chiamarla. Non capiva perché la solitudine, che prima considerava una benedizione e un lusso, ora gli risultasse insopportabile. Il peggior inconveniente dei suoi anni da marinaio era stata la mancanza di uno spazio privato per la quiete e il silenzio, ma adesso che l'aveva desiderava la compagnia. Ciò nonostante, l'idea di ordinare una sposa gli sembrava una follia. Già una volta gli spiriti dei suoi avi gli avevano procurato una sposa perfetta, ma dietro quell'apparente buona sorte era nascosta una maledizione. Aveva conosciuto l'amore corrisposto e non sarebbero più tornati i tempi dell'innocenza, quando gli sembrava sufficiente qualsiasi donna dai piedi piccoli e dal buon carattere. Si riteneva condannato a vivere del ricordo di Lin, perché nessun'altra avrebbe potuto occupare adeguatamente il suo posto. Non desiderava una serva o una concubina. Nemmeno il bisogno di avere dei figli che onorassero il suo nome e si occupassero della sua tomba serviva da incentivo. Cercò di spiegarlo all'amico, ma gli si ingarbugliò la lingua perché non c'erano parole con cui esprimere quel tormento. La donna è una creatura utile per il lavoro, la maternità e il piacere, ma nessun uomo istruito e intelligente doveva cercare di fare di lei una compagna, gli aveva detto l'amico l'unica volta che gli aveva confidato i suoi sentimenti. In Cina era sufficiente darsi un'occhiata in giro per capire tale pensiero, ma in America i rapporti tra gli sposi sembravano diversi. Tanto per cominciare nessuno aveva concubine, almeno dichiaratamente. Le poche famiglie di *fan guey* che Tao Chi'en aveva conosciuto in quella terra di uomini soli gli risultavano indecifrabili. Non riusciva a immaginare come funzionassero nell'intimità, dato che apparentemente i mariti consideravano le mogli loro pari. Era un mistero che gli interessava indagare, come tanti altri di quello straordinario paese.

Le prime lettere di Eliza arrivarono al ristorante e siccome la comunità cinese conosceva Tao Chi'en, non ci mise molto a consegnargliele. Quelle lunghe lettere, ricche di dettagli, erano la sua migliore compagnia. Ricordava Eliza stupito di sentirne tanto la mancanza, perché non aveva mai pensato che l'amicizia con una donna fosse possibile e men che meno con una di un'altra cultura. L'aveva quasi sempre vista in abiti maschili, ma gli sembrava del tutto femminile e lo meravigliava che la gente credesse al suo aspetto senza fare domande. "Gli uomini non guardano gli altri uomini e le donne mi credono un ragazzo effemminato", gli aveva scritto in una lettera. Per lui, invece, era la ragazza vestita di bianco cui aveva tolto il bustino in una casupola di pescatori a Valparaíso, l'ammalata che si era consegnata senza riserve alle sue cure nella stiva, il corpo tiepido incollato al suo durante le gelide notti sotto un tetto di stoffa, la voce allegra che canticchiava mentre cucinava e il viso dall'espressione grave che lo aiutava a curare i feriti. Non la vedeva più come una bambina, ma come una donna, nonostante le sue ossa minute e il suo volto infantile. Pensava a come era cambiata quando si era tagliata i capelli e si pentiva di non aver conservato la treccia, idea che gli era venuta ma che aveva scartato in quanto imbarazzante espressione di sentimentalismo. Adesso perlomeno avrebbe potuto tenerla tra le mani per invocare la presenza di quell'amica speciale. Durante gli esercizi di meditazione non dimenticava mai di inviarle energia protettiva per aiutarla a sopravvivere alle mille morti e alle disgrazie possibili che cercava di non formulare, perché sapeva che chi si compiace nel pensare alla negatività finisce per evocarla. A volte la sognava e si svegliava sudato, allora indagava la sorte con le sue bacchette degli I Chin per vedere l'invisibile. Negli ambigui messaggi Eliza appariva sempre in marcia verso la montagna e ciò in parte lo tranquillizzava.

Nel settembre 1850, quando la California si trasformò in uno stato dell'Unione, gli toccò partecipare a una chiassosa celebrazione patriottica. La nazione americana abbracciava ora tutto il continente, dall'Atlantico al Pacifico. In quell'epoca la febbre dell'oro iniziava a trasformarsi in una totale delusione collettiva e Tao vedeva folle di minatori poveri e indeboliti in attesa del loro turno per imbarcarsi e fare ritorno ai loro paesi. I giornali stimavano in più di novantamila quelli che rimpatriavano. I marinai ormai non disertavano più, al contrario, le navi non erano sufficienti per trasportare tutti quelli che desideravano partire. Un minatore su cinque era morto affogato nei fiumi, di malattia o di freddo; molti erano stati assassinati o si erano suicidati con un colpo in testa. Arrivavano ancora stranieri, che si erano imbarcati mesi prima, ma l'oro non era più a portata di mano di qualsiasi intrepido munito di bacinella, di pala e di un paio di stivali, l'epoca degli eroi solitari si era conclusa e al loro posto si erano insediate potenti compagnie provviste di macchinari in grado di spaccare le montagne con getti d'acqua. I minatori lavoravano a contratto, ma ad arricchirsi erano gli imprenditori; a caccia di fortuna istantanea come gli avventurieri del '49, erano però molto più scaltri, come quel sarto ebreo dal cognome Levy che si mise a fabbricare pantaloni di tela grossa con doppia cucitura e ribattini metallici, divisa obbligatoria dei lavoratori. Mentre in molti se ne andavano, i cinesi continuavano ad arrivare come formiche silenziose. Spesso Tao Chi'en traduceva i giornali inglesi per il suo amico *zhong yi* che apprezzava in modo particolare gli articoli di un certo Jacob Freemont, di cui condivideva il punto di vista: "Migliaia di argonauti tornano alle loro case sconfitti perché privi del Vello d'Oro, e la loro odissea si è trasformata in tragedia, ma molti altri, benché poveri, rimangono perché ormai non possono più vivere da un'altra parte. Due anni in questa terra bella e selvaggia cambiano gli uomini. I pericoli, l'avventura, la salute e la forza vitale di cui si gode in California non si trovano da nessun'altra parte. L'oro ha svolto il suo compito: attirare la gente che sta conquistando questo territorio per trasformarlo nella Terra Promessa. E da qui indietro non si torna," scriveva Freemont.

Per Tao Chi'en, tuttavia, vivevano in un paradiso di avidi, di gente materialista e impaziente la cui unica ossessione era arricchirsi più in fretta possibile. Non c'era nutrimento per lo spirito mentre la violenza e l'ignoranza prosperavano. Da quei mali derivavano tutti gli altri, ne era convinto. Durante i suoi ventisette anni ne aveva viste di tutti i colori e non si riteneva una verginella, ma il crollo dei valori e l'impunità dei crimini lo lasciavano sconcertato. Un posto così era destinato a soccombere nella melma dei suoi stessi vizi, sosteneva. Aveva perso la speranza di trovare la pace tanto anelata, decisamente quello non era il luogo per un aspirante saggio. Perché allora lo attraeva così tanto? Doveva evitare che quella terra lo stregasse, come capitava a tutti quelli che ci mettevano piede; doveva tornare a Hong Kong o far visita al suo amico Ebanizer Hobbs in Inghilterra per studiare e fare pratica insieme a lui. Negli anni trascorsi da quando era stato sequestrato a bordo del *Liberty* aveva scritto diverse lettere al medico inglese, ma siccome era sempre in navigazione per molto tempo non aveva ricevuto risposta, finché alla fine, a Valparaíso, nel febbraio 1849, il capitano John Sommers aveva ricevuto una lettera e gliel'aveva consegnata. L'amico gli raccontava che a Londra si stava dedicando alla chirurgia, anche se la sua vera vocazione erano le malattie mentali, un campo nuovo, poco esplorato dalla curiosità scientifica.

Progettava di lavorare ancora per un po' a *Dai Fao*, la "città grande", come i cinesi chiamavano San Francisco, e, poi, nel caso in cui Ebanizer Hobbs non avesse risposto in fretta alla sua ultima lettera, di imbarcarsi per la Cina. Era rimasto stupito alla vista di come era cambiata San Francisco in poco più di un anno. Al posto dell'assordante accampamento di casupole e tende che aveva conosciuto, lo aveva ricevuto una città dalle strade ben tracciate e dagli edifici a più piani, organizzata e fiorente, con cantieri per la costruzione di nuove case dappertutto. Un terribile incendio aveva distrutto diversi isolati tre mesi prima, si vedevano ancora resti di edifici carbonizzati, ma, con la cenere ancora calda, erano già tutti lì, martello alla mano, a dedicarsi alla ricostruzione. C'erano hotel di lusso con verande e balconi, casinò, bar e ristoranti, vetture eleganti e una moltitudine cosmopolita, malvestita e dalla brutta cera, tra la quale emergevano i cappelli a tuba di un ridotto numero di dandy. Il resto erano tipi barbuti e infangati con l'aria da imbroglioni, ma lì nessuno era quello che appariva, lo scaricatore del porto poteva essere un aristocratico latinoamericano e il cocchiere un avvocato di New York. Dopo un minuto di conversazione con uno qualsiasi di questi individui dall'aspetto minaccioso si poteva scoprire un uomo educato e fine, che alla prima opportunità, con le lacrime agli occhi, estraeva dalla tasca una lettera sciupata della moglie. E accadeva anche l'inverso: sotto l'abito di buon taglio di un damerino raffinato si nascondeva una carogna. Andando verso il centro non notò scuole e vide invece dei bambini che lavoravano come adulti scavando, trasportando mattoni, incitando muli e lustrando stivali, ma che, non appena iniziava a soffiare il forte vento di mare, correvano a far volare gli aquiloni. Più tardi venne a sapere che molti di loro erano orfani e vagavano per le strade in bande, rubando cibo per sopravvivere. Di donne ce n'erano ancora poche e, quando qualcuna di loro passeggiava con eleganza per la strada, il traffico si fermava per lasciarla passare. Ai piedi di Telegraph Hill, dove un segnale di bandiera indicava la provenienza delle imbarcazioni che entravano nella baia, si estendeva un quartiere di vari isolati nel quale le donne non mancavano: era la zona rossa, controllata dai ruffiani venuti dall'Australia, dalla Tasmania e dalla Nuova Zelanda. Tao Chi'en aveva sentito parlare di loro e sapeva che era una zona in cui un cinese da solo non poteva avventurarsi dopo il tramonto. Guardando i negozi, notò che venivano offerti gli stessi prodotti che aveva visto a Londra. Arrivava tutto via mare, ed era giunto perfino un carico di gatti per combattere i topi che erano stati venduti a uno a uno come articoli di lusso. La selva di alberi delle barche abbandonate si era ridotta a una decima parte, perché molte erano state affondate per riempire il terreno su cui poi si costruiva o erano state trasformate in alberghi, cantine, carceri e persino in un ospizio per malati di mente, dove andavano a morire i disgraziati che si erano persi nel delirio senza ritorno dell'alcol. Era stata una buona idea, perché prima i matti venivano legati agli alberi.

Tao Chi'en si diresse al quartiere cinese e verificò che le voci erano esatte: nel cuore di San Francisco i suoi compatrioti avevano costruito una vera città, in cui si parlava mandarino e cantonese, i cartelli erano scritti in cinese e da ogni parte c'erano solo cinesi: l'illusione di trovarsi nel Celeste Impero era perfetta. Si stabilì in un hotel decoroso con l'intenzione di praticare la sua professione di medico per il tempo necessario a mettere insieme ancora un po' di soldi in vista del lungo viaggio che lo attendeva. Tuttavia sarebbe successo qualcosa che avrebbe mandato all'aria i suoi progetti e l'avrebbe trattenuto in quella città. "Il mio karma non era trovare la pace in un monastero di montagna, come a volte avevo sognato, ma combattere all'infinito, senza tregua," avrebbe concluso molti anni più tardi, una volta in grado di guardare al passato e di vedere con chiarezza la strada percorsa e quella ancora da percorrere. Alcuni mesi dopo in una busta molto malridotta ricevette l'ultima lettera di Eliza.

Paulina Rodríguez de Santa Cruz scese dal *Fortuna* come un'imperatrice, circondata dal suo seguito e con un bagaglio di novantatré bauli. Per il capitano John Sommers, per i passeggeri e per l'equipaggio, il terzo viaggio con il ghiaccio era stato una tortura. Paulina aveva fatto sapere a tutti che l'imbarcazione era sua e per dimostrarlo contraddiceva il capitano e dava ordini arbitrari ai marinai. Non ebbero nemmeno il sollievo di vederla soffrire di mal di mare perché il suo stomaco da elefantessa resistette alla navigazione limitandosi a denunciare un aumento dell'appetito. I suoi figli si perdevano in continuazione negli angoli più disagevoli della nave, nonostante le tate non togliessero loro gli occhi di dosso, e quando ciò si verificava, a bordo suonavano gli allarmi e bisognava fermare la marcia, perché la madre disperata strillava che erano caduti in mare. Il capitano cercava di spiegarle con la massima delicatezza che in quel caso bisognava solo rassegnarsi, perché probabilmente l'Oceano Pacifico se li era già inghiottiti, ma lei ordinava comunque di calare in mare le scialuppe di salvataggio. Prima o poi le creature rispuntavano fuori e dopo alcune ore di tragedia si poteva riprendere il viaggio. A cadere nell'oceano fu, invece, l'antipatico cagnolino da compagnia, che un giorno scivolò in acqua davanti a molti testimoni, che rimasero muti. Sul molo di San Francisco il marito e il cognato attendevano Paulina con una fila di carri e carrozze pronti a trasportare la famiglia e i bagagli. La nuova residenza costruita per lei, un'elegante casa vittoriana, era arrivata imballata dall'Inghilterra con casse numerate e un progetto per assemblarla; erano state importate anche la carta da parati, i mobili, l'arpa, il pianoforte, le lampade e perfino le statuette di porcellana e i quadri bucolici per decorarla. A Paulina non piacque. Paragonata alla sua magione cilena e ai suoi marmi, sembrava una casetta da bambole che rischiava di crollare quando ci si appoggiava ai muri, ma per il momento non c'erano alternative. Le bastò dare un'occhiata all'effervescente città per rendersi conto delle sue possibilità.

"Ci stabiliremo qui, Feliciano. I primi arrivati, con il tempo diventano i membri dell'aristocrazia."

"Ma lo sei già in Cile."

"Io sì, ma tu no. Credimi, questa diventerà la città più importante del Pacifico."

"Sì, una città di delinquenti e puttane!"

"Esattamente. Le due categorie che più ambiscono alla rispettabilità. Non ci sarà famiglia più prestigiosa dei Cross. Peccato che i gringo non riescano a pronunciare il tuo vero cognome. Cross è un nome da produttori di formaggio. Ma va bene, penso che non si possa avere tutto dalla vita..."

Il capitano John Sommers si diresse verso il miglior ristorante della città, deciso a bere e a mangiare bene per dimenticare le cinque settimane in compagnia di quella donna. Aveva trasportato diverse casse con le nuove edizioni illustrate dei libri erotici. Il successo riscosso dai precedenti era stato eccezionale e sperava che la sorella Rose recuperasse lo spirito e si rimettesse a scrivere. Dopo la scomparsa di Eliza era sprofondata nella tristezza e non aveva più ripreso in mano la penna. Anche l'umore di lui era cambiato. "Sto invecchiando, maledizione," diceva quando si ritrovava perso in inutili nostalgie. Non aveva avuto tempo di godersi quella figlia, di portarsela in Inghilterra, come aveva progettato; non aveva neanche avuto modo di dirle che era suo padre. Era stanco di inganni e misteri. Il commercio di quei libri era un altro dei segreti famigliari. Quindici anni prima, quando la sorella Rose gli aveva confessato che, alle spalle di Jeremy, scriveva impudiche storie per non morire di noia, gli era venuta l'idea di farle pubblicare a Londra, dove il mercato dell'erotismo, insieme a quello della prostituzione e ai club di flagellanti, era fiorito a mano a mano che si andava imponendo la rigida morale vittoriana. In una remota provincia del Cile, seduta a un lezioso scrittoio di legno chiaro, senz'altra fonte d'ispirazione se non i ricordi del suo unico amore mille volte amplificati e perfezionati, sua sorella sfornava un romanzo dietro l'altro con la firma "una dama anonima". Nessuno poteva credere che quelle storie focose, alcune con un tocco evocativo del Marchese de Sade, già classiche nel loro genere, fossero redatte da una donna. A lui spettava il compito di portare i manoscritti all'editore, controllare i conti, riscuotere gli introiti e depositarli in una banca londinese per la sorella. Era il suo modo di ricambiarle il favore di aver accolto sua figlia e di aver taciuto. Eliza... Non riusciva a ricordare sua madre, da cui lei aveva ereditato i tratti fisici, mentre da lui, senz'altro, lo slancio per l'avventura. Dove si trovava? Con chi? Rose insisteva che era partita per la California sulle tracce dell'amante, ma più il tempo passava, meno ci credeva. Il suo amico Jacob Todd – Freemont, adesso –, che aveva fatto della ricerca di Eliza la sua missione personale, gli aveva assicurato che non aveva mai messo piede a San Francisco.

Freemont si trovò con il capitano per cena e poi lo invitò a uno spettacolo leggero in uno dei locali da ballo della zona rossa. Gli raccontò che Ah Toy, la cinese che avevano intravisto dai buchi nel muro, adesso gestiva una catena di bordelli e una "sala" molto elegante dove venivano offerte le migliori ragazze orientali, alcune di soli undici anni, allenate a soddisfare tutti i capricci; ma non era quella la loro meta, sarebbero andati a vedere le danzatrici di un harem turco, disse. Poco dopo stavano fumando e bevendo in un edificio a due piani con tavoloni di marmo, lucidi bronzi e quadri di ninfe mitologiche inseguite da fauni. Donne di varie razze si occupavano della clientela, servivano liquori e gestivano i tavoli da gioco, sotto lo sguardo vigile di ruffiani armati e vestiti con sgargiante affettazione. Su entrambi i lati della sala principale, in vani privati, si scommettevano somme ingenti. Lì si riunivano le tigri del gioco per rischiare palate di soldi in una notte: politici, giudici, commercianti, avvocati e criminali, tutti accomunati dal medesimo vizio. Lo spettacolo orientale risultò deludente per il capitano, che aveva visto l'autentica danza del ventre a Istanbul e immaginò che quelle sgraziate ragazze sicuramente facessero parte dell'ultimo carico di prostitute di Chicago appena arrivato in città. Gli avventori, per la maggior parte rozzi minatori incapaci di situare la Turchia su una cartina, impazzivano d'entusiasmo per quelle odalische coperte a malapena da una gonnellina di perline. Annoiato, il capitano si diresse a uno dei tavoli da gioco in cui una donna distribuiva con incredibile destrezza le carte del *monte*. Se ne avvicinò un'altra e, prendendolo per un braccio, gli sussurrò un invito all'orecchio. Si girò per guardarla. Era una sudamericana tarchiata e volgare, ma con un'espressione di genuina allegria. Stava per declinare l'invito, perché aveva progettato di passare il resto della serata in una delle sale costose, dove era stato in ognuno dei suoi precedenti soggiorni a San Francisco, quando i suoi occhi si fissarono sulla scollatura. Tra i seni spiccava una spilla d'oro e turchesi.

"Dove l'hai presa?" gridò afferrandola per le spalle con due artigli.

"È mia! L'ho comprata," balbettò terrorizzata.

"Dove?" e continuò a scuoterla fino a quando non sopraggiunse uno dei gorilla.

"Qualcosa non va, mister?" minacciò l'uomo.

Il capitano fece segno di voler appartarsi con la donna e se la portò, praticamente a braccia, in uno dei cubicoli del secondo piano. Tirò la tenda e con un solo schiaffo in viso la fece cadere supina sul letto.

"Adesso o mi dici dove hai preso questa spilla o ti faccio saltare tutti i denti, è chiaro?"

"Non l'ho rubata, signore, glielo giuro. Me l'hanno data!"

"Chi te l'ha data?"

"Se glielo dico non mi crederà..."

"Chi?"

"Una ragazza, tempo fa, su una nave..."

E Azucena Placeres non poté fare a meno di raccontare a quell'energumeno che la spilla gliel'aveva data un cuoco cinese, in cambio delle cure prestate a una povera creatura che stava morendo a causa di un aborto nella stiva di una nave in mezzo all'Oceano Pacifico. E mentre parlava, la furia del capitano si trasformava in orrore.

"E poi cosa è successo alla ragazza?" chiese John Sommers con la testa fra le mani, distrutto.

"Non lo so, signore."

"Per quello che hai di più caro, per favore, dimmi cosa ne è stato di lei," supplicò, mettendole sulla gonna un fascio di banconote.

"Lei chi è?"

"Sono suo padre."

"Morì dissanguata e buttammo il corpo in mare. Glielo giuro, è la verità," replicò Azucena Placeres senza esitare, pensando che se quella sventurata aveva attraversato mezzo mondo nascosta in un buco come un topo, da parte sua sarebbe stata un'imperdonabile mascalzonata indirizzare il padre sulle sue tracce.

Eliza trascorse l'estate nel paese perché, tra una cosa e l'altra, le giornate volarono. Anzitutto, Babalú il Cattivo ebbe un attacco fulminante di dissenteria che scatenò il panico perché si credeva che ormai l'epidemia fosse sotto controllo. Da mesi non si erano verificati altri casi, salvo quello di un bambino di due anni, la prima creatura che nacque e morì in quel luogo di passaggio per avventurieri e arricchiti. Quel bambino appose un marchio di autenticità al paese, non più un accampamento allucinato con una forca come unico simbolo a garanzia del diritto a figurare sulle cartine: ora poteva contare su un cimitero cristiano e sulla piccola tomba di qualcuno che aveva trascorso lì tutta la vita. Finché il capannone era stato adibito a ospedale, si erano salvati dal contagio per miracolo perché Joe non credeva alle epidemie, diceva che era solo questione di fortuna: il mondo trabocca di infezioni, alcuni se le beccano e altri no. In virtù di ciò non prendeva precauzioni, si consentì il lusso di prescindere dalle raccomandazioni di buon senso del medico e solamente a denti stretti a volte faceva bollire l'acqua da bere. Una volta trasferitisi in una casa vera e propria, si sentirono tutti al sicuro; se non si erano ammalati prima, adesso le probabilità erano ancora inferiori. Pochi giorni dopo il crollo di Babalú, toccò alla Spaccaossa, alle ragazze del Missouri e alla bella messicana. Dovettero arrendersi a una ripugnante dissenteria, a febbri da cavallo e a brividi incontrollabili, in grado, nel caso di Babalú, di scuotere la casa. Fu allora che si presentò James Morton, vestito da festa, a chiedere formalmente la mano di Esther.

"Ah, ragazzo mio, non potevi scegliere un momento peggiore," sospirò la Spaccaossa, ma era troppo malata per opporsi e tra i lamenti acconsentì.

Esther distribuì le sue cose tra le compagne perché non voleva portarsi niente nella nuova vita, e si sposò quello stesso giorno senza grandi formalità, scortata da Tom Senza Tribù e da Eliza, gli unici sani della combriccola. Su entrambi i lati della strada si era formata una doppia fila dei suoi antichi clienti che spararono colpi in aria applaudendo la coppia che passava. Si stabilì nella fucina, con l'intenzione di trasformarla in focolare e di dimenticare il passato, ma ogni giorno trovava la maniera di andare a casa di Joe per portare ai malati cibo caldo e indumenti puliti. Su Eliza e Tom Senza Tribù ricadde l'ingrato compito di accudire gli altri abitanti della casa. Il dottore del paese, un giovane di Philadelphia che da mesi, senza che nessuno gli badasse, avvertiva che l'acqua era stata inquinata dai rifiuti dei minatori a monte del fiume, dichiarò la casa di Joe in quarantena. I soldi terminarono e se non morirono di fame fu grazie a Esther e ai regali anonimi che apparivano misteriosamente sulla porta: un sacco di fagioli, qualche libbra di zucchero, tabacco, sacchettini di oro in polvere, qualche dollaro d'argento. Per aiutare i suoi amici, Eliza fece ricorso a quanto aveva appreso da Mama Fresia durante l'infanzia e da Tao Chi'en a Sacramento, fino a quando, finalmente, a uno a uno si furono rimessi, anche se per un certo periodo rimasero tutti un po' debilitati e intontiti. Babalú il Cattivo fu quello che patì di più; il suo corpaccione da ciclope non era abituato a non essere in salute, dimagrì e la pelle gli si vuotò a tal punto che persino i tatuaggi persero forma.

In quei giorni il giornale locale pubblicò una breve notizia a proposito di un bandito cileno o messicano, non si sapeva con certezza, chiamato Joaquín Murieta, che stava acquistando una certa fama in lungo e in largo nella Veta Madre. In quel periodo nella regione dell'oro imperava la violenza. Disillusi dalla consapevolezza che la fortuna istantanea, come un miracolo beffardo, era toccata solo a pochissimi, gli americani accusavano gli stranieri di essere avidi e di arricchirsi senza contribuire alla prosperità del paese. L'alcol li infervorava e la possibilità di esercitare impunemente una giustizia fraudolenta dava loro un irrazionale senso di potere. Non veniva mai condannato uno yankee per crimini contro le altre razze, peggio ancora, un bianco poteva addirittura scegliersi la giuria. L'ostilità razziale si trasformò in odio cieco. I messicani negavano la perdita del loro territorio durante la guerra e non accettavano di essere espulsi dai loro ranch o dalle miniere. I cinesi sopportavano silenziosamente gli abusi, non se ne andavano e continuavano a cercare l'oro, con guadagni irrisori, ma con una tenacia tale che, grammo dopo grammo, accumulavano ricchezze. Migliaia di cileni e peruviani, tra i primi ad arrivare quando era scoppiata la febbre dell'oro, decisero di rientrare nei loro paesi, perché in tali condizioni non valeva la pena di inseguire sogni. In quell'anno, il 1850, il parlamento californiano approvò un'imposta mineraria studiata per proteggere i bianchi. Neri e indiani non erano contemplati, a meno che non lavorassero come schiavi, e i forestieri dovevano pagare venti dollari e rinnovare mensilmente la registrazione della loro proprietà, operazione che nella pratica risultava impossibile. Non potevano abbandonare i giacimenti per intraprendere un viaggio di settimane verso le città, dove avrebbero potuto adempiere la legge, ma se non lo facevano lo sceriffo occupava la terra e la consegnava a un americano. I preposti per rendere effettive tali misure venivano designati dal governatore e il loro stipendio era costituito da imposte e multe, metodo efficace per stimolare la corruzione. La legge veniva applicata solamente contro gli stranieri dalla pelle scura, benché i messicani godessero del diritto di cittadinanza americana, come recitava il trattato che aveva messo fine alla guerra nel 1848. Un altro decreto diede loro il colpo di grazia: la proprietà dei loro ranch, dove erano vissuti per generazioni, doveva essere ratificata da un tribunale di San Francisco. Il procedimento durava anni, costava un patrimonio e inoltre, spesso e volentieri, giudici e ufficiali giudiziari erano proprio coloro che si erano impossessati del terreno. Appurato che la giustizia non li proteggeva, molti di loro si collocarono al di fuori di essa, assumendo proprio il ruolo di malviventi. Chi prima si accontentava di rubare bestiame, ora assaliva minatori e viaggiatori solitari. Alcune bande divennero celebri per la loro crudeltà: non solo derubavano le vittime, ma si dilettavano anche a torturarle prima di assassinarle. Si parlava di un bandito particolarmente sanguinario al quale, tra gli altri delitti, veniva attribuita la morte raccapricciante inflitta a due giovani americani. Sui loro corpi, trovati legati a un albero, erano visibili tracce evidenti che erano stati usati come bersaglio per il lancio di coltelli; erano state anche tagliate le lingue, strappati gli occhi e tolta la pelle ed erano stati abbandonati vivi, destinati a una morte lenta. Il criminale veniva chiamato Jack Tre Dita e si diceva fosse il braccio destro di Joaquín Murieta.

Ciò nondimeno, non tutto era barbarie; le città si sviluppavano e sorgevano nuovi paesi, si insediavano famiglie, nascevano giornali, compagnie di teatro e orchestre, venivano edificate banche, scuole e chiese, si costruivano strade e si miglioravano le comunicazioni. Era stato introdotto un servizio di diligenze e la posta veniva distribuita con regolarità. Le donne continuavano ad arrivare e fioriva una società che aspirava all'ordine e alla moralità; non era più lo sfascio dei tempi iniziali di uomini soli e prostitute, si cercava di introdurre la legge e di tornare alla civiltà dimenticata nel delirio dell'oro facile. Al paese venne assegnato un nome decoroso in una solenne cerimonia con tanto di banda e parata alla quale prese parte Joe Spaccaossa, per la prima volta vestita da donna, spalleggiata da tutta la sua compagnia. Le spose appena giunte recalcitravano davanti alle "facce truccate", ma siccome Joe e le sue ragazze avevano salvato tante anime durante l'epidemia, chiudevano un occhio sulle loro attività. Contro l'altro bordello scatenarono invece una vera guerra, inutile perché la percentuale era ancora di una donna su nove uomini. Alla fine dell'anno James Morton diede il benvenuto a cinque famiglie di quaccqueri che avevano attraversato il continente in carri trainati da buoi e non venivano per l'oro, bensì attirati dagli spazi sconfinati di quella terra vergine.

Eliza ormai non sapeva più che pista seguire. Joaquín Andieta si era perso nella confusione di quei tempi e al suo posto cominciava a profilarsi l'immagine di un bandito dal nome simile e che rispondeva alla stessa descrizione fisica, ma che a lei risultava impossibile far combaciare con il nobile giovane che amava. L'autore di quelle lettere appassionate, che conservava come suo unico tesoro, non poteva essere colui al quale venivano attribuiti crimini tanto efferati. L'uomo che cercava non si sarebbe mai associato a un sadico come Jack Tre Dita, ne era sicura, ma la certezza vacillava di notte, quando Joaquín le appariva con mille maschere diverse, portandole messaggi contraddittori. Si svegliava tremante, perseguitata dai deliranti spettri dei suoi incubi. Ormai non riusciva più a entrare e a uscire dai sogni, come le aveva insegnato durante l'infanzia Mama Fresia, né a decifrare visioni e simboli, che rimanevano a vagarle nella testa, come un rimbombare di sassi trascinati da un fiume. Scriveva instancabilmente sul suo diario con la speranza che tale gesto attribuisse qualche significato alle immagini. Rileggeva le missive amorose lettera dopo lettera, ma ne traeva solo ulteriore perplessità. Quelle lettere costituivano l'unica prova dell'esistenza dell'amante e vi si aggrappava per non uscire completamente di senno. Spesso le era difficile resistere alla tentazione di sprofondare nell'apatia, come via di fuga al tormento della continua ricerca. Dubitava di tutto: degli abbracci nella stanza degli armadi, dei mesi di prigionia nella stiva, del bambino che aveva perso.

I problemi finanziari provocati dal matrimonio di Esther con il fabbro, che aveva privato di colpo la compagnia di un quarto delle entrate, e dalle settimane trascorse dagli altri nella prostrazione della dissenteria, furono tali che Joe si ritrovò sul punto di perdere la casetta, ma l'idea di vedere le sue colombe lavorare per la concorrenza la pungeva sul vivo spronandola a continuare a lottare contro le avversità. Erano passate per l'inferno e lei non poteva spingerle di nuovo a quella vita perché, molto suo malgrado, a loro si era affezionata. Si era sempre considerata un grave errore di Dio, un uomo costretto a forza nel corpo di una donna, e pertanto non riusciva a capacitarsi di questa sorta di istinto materno che le era scaturito quando meno le conveniva. Si occupava di Tom Senza Tribù in modo esclusivo, ma le piaceva rimarcare che lo faceva "da sergente". Di coccole non se ne parlava, non erano nella sua indole, e comunque il bambino doveva crescere forte come i suoi antenati; le smancerie servivano solo a minare la virilità, ricordava a Eliza quando la trovava con il ragazzino in braccio intenta a raccontargli fiabe cilene. Questa tenerezza nuova nei confronti delle sue colombe risultava essere un serio intralcio e, come se non bastasse, loro se n'erano accorte e avevano iniziato a chiamarla "madre". L'appellativo la mandava in bestia, glielo aveva proibito, ma loro non le badavano. "Abbiamo un rapporto commerciale, diamine. Non posso essere più esplicita: fino a quando lavorerete avrete soldi, un tetto, cibo e protezione; ma se un giorno vi ammalerete, vi indebolirete e vi verranno le rughe e i capelli bianchi, in questo caso tanti saluti! Non ci metterò molto a rimpiazzarvi, il mondo è pieno di ragazze di vita," borbottava. E allora, all'improvviso, si affacciava a complicarle la vita quel sentimento dolciastro che nessuna mezzana in pieno possesso delle sue facoltà poteva permettersi. "Se non fossi una brava persona non avresti queste noie," la prendeva in giro Babalú il Cattivo. Ed era vero, perché mentre lei aveva impiegato tempo prezioso a curare ammalati di cui nemmeno conosceva il nome, l'altra tenutaria non ammetteva nessun contagiato nei pressi del suo locale. Joe era ogni giorno più povera mentre l'altra era ingrassata, si era tinta i capelli di biondo e si era fatta un amante russo più giovane di lei di dieci anni con muscoli da atleta e un diamante incastonato in un dente, aveva ampliato l'attività e durante i fine settimana i minatori si incolonnavano davanti alla sua porta con i soldi in una mano e il cappello nell'altra, perché nessuna donna, per quanto in basso fosse scesa, tollerava un cappello sul capo. Non c'era proprio futuro in quella professione, sosteneva Joe: la legge non le proteggeva, Dio le aveva dimenticate e all'orizzonte si intravedevano solo vecchiaia, povertà e solitudine. Pensò che potevano dedicarsi al lavaggio della biancheria e alla preparazione di torte, mantenendo i tavoli da gioco e la vendita dei libri osé, ma le sue ragazze non erano disposte a guadagnarsi da vivere con lavori tanto umili e mal pagati.

"Questo è un lavoro di merda, bambine mie. Sposatevi, studiate da maestre, fate qualcosa della vostra vita e non rompetemi più le scatole!" sospirava tristemente.

Anche Babalú il Cattivo era stanco di fare da ruffiano e gorilla. La vita sedentaria lo annoiava e la Spaccaossa era talmente cambiata che non aveva molto senso continuare a lavorare insieme. Se lei aveva perduto entusiasmo per la professione, a lui cosa restava? Nei momenti di disperazione si confidava con il Cilenito e insieme indugiavano a fare progetti fantastici per emanciparsi: avrebbero messo in piedi uno spettacolo ambulante, pensavano di comprare un orso e di allenarlo a tirare di boxe per andare di paese in paese a sfidare i bulli perché si battessero a pugni con l'animale. Babalú era in cerca d'avventure ed Eliza pensava che fosse un buon pretesto per viaggiare in compagnia alla ricerca di Joaquín Andieta. Lì con la Spaccaossa, a parte cucinare e suonare il piano, non aveva grandi possibilità, e anche a lei l'ozio induceva il cattivo umore. Desiderava recuperare l'infinita libertà del viaggio, ma si era affezionata a quelle persone e l'idea di separarsi da Tom Senza Tribù le spezzava il cuore. Il bambino ormai leggeva scioltamente e scriveva con precisione, perché Eliza lo aveva convinto che, una volta diventato grande, doveva studiare per diventare avvocato e dedicarsi a difendere i diritti degli indiani, invece di vendicare i morti a colpi di pistola, come voleva Joe. "Così diventerai un guerriero molto più potente e i gringo avranno paura di te," gli diceva. Ancora non rideva, ma in un paio di occasioni, quando le era andato di fianco per farsi grattare la testa, si era disegnata l'ombra di un sorriso sul suo volto di indiano adirato.

Tao Chi'en si presentò a casa della Spaccaossa alle tre del pomeriggio di un mercoledì di dicembre. Gli aprì la porta Tom Senza Tribú, lo fece accomodare nella sala che a quell'ora era libera e andò a chiamare le colombe. Poco dopo la bella messicana si presentò in cucina, dove il Cilenito stava impastando il pane, per annunciare che c'era un cinese che domandava di Elías Andieta, ma lei era talmente assorbita dal lavoro e dal ricordo dei sogni della notte precedente, in cui si confondevano tavoli da tombola e occhi strappati, che non le prestò attenzione.

"Ti ho detto che c'è un cinese che ti cerca," le ripeté la messicana, e allora il cuore di Eliza fece uno scarto da cavallo.

"Tao!" gridò e uscì di corsa.

Entrando in sala si trovò di fronte un uomo talmente diverso che ci impiegò qualche secondo a riconoscere l'amico. Non aveva più la coda, portava i capelli corti, imbrillantinati e pettinati all'indietro, indossava occhiali rotondi dalla montatura metallica, un abito scuro, finanziera, gilet a tre bottoni e pantaloni dritti. Su un braccio reggeva un soprabito e un ombrello e nell'altra mano un cappello a tuba.

"Mio Dio, Tao! Cosa ti è successo?"

"In America bisogna vestirsi come gli americani," sorrise lui.

Tanto per il gusto di divertirsi a spese di un "celestiale", a San Francisco tre gorilla lo avevano aggredito e prima che facesse in tempo a estrarre dalla cintola il suo coltello era stato stordito con una sprangata. Una volta riavutosi, si era ritrovato sdraiato in un vicolo, sudicio di spazzatura, con la coda mozzata avvolta intorno al collo. Allora aveva preso la decisione di tenere i capelli corti e di vestirsi come i *fan guey*. La sua nuova immagine stonava nel quartiere cinese, ma scoprì che fuori lo accettavano molto meglio e si aprivano porte che prima per lui erano sbarrate. Probabilmente era l'unico cinese con quell'aspetto in città. La treccia era considerata sacra e la decisione di tagliarla dimostrava il proposito di non tornare in Cina e di stabilirsi in modo definitivo in America, un imperdonabile tradimento all'imperatore, alla patria e agli avi. Inoltre l'abito e la pettinatura provocavano meraviglia anche perché indicavano che aveva accesso al mondo degli americani. Eliza non riusciva a togliergli gli occhi di dosso: era uno sconosciuto con cui avrebbe dovuto cominciare a familiarizzare da capo. Tao Chi'en si chinò diverse volte nel consueto saluto e lei non osò obbedire all'impulso che le stava bruciando la pelle di buttargli le braccia al collo. Aveva dormito di fianco a lui molte notti, ma non si erano mai toccati senza l'espediente del sonno.

"Credo che tu mi piacessi di più quando eri cinese dalla testa ai piedi, Tao. Ora non ti riconosco. Lascia che ti annusi," gli chiese.

Non si mosse, turbato, mentre lei lo odorava come fa un cane con la sua preda, fino a quando, alla fine, non ebbe riconosciuto la tenue fragranza di mare, lo stesso confortante aroma del passato. Il taglio di capelli e l'abbigliamento severo lo facevano sembrare più adulto, non aveva più quella disinvolta aria giovanile di prima. Era dimagrito e sembrava più alto, gli zigomi risaltavano sul suo volto liscio. Eliza osservò la sua bocca con piacere, ricordava perfettamente quel sorriso contagioso e i denti perfetti, ma non la forma voluttuosa delle labbra. Notò un'espressione cupa nello sguardo, ma pensò che fosse l'effetto delle lenti.

"Come sono felice di vederti, Tao!" e gli occhi le si riempirono di lacrime.

"Non sono potuto venire prima, non avevo l'indirizzo."

"Mi piaci anche adesso. Sembri un becchino, ma di quelli belli."

"Di questo mi occupo ora. Di sepolture," sorrise lui. "Quando venni a sapere che vivevi in questo posto, pensai che i pronostici di Azucena Placeres si fossero avverati. Diceva che prima o poi saresti finita come lei."

"Ti ho spiegato nella lettera che mi guadagno da vivere suonando il piano."

"Incredibile!"

"E perché? Non mi hai mai sentito. Non suono così male. E se posso spacciarmi per un cinese sordomuto posso farlo anche come pianista cileno."

Tao Chi'en scoppiò a ridere, sorpreso, perché era la prima volta da mesi che si sentiva contento.

"Hai trovato il tuo innamorato?"

"No. Ormai non so più dove cercarlo."

"Forse non vale più la pena che lo trovi. Vieni con me a San Francisco."

"Non ho niente da fare a San Francisco..."

"Perché qui, invece? L'inverno è già iniziato, tra un paio di settimane le strade saranno impraticabili e questo paese rimarrà isolato."

"È molto noioso fare il tuo fratellino scemo, Tao."

"Ci sono molte cose da fare a San Francisco, vedrai, e non dovrai vestirti da uomo, adesso ci sono in giro un sacco di donne."

"E i tuoi progetti di tornare in Cina?"

"Rimandati. Non posso ancora andarmene."

SING SONG GIRLS

Nell'estate del 1851 Jacob Freemont decise di intervistare Joaquín Murieta. I banditi e gli incendi erano argomenti di moda in California: tenevano la gente con il cuore in gola e la stampa occupata. Il crimine aveva messo radici ed era nota la corruttibilità della polizia composta in gran parte da malfattori più interessati a proteggere i loro complici che non la popolazione. Dopo un altro violento incendio che distrusse buona parte di San Francisco, si costituì un comitato di guardie formato da cittadini furibondi e capitanato dallo straordinario Sam Brannan, il mormone che nel 1848 aveva diffuso la notizia della scoperta dell'oro. Le compagnie di pompieri correvano trainando con corde i carri carichi d'acqua su e giù per i pendii, ma prima che raggiungessero un edificio, il vento aveva già spinto le fiamme su quello di fianco. L'incendio era scoppiato quando gli *hounds* australiani, dopo aver inzuppato di kerosene il negozio di un commerciante che si era rifiutato di pagare il pizzo, gli si erano avvicinati con una torcia. Vista l'indifferenza delle autorità, il comitato decise di agire per conto proprio. I giornali protestavano: "Quanti crimini sono stati commessi in questa città in un anno? E chi è andato sulla forca o è stato punito? Nessuno! Quanti uomini sono stati impallinati e pugnalati, storditi e picchiati, ma chi è stato condannato? Non approviamo i linciaggi, ma come si fa a prevedere cosa farà la gente indignata per proteggersi?". Linciaggi, fu proprio questa la strada che si decise di percorrere. Le guardie si buttarono a capofitto in questo genere di operazioni, impiccando il primo sospettato. I membri del comitato aumentavano di giorno in giorno e agivano con tale frenetico entusiasmo che per la prima volta i fuorilegge badavano bene a non entrare in azione in pieno giorno. In un clima simile, di violenza e vendetta, la figura di Joaquín Murieta iniziò a trasformarsi in un simbolo. Jacob Freemont si incaricava di attizzare il fuoco della sua celebrità; i suoi articoli sensazionalistici avevano forgiato l'immagine di un eroe per gli ispanici e di un demonio per gli yankee. Gli attribuiva una numerosa truppa al seguito e il talento di un genio militare, e sosteneva che, contro la guerriglia di scaramucce da lui combattuta, le autorità risultavano impotenti. Attaccava con astuzia e rapidità, piombando sulle vittime come una maledizione e sparendo immediatamente senza lasciare traccia, per ricomparire poco dopo a cento miglia di distanza, protagonista di un altro colpo di tale inusitata audacia che si poteva spiegare solamente con arti magiche. Freemont sospettava che si trattasse di diversi individui e non di uno solo, ma si guardava bene dal dirlo; avrebbe tolto forza alla leggenda. Ebbe invece l'ispirazione di chiamarlo "il Robin Hood della California", soprannome che alimentò immediatamente il falò delle dispute razziali. Per gli yankee, Murieta incarnava quanto di più detestabile i *greasers* rappresentavano; d'altronde si sospettava che i messicani lo nascondessero e lo rifornissero di armi e provviste perché rubava agli yankee per aiutare quelli della sua razza. Durante la guerra avevano perso i territori del Texas, dell'Arizona, del Nuovo Messico, del Nevada, dello Utah, di mezzo Colorado e della California: per loro, qualsiasi attentato contro i gringo andava considerato un atto di patriottismo. Il governatore diffidò il giornale dal trasformare imprudentemente un criminale in eroe, ma il nome aveva già infiammato l'immaginazione del pubblico. A Freemont arrivavano dozzine di lettere – tra cui quella di una ragazza di Washington disposta a navigare per mezzo mondo pur di sposare il bandito –, e la gente lo fermava per strada per conoscere qualche particolare sul famoso Joaquín Murieta. Pur senza averlo mai visto, il giornalista lo descriveva come un giovane dall'aspetto virile, con i lineamenti di un nobile spagnolo e la temerarietà di un torero. Non se lo era posto come obiettivo, ma era inciampato in una miniera molto più produttiva delle molte della Veta Madre. Progettò di intervistare il suddetto Joaquín, che chissà se veramente esisteva, per redigerne la biografia; nel caso si fosse trattato solo di una favola, il materiale era ideale per la stesura di un romanzo. Come autore doveva semplicemente offrire una scrittura dal tono eroico per soddisfare il gusto del pubblico. La California aveva bisogno dei suoi miti e delle sue leggende, sosteneva Freemont, era uno stato appena nato per gli americani che volevano cancellare in un sol colpo la storia precedente di indiani, messicani e californiani. Per quella terra di uomini solitari dagli spazi sconfinati, terra vergine per la conquista e la violenza, quale migliore eroe di un bandito? Mise l'indispensabile in una valigia, si attrezzò con un numero sufficiente di quaderni e matite e partì a caccia del suo personaggio. Che avrebbe corso dei rischi non gli passò nemmeno per la testa; armato della duplice arroganza di inglese e di giornalista, si credeva al riparo da qualsiasi evenienza. Inoltre si viaggiava con una certa comodità, le strade erano state costruite e un regolare servizio di diligenze collegava i villaggi in cui pensava di condurre le sue indagini; non era più come prima, all'inizio della sua carriera di reporter, quando doveva viaggiare a dorso di mulo facendosi strada nell'incertezza di boschi e colline, senz'altra guida che le demenziali cartine in base alle quali si poteva girare in tondo all'infinito. Durante il tragitto poté apprezzare i cambiamenti avvenuti nella regione. In pochi si erano arricchiti con l'oro, ma grazie agli avventurieri arrivati a migliaia, la California si stava civilizzando. Senza la febbre dell'oro la conquista del West sarebbe avvenuta con un paio di secoli di ritardo, annotò il giornalista sul suo quaderno.

Storie da raccontare non mancavano; come quella di quel giovane minatore, un diciottenne, che dopo aver patito la miseria per un lungo anno era riuscito a mettere insieme i diecimila dollari di cui aveva bisogno per tornare in Oklahoma e comprare una fattoria per i genitori. Un giorno radioso stava scendendo lungo le pendici della Sierra Nevada verso Sacramento, con il sacco contenente il tesoro sulla schiena, quando venne sorpreso da un gruppo di crudeli messicani o di cileni, a questo proposito non c'erano informazioni sicure. Con certezza si sapeva solo che parlavano spagnolo, perché ebbero la sfacciataggine di lasciare un cartello scritto in quella lingua, inciso con un coltello su un pezzo di legno: "a morte gli yankee". Non si accontentarono di malmenarlo e di derubarlo: lo legarono nudo a un albero e lo cosparsero di miele. Due giorni più tardi, quando una pattuglia lo trovò, era impazzito. Le zanzare gli avevano divorato la pelle.

Freemont mise alla prova il suo talento di giornalista amante delle storie morbose narrando la tragica fine di Josefa, una bella messicana che lavorava in una sala da ballo. Il cronista giunse nel paese di Downieville il giorno dell'Indipendenza e si ritrovò nel bel mezzo dei festeggiamenti capitanati da un candidato al senato e innaffiati da fiumi di alcol. Un minatore ubriaco si era introdotto a viva forza nella camera di Josefa e lei lo aveva respinto conficcandogli il suo coltello da caccia in pieno cuore. Quando giunse Jacob Freemont, il cadavere giaceva su un tavolo avvolto in una bandiera americana e una folla di duemila fanatici infiammati dall'odio razziale reclamava la forca per Josefa. Impassibile, la donna si fumava la sua sigaretta come se lo schiamazzo non la riguardasse; con la sua blusa bianca macchiata di sangue, percorreva con lo sguardo i visi degli uomini con infinito disprezzo, conscia dell'incendiaria miscela di aggressività e desiderio sessuale che provocava in loro. Un medico osò intervenire in suo favore, spiegando che aveva agito per legittima difesa e che giustiziandola avrebbero ucciso anche il bambino che aveva nel ventre, ma la folla lo fece tacere, minacciando di impiccare pure lui. Tre dottori in preda al terrore furono costretti loro malgrado a visitare Josefa e tutti e tre dichiararono che non era incinta, circostanza che spinse l'improvvisato tribunale a condannarla immediatamente. "Far fuori questi *greasers* a pistolettate non va bene; bisogna sottoporli a un processo giusto e impiccarli con tutti i crismi della legge," dichiarò uno dei membri della giuria. Freemont, cui non era mai capitato di vedere da vicino un linciaggio, ebbe modo di riferire con frasi esaltate che, alle quattro del pomeriggio, cercarono di trascinare Josefa verso il ponte dove era tutto pronto per l'esecuzione, ma lei si liberò con alterigia e avanzò da sola verso il patibolo. La bella salì senza essere aiutata, si assicurò le gonne intorno alle caviglie, si mise la corda intorno al collo, si sistemò le trecce nere e si congedò con uno spavaldo "addio, signori" che lasciò il giornalista stupito e gli altri mortificati. "Josefa non è morta perché colpevole, ma in quanto messicana. È la prima volta che in California viene linciata una donna. Che spreco, ce ne sono talmente poche!" scrisse Freemont nel suo articolo.

Seguendo le tracce di Joaquín Murieta scoprì paesi veri e propri, con tanto di scuola, biblioteca, chiesa e cimitero; altri, invece, come soli segni di civiltà esibivano il bordello e la prigione. I saloon non mancavano mai, erano il fulcro della vita sociale. Era lì che si stabiliva Jacob Freemont a condurre le sue indagini e grazie a questo sistema ricostruì, con qualche verità e un mucchio di bugie, la storia – o la leggenda – di Joaquín Murieta. Gli osti lo dipingevano come uno spagnolo maledetto, vestito di pelle e velluto nero, con grandi speroni d'argento e un pugnale in vita, a cavallo del sauro più brioso che si fosse mai visto. Dicevano che entrava impunemente con un forte tintinnare di speroni insieme al seguito di banditi, posava i suoi dollari d'argento sul bancone e ordinava un giro da bere per tutti gli avventori. Nessuno si azzardava a rifiutare il bicchiere, persino i più coraggiosi bevevano in silenzio sotto lo sguardo lampeggiante del bandito. Per le guardie, invece, il personaggio non aveva niente di grandioso: si trattava semplicemente di un volgare assassino capace di commettere le peggiori atrocità, che era riuscito a sfuggire alla giustizia perché lo proteggevano i *greasers*. I cileni lo consideravano uno di loro, dicevano che era nato in un luogo denominato Quillota, che era leale con i suoi amici e che non dimenticava mai di ricambiare i favori ricevuti, motivo per cui era una buona politica aiutarlo; i messicani giuravano, invece, che proveniva dallo stato di Sonora e che era un giovane educato, di antica e nobile famiglia, trasformatosi in malfattore per vendetta. I biscazzieri lo consideravano un asso a *monte*, e lo evitavano perché aveva una fortuna sfacciata a carte e un pugnale allegro che gli luccicava in mano alla minima provocazione. Le prostitute bianche morivano di curiosità, dal momento che correva voce che quel giovanotto bello e generoso possedesse un instancabile membro da puledro; le ispaniche invece non ci speravano: le mance che Joaquín Murieta era solito dar loro erano immeritate, visto che non sfruttava mai i loro servizi per rimanere fedele alla fidanzata, così assicuravano. Stando alla loro descrizione era di media statura, capelli neri e occhi brillanti come tizzoni, adorato dalla sua banda, irriducibile di fronte alle avversità, feroce con i nemici e galante con le donne. Altri sostenevano che avesse il rozzo aspetto di un criminale nato e che una profonda cicatrice gli solcasse il viso; del ragazzo perbene, nobile o elegante, non aveva nulla. Jacob Freemont selezionava le informazioni che meglio si adattavano alla sua immagine del bandito e così la rifletteva nei suoi scritti, sempre con un'ambiguità sufficiente a consentirgli di ritrattare nel caso in cui un giorno o l'altro incappasse nel suo protagonista in carne e ossa. Girò su e giù per tutta l'estate senza trovarlo da nessuna parte, ma con le differenti versioni costruì una fantastica quanto eroica biografia. Siccome non voleva ammettere la sua sconfitta, negli articoli inventava di brevi riunioni nelle prime ore della notte, in grotte montane o in radure del bosco. Tanto, chi poteva contraddirlo? Uomini mascherati lo conducevano a cavallo con gli occhi bendati, non poteva identificarli, ma parlavano spagnolo, diceva. La stessa fervida eloquenza che anni prima aveva impiegato in Cile per descrivere gli indios patagoni della Terra del Fuoco, territorio in cui lui non aveva mai messo piede, ora gli serviva per tirare fuori dal cilindro un bandito immaginario. Si innamorò progressivamente del suo personaggio e finì col convincersi che lo conosceva, che gli incontri clandestini nelle grotte erano reali e che era stato il fuggitivo in persona ad affidargli la missione di scrivere le sue prodezze, perché si considerava il vendicatore degli spagnoli oppressi e qualcuno doveva pur assumersi il compito di dare a lui e alla sua causa il posto dovuto nella storia nascente della California. Di giornalismo ce n'era poco, ma di letteratura a sufficienza per il romanzo che Jacob Freemont aveva progettato di scrivere nell'inverno successivo.

Quando l'anno prima era arrivato a San Francisco, Tao Chi'en si era dedicato a stabilire i contatti necessari per esercitare per qualche mese la sua professione di *zhong yi*. Aveva un po' di soldi, ma pensava di triplicare la somma nel giro di poco tempo. A Sacramento la comunità cinese era costituita da circa settecento uomini e nove o dieci prostitute, ma a San Francisco c'erano migliaia di potenziali clienti. Inoltre le navi che solcavano in continuazione l'oceano erano talmente numerose da consentire ad alcuni signori di mandare a lavare le loro camicie nelle Hawaii o in Cina perché in città non c'era acqua corrente, e questo permetteva a Tao di ordinare erbe e rimedi a Canton senza nessuna difficoltà. In quella città non sarebbe stato tanto isolato come a Sacramento: lì praticavano diversi medici cinesi con i quali avrebbe potuto scambiare pazienti e nozioni. Non aveva progettato di aprire un ambulatorio suo, perché si era riproposto di risparmiare, ma poteva associarsi con un altro *zhong yi* già in attività. Non appena ebbe preso alloggio in un hotel, si mise a percorrere il quartiere che si era espanso in tutte le direzioni. Adesso era una cittadina con edifici solidi, hotel, ristoranti, lavanderie, fumerie d'oppio, bordelli, mercati e fabbriche. Dove prima si offrivano solo articoli scadenti, ora sorgevano negozi di antiquariato orientale, porcellane, smalti, gioielli, seta e avori. Lì si recavano a comprare i ricchi commercianti, non solo cinesi, ma anche americani, per rivendere in altre città. La merce era esposta in un variegato disordine, ma i pezzi migliori, quelli destinati agli intenditori e ai collezionisti, non erano in vista e venivano mostrati solo ai clienti seri nel retrobottega. Nelle stanze segrete di alcuni locali funzionavano delle bische in cui si davano appuntamento giocatori spericolati. Lontani dalla curiosità del pubblico e dagli occhi delle autorità, su quei tavoli esclusivi si scommettevano somme da capogiro, si concludevano affari sporchi e si esercitava il potere. Il governo degli americani non aveva alcun controllo sui cinesi che vivevano nel loro mondo, nella loro lingua, con i loro usi e le loro antichissime leggi. I "celestiali" non erano graditi da nessuna parte, i gringo li consideravano i più abietti tra gli stranieri indesiderati che invadevano la California e non perdonavano il loro benessere. Li sfruttavano come potevano, li aggredivano per strada, li derubavano, ne bruciavano i negozi e le case, li assassinavano impunemente, ma niente scoraggiava i cinesi. Controllavano il territorio cinque *tong* che si erano suddivisi la popolazione; ogni cinese che arrivava si affiliava a una di queste confraternite, unica garanzia per avere protezione, trovare lavoro e assicurarsi che alla morte il corpo sarebbe stato rimpatriato in Cina. Tao Chi'en, che era riuscito a eludere l'associazione a un *tong*, ora dovette sceglierne uno e optò per il più numeroso, cui si aggregava la maggior parte dei cantonesi. Ben presto venne messo in contatto con altri *zhong yi* e gli furono rivelate le regole del gioco. Prima di tutto, silenzio e lealtà: tutto ciò che avveniva nel quartiere rimaneva confinato entro le sue strade. Vietato fare ricorso alla polizia, nemmeno in caso di pericolo di vita; i conflitti si risolvevano all'interno della comunità, per questo esistevano i *tong*. Il nemico comune erano sempre i *fan guey*. Tao Chi'en si ritrovò di nuovo prigioniero degli usi, delle gerarchie e delle restrizioni dei tempi di Canton. In un paio di giorni non rimaneva più nessuno che non lo conoscesse e iniziarono ad arrivare più clienti di quanti potesse assisterne. Non aveva bisogno di cercare un socio, decise a quel punto; poteva aprire un suo ambulatorio e far soldi in un tempo minore del previsto. Affittò due camere ai piani superiori di un ristorante, una in cui vivere e l'altra in cui lavorare, appese un'insegna alla finestra e assunse un giovane aiutante che diffondesse la voce dei suoi servizi e ricevesse i pazienti. Per la prima volta utilizzò il sistema del dottor Ebanizer Hobbs per seguire gli ammalati. Fino ad allora si era affidato alla memoria e all'intuizione, ma, visto il numero crescente di clienti, inaugurò un archivio su cui annotare la terapia di ognuno di loro.

Un pomeriggio all'inizio dell'autunno si presentò il suo aiutante con un indirizzo annotato su un pezzo di carta e la richiesta di presentarsi prima possibile. Finì di ricevere i pazienti del giorno e uscì. L'edificio in legno, a due piani, decorato con draghi e lampade di carta, si trovava proprio nel centro del quartiere. Senza bisogno di guardarlo due volte, capì che si trattava di un bordello. Su entrambi i lati della porta c'erano finestrelle sprangate da cui si affacciavano visi infantili che invitavano in cantonese: "Entri qui e faccia tutto quel che vuole con una bambina cinese molto carina". E ripetevano, in un inglese incomprensibile, a beneficio dei visitatori bianchi e dei marinai di tutte le razze: "Due per guardare, quattro per toccare e sei per farlo", mentre contemporaneamente mostravano dei minuscoli, commoventi seni e tentavano i passanti con gesti osceni che, così mimati, sembravano una tragica pantomima. Tao Chi'en le aveva viste molte volte, passava giornalmente per quella strada e i miagolii delle *sing song girls* lo inseguivano, riportandogli alla memoria la sorellina. Cosa ne era stato di lei? Doveva avere ventitré anni, nel caso improbabile in cui fosse ancora viva, pensava. Le prostitute più povere tra quelle povere iniziavano molto presto e raramente arrivavano ai diciotto anni; a venti, se avevano avuto la sfortuna di sopravvivere, erano già vecchie. Il ricordo di quella sorella perduta gli impediva di frequentare postriboli cinesi; quando il desiderio non gli dava pace, cercava donne di altre razze. Gli aprì la porta una vecchia sinistra con i capelli tinti e le sopracciglia dipinte con due linee a carbone, che lo salutò in cantonese. Una volta chiarito che appartenevano allo stesso *tong*, lo fece entrare. Lungo un corridoio fetido vide i cubicoli delle ragazze, alcune legate al letto da catene alle caviglie. Nella penombra del passaggio incrociò due uomini che uscivano aggiustandosi i pantaloni. La donna lo condusse per un labirinto di passaggi e scale, attraversarono l'intero isolato e percorrendo gradini tarlati sprofondarono nell'oscurità. Gli fece segno di attendere e, per un lasso di tempo che gli parve interminabile, aspettò nella nerezza di quel buco, cogliendo i rumori sordi della strada vicina. Sentì un debole squittio e qualcosa che gli sfiorava una caviglia; diede un calcio ed ebbe l'impressione di aver colpito un animale, probabilmente un topo. La vecchia tornò con una candela e lo guidò per tortuosi corridoi fino a una porta chiusa con un lucchetto. Estrasse la chiave dalla tasca e maneggiò con la serratura fino ad aprirlo. Sollevò la candela e illuminò una stanza senza finestre, dove come unico mobile c'era una cuccetta d'assi a pochi centimetri da terra. Una zaffata puzzolente li investì e dovettero tapparsi naso e bocca per entrare. Sulla cuccetta giaceva un piccolo corpo rattrappito, una scodella vuota e una lampada a olio spenta.

"La visiti," gli ordinò la donna.

Tao Chi'en girò il corpo e constatò che era già rigido. Era una bambina di circa tredici anni, con due macchie di belletto sulle guance, le braccia e le gambe segnate da cicatrici. Indossava semplicemente una camicia sottile. Era evidentemente ridotta pelle e ossa, ma non era morta di fame o di malattia.

"Veleno," stabilì senza esitare.

"Ma non mi dica..." rise la donna, come se Tao se ne fosse uscito con una battuta spiritosa.

Tao Chi'en dovette firmare un certificato in cui dichiarava che la morte era dovuta a cause naturali. La vecchia si affacciò sul corridoio, diede un paio di colpi a un piccolo gong e apparve immediatamente un uomo che sistemò il cadavere in un sacco, lo mise sulle spalle e lo portò via senza profferire parola, mentre la mezzana depositava venti dollari nella mano dello *zhong yi*. Poi lo condusse per altri labirinti e alla fine lo lasciò davanti a una porta. Tao Chi'en si ritrovò in una strada diversa e fece una certa fatica a orientarsi per tornare a casa.

Il giorno successivo si recò di nuovo allo stesso indirizzo. C'erano ancora le bambine con la faccia pitturata e gli occhi istupiditi che richiamavano l'attenzione in due lingue. Dieci anni prima, a Canton, aveva iniziato a praticare la medicina con le prostitute; le aveva utilizzate come carne in affitto per sperimentare gli aghi d'oro del maestro agopuntore, ma non si era mai soffermato a pensare alle loro anime. Le considerava una delle inevitabili disgrazie dell'universo, uno dei molti errori della creazione, esseri ignominiosi che soffrivano per pagare le manchevolezze delle vite precedenti e ripulire il karma. Provava pena per loro, ma non aveva mai pensato che la loro sorte potesse essere diversa. Aspettavano la sventura nei loro cubicoli senza alternative, come le galline nelle gabbie al mercato, perché era il loro destino. Questo era il disordine del mondo. Era passato mille volte per quella strada senza badare alle finestrelle, ai visi dietro le sbarre o alle mani che si sporgevano. Aveva una vaga nozione della loro condizione di schiave, ma in Cina le donne lo erano più o meno tutte; le più fortunate, dei loro genitori, mariti o amanti, altre di padroni al cui servizio lavoravano dall'alba al tramonto, e molte erano come queste bambine. Quella mattina, tuttavia, non le guardò con la solita indifferenza perché qualcosa in lui era cambiato.

La notte precedente non aveva dormito. Uscito dal bordello, si era recato a un bagno pubblico, dove era rimasto a lungo nell'acqua per liberarsi dall'oscura energia dei suoi malati e dal profondo malessere che lo opprimeva. Arrivato a casa, aveva congedato l'aiutante e si era preparato un tè al gelsomino per purificarsi. Non mangiava da parecchie ore, ma non era quello il momento di farlo. Si spogliò, accese l'incenso e una candela, si inginocchiò con la fronte a terra e recitò una preghiera per l'anima della ragazza morta. Poi si sedette a meditare e lo fece per ore in completa immobilità, finché non si estraniò dal chiasso della strada e dagli odori del ristorante, immergendosi nel vuoto e nel silenzio del proprio spirito. Non si rese conto di quanto tempo rimase concentrato a chiamare e chiamare Lin, ma, alla fine, il delicato fantasma lo sentì dalla misteriosa immensità che abitava e lentamente trovò la strada, si avvicinò con la leggerezza di un sospiro, prima quasi impercettibile, poi sempre più concreto, fino a quando Tao non avvertì nitidamente la sua presenza. Non sentì Lin tra le mura della stanza, ma dentro il suo petto, nel centro preciso del suo cuore pacificato. Tao Chi'en non aprì gli occhi e non si mosse. Per ore mantenne la stessa posizione, separato dal corpo, galleggiando in uno spazio luminoso, in perfetta comunione con lei. All'alba, quando entrambi furono sicuri che non si sarebbero più persi di vista, Lin si accomiatò con dolcezza. Allora arrivò il maestro agopuntore, sorridente e ironico come nei tempi migliori, prima che lo colpissero i vaneggiamenti della senilità, e rimase con lui, accompagnandolo e rispondendo alle sue domande, fino a quando il sole sorse, il quartiere si svegliò e alla porta si udì il bussare discreto dell'aiutante. Tao Chi'en si alzò, fresco e rigenerato, come dopo un sonno sereno, si vestì e andò ad aprire.

"Chiuda l'ambulatorio. Oggi non riceverò i pazienti. Ho altro da fare," annunciò all'aiutante.

Le indagini compiute quel giorno da Tao Chi'en cambiarono la rotta del suo destino. Le bambine dietro le sbarre provenivano dalla Cina; erano state prese dalla strada o erano state vendute dai loro genitori con la promessa che sarebbero andate alla Montagna Dorata a sposarsi. Gli agenti le selezionavano tra le più forti ed economiche, non tra le più belle, salvo nei casi di incarichi speciali da parte di clienti ricchi, che le acquistavano come concubine. Ah Toy, l'astuta donna che aveva inventato lo spettacolo dei fori nel muro per essere osservata, era diventata la maggior importatrice di carne fresca della città. Per la sua catena di locali comprava ragazze ancora nella pubertà perché erano più docili e perché tanto duravano comunque poco. Stava diventando famosa e molto ricca, i suoi forzieri traboccavano e si era comprata una palazzina in Cina dove pensava di ritirarsi durante la vecchiaia. Si vantava di essere la tenutaria orientale con le migliori relazioni, non solo con i cinesi, ma anche con gli americani influenti. Addestrava le sue ragazze a carpire informazioni e così veniva a conoscenza dei segreti personali, delle manovre politiche e delle debolezze degli uomini di potere. Quando non funzionavano i tentativi di corruzione, ricorreva ai ricatti. Nessuno osava sfidarla perché tutti, dal governatore in giù, avevano uno scheletro nell'armadio ed era meglio assecondarla. I carichi di schiave ormeggiavano nel molo di San Francisco senza intoppi legali e in pieno giorno. Non era, tuttavia, l'unica trafficante in California: il vizio, come le miniere d'oro, era uno degli affari più redditizi e sicuri. Le spese erano ridotte al minimo e le bambine, oltre a essere a buon mercato, viaggiavano nella stiva delle navi in grandi casse imbottite. Così sopravvivevano per settimane, senza sapere dove stessero andando né perché, e vedevano la luce del sole solamente quando dovevano essere istruite nella professione. Durante la traversata i marinai si incaricavano di allenarle e quando sbarcavano a San Francisco avevano perso anche le ultime vestigia di innocenza. Alcune morivano di dissenteria, di colera o di disidratazione; altre riuscivano a saltare in acqua quando venivano portate in coperta per essere lavate con acqua di mare. Le restanti rimanevano in trappola, non parlavano inglese, non conoscevano quella terra nuova e non sapevano da chi farsi aiutare. Gli agenti dell'immigrazione che venivano riforniti di bustarelle, chiudevano un occhio davanti all'aspetto delle bambine e timbravano senza leggere i falsi documenti di adozione o matrimonio. Sul molo venivano ricevute da una vecchia prostituta cui gli anni di esercizio professionale avevano lasciato una pietra nera al posto del cuore. Quest'ultima le guidava spronandole con un bastone, come fossero bestie, facendole passare per il centro della città, davanti agli occhi di chiunque volesse vedere. Appena varcavano la soglia del quartiere cinese sparivano per sempre nel labirinto sotterraneo di stanze segrete, corridoi falsi, scale tortuose, porte dissimulate e pareti doppie, dove la polizia non faceva mai incursione perché quello che succedeva lì erano "cose da gialli", una razza di pervertiti con i quali ritenevano fosse meglio non attaccar briga.

In un enorme spazio sotterraneo, chiamato ironicamente "Sala della Regina", le bambine affrontavano il loro destino. Le lasciavano riposare per una notte, facevano loro il bagno e le nutrivano obbligandole, a volte, a inghiottire una tazza di liquore per stordirle un po'. Quando era l'ora dell'asta, venivano portate nude in una stanza gremita di ogni genere e sorta di acquirenti che le palpeggiavano, ispezionavano loro i denti, mettevano le dita dove meglio credevano e alla fine facevano la loro offerta. Alcune venivano comprate per i bordelli di alto livello o per gli harem dei ricchi; le più forti generalmente finivano nelle mani di fabbricanti, minatori o contadini cinesi, per i quali avrebbero lavorato nel corso della loro breve esistenza; ma la maggior parte rimaneva nei cubicoli del quartiere cinese. Le vecchie insegnavano loro la professione: dovevano imparare a distinguere l'oro dal bronzo per non venire imbrogliate nel pagamento e ad attirare i clienti e a compiacerli per quanto umilianti e dolorose fossero le loro richieste. Per dare alla transazione una parvenza di legalità, erano costrette a firmare un contratto che non potevano leggere in cui venivano vendute per cinque anni, ma era tutto ben calcolato perché non potessero mai affrancarsi. Per ogni giorno di malattia venivano aggiunte due settimane al tempo del servizio e se cercavano di fuggire diventavano schiave per sempre. Vivevano ammucchiate in stanze senza ventilazione suddivise da spesse tende, dove onoravano gli obblighi fino alla morte come galeotti. Proprio lì si diresse Tao Chi'en quella mattina, accompagnato dagli spiriti di Lin e del maestro agopuntore. Un'adolescente che indossava unicamente una blusa lo condusse per mano dietro la tenda dove c'era un pagliericcio immondo, allungò la mano e gli disse che prima doveva pagare. Ricevuti i sei dollari, si sdraiò sulla schiena e aprì le gambe mantenendo lo sguardo fisso sul soffitto. Aveva le pupille spente e respirava a fatica; evidentemente era stata drogata. Tao si sedette di fianco a lei, la ricoprì con la camicia e cercò di accarezzarle la testa, ma lei lanciò un grido e si contrasse mostrando i denti, pronta a morderlo. Tao Chi'en si allontanò, le parlò a lungo in cantonese, senza toccarla, fino a che la sua voce cantilenante non l'ebbe calmata, e intanto osservò i lividi recenti. Alla fine lei iniziò a rispondere alle domande, più a gesti che a parole, perché sembrava aver perso l'uso della lingua, e così Tao venne a conoscere alcuni particolari della sua prigionia. Non sapeva dirgli da quanto tempo fosse lì, perché misurare il tempo era un esercizio inutile, ma probabilmente non era molto perché ricordava ancora, con dolorosa precisione, la sua famiglia in Cina.

Quando, stando ai suoi calcoli, i minuti del turno erano trascorsi, Tao Chi'en si ritirò. Sulla porta lo attendeva la stessa vecchia che lo aveva ricevuto il pomeriggio del giorno prima, ma non diede segno di averlo riconosciuto. Da lì si recò a fare domande nelle taverne, nelle sale da gioco, nelle fumerie d'oppio e infine andò a far visita ad altri medici del quartiere finché, a poco a poco, fu in grado di mettere insieme le tessere di quel puzzle. Quando le piccole *sing song girls* erano troppo ammalate per continuare a essere utili venivano condotte all'"ospedale", come venivano chiamate le stanze segrete dove era stato il giorno prima, e lì venivano abbandonate con una scodella d'acqua, un po' di riso e una lampada con olio sufficiente per qualche ora. La porta tornava ad aprirsi qualche giorno dopo, quando entravano ad accertarsi della loro morte. Se le trovavano ancora vive, si incaricavano di farle fuori; nessuna tornava comunque a vedere la luce del sole. Avevano chiamato Tao Chi'en perché lo *zhong yi* abituale era assente.

L'idea di aiutare le ragazzine non era stata sua, avrebbe detto a Eliza nove mesi dopo, ma di Lin e del maestro di agopuntura.

"La California è uno stato libero, Tao, non ci sono schiavi. Rivolgiti alle autorità americane."

"La libertà non è un bene a portata di tutti. Gli americani sono ciechi e sordi, Eliza. Quelle bambine sono invisibili, come i matti, i mendicanti e i cani."

"E neanche ai cinesi importa?"

"Ad alcuni sì, come a me, ma nessuno è disposto a mettere a repentaglio la propria vita sfidando le organizzazioni criminali. La maggioranza ritiene che, se per secoli in Cina si è agito così, non ci sia motivo di criticare quello che succede qui."

"Che gente crudele!"

"Non è crudeltà. È semplicemente che nel mio paese la vita non ha molto valore. La gente è tanta e i bambini sono sempre di più di quelli che si possono nutrire."

"Ma per te quelle bambine non sono merce da buttare, vero, Tao?"

"No. Tu e Lin mi avete insegnato molto sulle donne."

"Cos'hai intenzione di fare?"

"Dovevo darti retta quando mi dicevi di cercare l'oro, ti ricordi? Se fossi ricco, le comprerei."

"Ma non lo sei. E comunque tutto l'oro della California non sarebbe sufficiente per comprare ognuna di loro. Bisogna bloccare questo traffico."

"È impossibile. Ma se mi aiuti posso salvarne qualcuna..."

Le raccontò che negli ultimi mesi era riuscito a riscattarne undici, anche se solo due erano sopravvissute. Il suo metodo era rischioso e poco efficace, ma non riusciva a escogitarne altri. Si era offerto di curarle gratis quando erano ammalate o incinte e in cambio chiedeva che gli fossero consegnate quelle agonizzanti. Corrompeva le donne affinché lo chiamassero quando era giunto il momento di mandare una *sing song girl* all'"ospedale"; allora si presentava con il suo aiutante; collocavano la moribonda su una portantina e se la portavano via. "Per fare degli esperimenti," spiegava Tao Chi'en, anche se molto raramente gli venivano fatte delle domande. La bambina ormai non valeva più niente e la stravagante perversione di quel dottore risparmiava loro il problema di disfarsi del cadavere. L'accordo era conveniente per ambo le parti. Prima di portarsi via l'ammalata, Tao Chi'en consegnava un certificato di morte e pretendeva la restituzione del contratto di servizio firmato dalla ragazza, per evitare reclami. In nove casi, le ragazzine erano già ben al di là di qualsiasi speranza e non aveva potuto far altro che sostenerle durante le ultime ore, ma due erano sopravvissute.

"Che ne è stato di loro?"

"Vivono con me. Sono ancora deboli e una sembra mezzo impazzita, ma si rimetteranno. Il mio aiutante è rimasto a occuparsi di loro mentre io venivo a cercarti."

"Già."

"Non posso più tenerle rinchiuse."

"Potremmo tentare di farle tornare dalle loro famiglie in Cina..."

"No! Sarebbero di nuovo schiave. In questo paese si possono salvare, ma non so come."

"Se le autorità non se ne interessano, lo faranno le persone buone. Ci rivolgeremo alle chiese e ai missionari."

"Non credo che ai cristiani possano interessare queste bambine cinesi."

"Che scarsa fiducia hai nel cuore umano, Tao!"

Eliza lasciò l'amico a prendere il tè con la Spaccaossa, avvolse uno dei pani appena sfornati e andò a far visita al fabbro. Trovò James Morton mezzo nudo, con un grembiule di pelle e uno straccio legato sulla testa, sudato davanti alla forgia. Lì dentro il caldo era insopportabile, c'era puzza di fumo e di metallo caldo. Era un capannone di legno con il pavimento di terra e una doppia porta che, estate e inverno, durante le ore di lavoro rimaneva aperta. Appena entrati c'era un grande bancone per ricevere i clienti, e più indietro la forgia. Dalle pareti e dalle travi del soffitto pendevano gli attrezzi del mestiere, ferri e strumenti fabbricati da Morton. Sulla parte posteriore, una scala a pioli portava al soppalco che fungeva da camera da letto, protetta agli occhi dei clienti da una tenda di tela cerata. Sotto, la mobilia consisteva in una tinozza da bagno e in un tavolo con due sedie; le uniche decorazioni erano una bandiera americana sulla parete e tre fiori silvestri in un bicchiere sul tavolo. Esther stava stirando una montagna di bucato facendo dondolare una pancia enorme; era madida di sudore, ma sollevava canticchiando i pesanti ferri da stiro a carbone. L'amore e la gravidanza l'avevano abbellita e un alone di pace la illuminava. Lavava la biancheria degli altri, lavoro faticoso tanto quanto quello del marito con incudine e martello. Tre volte alla settimana riempiva un carretto con la biancheria sporca, andava al fiume e passava buona parte del giorno in ginocchio a insaponare e strofinare. Se c'era il sole, faceva asciugare il bucato sui sassi, ma spesso doveva ritornare con tutti i panni bagnati e dedicarsi immediatamente a inamidare e stirare. James Morton non era riuscito a farla desistere da quella disumana attività, ma lei non voleva che il bimbo nascesse in quel luogo e risparmiava ogni singolo centesimo per trasferire l'intera famiglia in una casa in paese.

"Cilenito!" esclamò, e ricevette Eliza stringendola in un forte abbraccio.

"Come sei bella, Esther! In realtà sono venuto per James," disse, allungandole il pane.

L'uomo abbandonò gli attrezzi, si asciugò il sudore con uno straccio e condusse Eliza nel patio, dove Esther li raggiunse con tre bicchieri di limonata. Il pomeriggio era fresco e il cielo nuvoloso, ma non presagiva ancora l'inverno. L'aria sapeva di fieno appena tagliato e di terra umida.

JOAQUÍN

Durante l'inverno del 1852 gli abitanti del nord della California mangiarono pesche, albicocche, uva, mais, cocomeri e meloni, mentre a New York, Washington, Boston e in altre importanti città americane, la gente si rassegnava alla penuria di cibo di stagione. Le imbarcazioni di Paulina trasportavano dal Cile le delizie dell'estate nell'emisfero sud, che arrivavano intatte nei loro letti di ghiaccio azzurro. Anche se ormai nessuno pagava più tre dollari per una pesca o dieci per una dozzina di uova, quell'affare stava risultando molto più redditizio dell'oro del marito e del cognato. I braccianti cileni che i fratelli Rodríguez de Santa Cruz avevano mandato ai giacimenti erano stati decimati dai gringo che avevano rubato la produzione di mesi, impiccato i capisquadra, flagellato e tagliato le orecchie a parecchi di loro ed espulso i sopravvissuti dalle zone in cui si lavava l'oro. I raccapriccianti dettagli della vicenda, che era stata ripresa dai giornali, li aveva raccontati un bambino di otto anni, figlio di uno dei capisquadra, cui era toccato assistere al supplizio e alla morte del padre. Le navi di Paulina trasportavano anche compagnie di teatro da Londra, cantanti d'opera da Milano e di operetta da Madrid, che si esibivano per un breve periodo a Valparaíso e poi proseguivano il viaggio per il Nord. I biglietti venivano venduti con mesi di anticipo e nei giorni di spettacolo la crème della società di San Francisco, agghindata con i vestiti di gala, si dava appuntamento nei teatri, dove era costretta a sedersi gomito a gomito con i rozzi minatori in tenuta da lavoro. Le imbarcazioni non tornavano indietro vuote: trasportavano in Cile farina americana e viaggiatori guariti dal delirio dell'oro, che rientravano poveri come erano partiti.

A San Francisco si vedeva di tutto, fatta eccezione per gli anziani; la popolazione era giovane, forte, chiassosa e in salute. L'oro aveva attratto una legione di avventurieri ventenni e, ora che la febbre era passata, come Paulina aveva previsto, la città non era tornata alla sua condizione di villaggio, ma, al contrario, cresceva con aspirazioni di raffinatezza e cultura. Paulina era assolutamente a suo agio in quell'ambiente, le piacevano la spigliatezza, la libertà e l'ostentazione di quella giovane società, esattamente l'opposto della bigotteria cilena. Pensava con divertimento all'irritazione che avrebbe colto suo padre se si fosse dovuto sedere a tavola con un parvenu corrotto diventato giudice o con una francese di dubbio aspetto agghindata come un'imperatrice. Era cresciuta tra le spesse mura di mattoni e le finestre a grate della casa paterna, con lo sguardo volto al passato, alla mercé dell'opinione altrui e dei castighi divini; in California, né il passato né gli scrupoli avevano peso, l'eccentricità era la benvenuta e la colpa non esisteva, sempre che l'errore rimanesse nascosto. Scrisse diverse lettere alle sorelle, senza sperare troppo che riuscissero a eludere la censura paterna, per raccontare loro di quel paese straordinario in cui era possibile inventarsi una nuova vita e trasformarsi in un batter d'occhio in milionario o in mendicante. Era la terra delle opportunità, aperta e generosa. Dalla porta della Golden Gate entravano masse di persone che arrivavano lì, in fuga dalla miseria e dalla violenza, pronte a cancellare il passato e a lavorare. Non era semplice, ma i loro discendenti sarebbero stati americani. La cosa fantastica di quel paese era la convinzione comune che i figli avrebbero avuto una vita migliore. "L'agricoltura è il vero oro della California, la vista si perde negli immensi pascoli coltivati, qualsiasi cosa cresce con rigoglio su questa terra benedetta. San Francisco è diventata una città stupenda, ma non ha perso quei tratti da luogo di frontiera che mi affascinano. Continua a essere la culla di liberi pensatori, visionari, eroi e ruffiani. Arriva gente dai posti più impensati, per le strade si sentono parlare centinaia di lingue, si colgono gli odori delle cucine dei cinque continenti, si vedono tutte le razze," scriveva. Non era più un accampamento di uomini soli, erano arrivate le donne e con loro la società si era trasformata. Erano indomite quanto gli avventurieri che erano accorsi in cerca d'oro; per attraversare il continente su carri trainati da buoi era necessario uno spirito energico, che a queste pioniere certo non mancava. Di dame leziose come sua madre e le sue sorelle non se ne vedeva neanche l'ombra, lì trionfavano le amazzoni come lei. Giorno dopo giorno dimostravano la loro tempra, competendo per instancabilità e tenacia con i più valorosi; nessuno le considerava sesso debole, gli uomini le trattavano da pari. Si dedicavano a lavori altrove a loro vietati: cercavano l'oro, venivano impiegate come bovare, guidavano muli, andavano a caccia di banditi per riscuotere la taglia, gestivano bische, ristoranti, lavanderie e hotel. "Qui le donne possono essere padrone della loro terra, comprare e vendere proprietà, e divorziare, se salta loro il ghiribizzo. È meglio che Feliciano stia bene attento perché alla prima mascalzonata che mi fa lo mollo e lo lascio povero e solo", scherzava nelle lettere Paulina. E aggiungeva che in California c'era il meglio del peggio: topi, pulci, armi e vizi.

"Vieni qui a Ovest per fuggire dal passato e cominciare di nuovo, ma le tue ossessioni ti inseguono, come il vento", scriveva Jacob Freemont sul giornale. Lui ne era un buon esempio, perché a poco gli era servito cambiare nome, diventare reporter e vestirsi da yankee: continuava a essere lo stesso di sempre. La frottola delle missioni a Valparaíso se l'era lasciata alle spalle, ma adesso ne stava macchinando un'altra e, come gli era successo prima, sentiva che la sua creatura era sul punto di impadronirsi di lui e che stava irrimediabilmente sprofondando nelle sue debolezze. I suoi articoli su Joaquín Murieta erano diventati l'ossessione della carta stampata. Ogni giorno spuntavano nuove testimonianze che confermavano le sue parole: dozzine di individui giuravano di averlo visto e la loro descrizione corrispondeva esattamente al personaggio di sua invenzione. Freemont non era più sicuro di niente. Desiderava non aver mai scritto quelle storie e di tanto in tanto era colto dalla tentazione di ritrattare pubblicamente, di confessare le sue menzogne e di sparire prima che la storia tracimasse e lo investisse come un uragano esattamente come era successo in Cile, ma non aveva il coraggio di farlo. Il prestigio gli aveva dato alla testa ed era frastornato dalla celebrità.

La storia che Jacob Freemont aveva intessuto aveva le caratteristiche di un vero e proprio polpettone. Come narrava, Joaquín Murieta era stato un giovane nobile e probo, che lavorava onestamente nei giacimenti di Stanislau insieme alla fidanzata. Venuti a conoscenza della sua prosperità, alcuni americani l'avevano assalito, l'avevano derubato dell'oro, l'avevano picchiato e poi gli avevano violentato la fidanzata davanti agli occhi. Alla sfortunata coppia non era rimasto che darsi alla fuga e così erano partiti per il Nord, lontano dai filoni auriferi. Si erano trasformati in fattori impegnati a coltivare un idilliaco pezzo di terra circondato da boschi e attraversato da un limpido ruscello, diceva Freemont, ma nemmeno lì avevano goduto a lungo della pace perché di nuovo erano arrivati gli yankee a privarli dei loro beni ed erano stati di nuovo costretti a cercarsi un'altra forma di sussistenza. Poco dopo Joaquín Murieta era apparso a Calaveras trasformato in giocatore di *monte*, mentre la fidanzata si dedicava ai preparativi del matrimonio a casa dei genitori a Sonora. Ma, disgraziatamente, era scritto che il giovane non dovesse avere tregua in nessun luogo. Venne accusato di aver rubato un cavallo e senza tante formalità un gruppo di gringo lo legò a un albero e lo frustò barbaramente in mezzo alla piazza. Il pubblico affronto andava ben oltre quanto un ragazzo orgoglioso potesse sopportare e il cuore gli ribollì. Poco dopo fu trovato uno yankee tagliato a pezzi, come un pollo pronto per la padella, e una volta messi insieme i resti fu possibile riconoscere uno degli uomini che con la frusta avevano umiliato Murieta. Durante le settimane successive, a uno a uno caddero gli altri giustizieri, e per ognuno di essi il giovane trovò una nuova modalità di tortura e di morte. Per citare le parole degli articoli di Jacob Freemont, in quella terra di gente crudele non si era mai vista tanta crudeltà. Nei due anni successivi il nome del bandito era corso dappertutto. La sua banda rubava cavalli e bestiame, assaltava diligenze, attaccava i minatori nei giacimenti e i viaggiatori per le strade, sfidava le autorità, uccideva tutti gli americani che si facevano trovare con la guardia abbassata e si burlava impunemente della giustizia. A Murieta venivano attribuiti tutti gli atti violenti e i crimini rimasti impuniti della California. Il terreno era congeniale per un fuggiasco: pesci e cacciagione non mancavano, come anche boschi sterminati, colline e depressioni, alti pascoli nei quali si poteva cavalcare per ore senza lasciare traccia, grotte profonde in cui trovare riparo, passaggi segreti nelle montagne grazie ai quali depistare gli inseguitori. Le squadre di uomini che si mettevano in viaggio alla ricerca dei malfattori tornavano a mani vuote o perdevano la vita nel corso dell'impresa. Jacob Freemont raccontava tutte queste cose, con la sua ingarbugliata affabulazione, e a nessuno veniva in mente di chiedere riscontri su nomi, date e luoghi.

Eliza Sommers lavorava insieme a Tao Chi'en a San Francisco da due anni. In questo lasso di tempo era partita due volte, durante le estati, alla ricerca di Joaquín Andieta, usando lo stesso metodo di sempre, aggregandosi cioè ad altri viaggiatori. La prima volta se ne era andata con l'idea di viaggiare finché non l'avesse incontrato o non fosse iniziato l'inverno, ma dopo quattro mesi era tornata estenuata e ammalata. Nell'estate del 1852 si era di nuovo messa in cammino, ma dopo aver ripetuto lo stesso itinerario della volta prima e aver fatto visita a Joe Spaccaossa, definitivamente calatasi nel ruolo di nonna di Tom Senza Tribù, e a James ed Esther, in attesa del secondo figlio, era rientrata in capo a cinque settimane quando non era più riuscita a sopportare l'angoscia di stare lontana da Tao Chi'en. Stavano talmente bene insieme nel loro tran tran quotidiano, affratellati dal lavoro e vicini nello spirito, da sembrare una vecchia coppia. Lei collezionava tutto quanto veniva pubblicato su Joaquín Murieta e lo memorizzava, proprio come durante l'infanzia faceva con le poesie di Miss Rose, ma preferiva ignorare i riferimenti alla fidanzata del bandito. "Si sono inventati di quella ragazza per vendere più giornali, lo sai, no?, che il pubblico si lascia sedurre dalle storie d'amore," spiegava a Tao Chi'en. Su un'inconsistente cartina segnava gli spostamenti di Murieta con determinazione da navigatore, ma i dati a sua disposizione erano vaghi e contraddittori, le rotte si incrociavano come tele di un ragno impazzito e non portavano da nessuna parte. Benché in un primo momento non avesse minimamente preso in considerazione l'ipotesi che il suo Joaquín fosse quello delle orripilanti rapine, si era poi convinta che la descrizione del personaggio calzava perfettamente con il ragazzo dei suoi ricordi. Anche lui si ribellava contro gli abusi ed era ossessionato dal desiderio di aiutare i derelitti. Forse non era Joaquín Murieta a torturare le vittime, erano i suoi seguaci, come quel Jack Tre Dita dal quale ci si poteva attendere qualsiasi atrocità.

Continuava a vestire abiti maschili che le tornavano utili per mantenere quell'invisibilità così necessaria nelle folli missioni con le *sing song girls* in cui Tao Chi'en l'aveva coinvolta. Da tre anni e mezzo non si metteva un abito femminile e non sapeva nulla di Miss Rose, di Mama Fresia o dello zio John; le sembrava che fossero trascorsi mille anni all'inseguimento di una chimera sempre più irraggiungibile. Era molto lontana l'epoca degli abbracci furtivi con l'amante, e lei non era più certa dei suoi sentimenti, non sapeva dire se continuasse ad aspettarlo per amore o per superbia. A volte passavano settimane senza che se ne ricordasse, distratta com'era dal lavoro, ma poi all'improvviso la memoria le sferrava una zampata che la lasciava tremante. Allora si guardava intorno sconcertata, senza riuscire a ritrovarsi in quel mondo nel quale era stata catapultata. Cosa ci faceva in pantaloni e circondata da cinesi? Doveva fare un grosso sforzo per scuotersi di dosso la confusione e ricordare che si trovava lì a causa dell'intransigenza dell'amore. La sua missione non consisteva affatto nell'aiutare Tao Chi'en, pensava, ma nel cercare Joaquín, per questo era venuta da tanto lontano e l'avrebbe trovato, anche solo per dirgli in faccia che era un maledetto disertore e che le aveva rovinato la giovinezza. Per questo era partita le tre volte precedenti; tuttavia ora le mancava la volontà per farlo di nuovo. Si piantava determinata davanti a Tao Chi'en per annunciargli che aveva deciso di riprendere il pellegrinaggio, ma le parole le si ingorgavano in bocca come sabbia. Ormai non poteva più abbandonare quello strano compagno che le era toccato in sorte.

"Cosa farai se lo trovi?" le aveva chiesto una volta Tao Chi'en.

"Quando lo vedrò saprò se gli voglio ancora bene."

"E se non dovessi trovarlo mai?"

"Immagino che dovrò vivere con il dubbio."

Aveva notato più di un prematuro capello bianco sulle tempie dell'amico. A volte diventava insopportabile la tentazione di sprofondare le dita in quella vigorosa capigliatura scura, o il naso nel collo per sentire da vicino la sua tenue fragranza oceanica, ma non avevano più la scusa di dormire per terra avvolti in una coperta e di opportunità per toccarsi non ne avevano nessuna. Tao lavorava e studiava troppo; lei poteva immaginarsi quanto fosse stanco, anche se il suo aspetto era sempre impeccabile e manteneva la calma persino nei momenti più critici. Vacillava solamente quando tornava da un'asta trascinandosi per il braccio una ragazza terrorizzata. La visitava per vedere in che condizioni si trovasse, gliela consegnava con le istruzioni necessarie e poi si rinchiudeva per ore. "È con Lin," concludeva Eliza, e un tormento inspiegabile le si inchiodava in un luogo recondito dell'anima. Era davvero con lei. Nel silenzio della meditazione Tao Chi'en cercava di recuperare la stabilità perduta e di liberarsi dalla tentazione dell'odio e dell'ira. A poco a poco si spogliava dei ricordi, dei desideri e dei pensieri, fino a sentire che il suo corpo si dissolveva nel nulla. Per un lasso di tempo smetteva di esistere, per poi riapparire trasformato in un'aquila che senza alcuno sforzo volava molto alta, sostenuta da un'aria fredda e limpida che la trasportava oltre le montagne più elevate. Da lì poteva vedere in basso vaste praterie, boschi interminabili e fiumi d'argento puro. Allora raggiungeva l'armonia perfetta e risuonava con il cielo e la terra come un delicato strumento. Galleggiava tra nuvole lattiginose con le sue superbe ali distese e all'improvviso la sentiva vicina. Lin si materializzava di fianco a lui, un'altra splendida aquila sospesa nel cielo infinito.

"Dov'è finita la tua allegria, Tao?" gli chiedeva.

"Il mondo è pieno di sofferenza, Lin."

"La sofferenza ha un fine spirituale."

"Ma questo è solo dolore inutile."

"Ricordati che il saggio è sempre allegro, perché accetta la realtà."

"E la cattiveria, anche quella va accettata?"

"L'unico antidoto è l'amore. A proposito, quando hai intenzione di risposarti?"

"Sono sposato con te."

"Io sono un fantasma, non potrò venire a trovarti tutta la vita, Tao. È uno sforzo enorme raggiungerti tutte le volte che mi chiami, io non appartengo più al tuo mondo. Sposati, o diventerai vecchio anzitempo. E poi se non pratichi le duecentoventidue posizioni dell'amore le dimenticherai," lo prendeva in giro con la sua indimenticabile risata cristallina.

Le aste erano molto peggio delle visite all'"ospedale". Le speranze di poter aiutare una ragazza agonizzante erano talmente scarse che quando questo succedeva era un dono miracoloso; sapeva invece che per ogni bambina comprata all'asta ne rimanevano a dozzine vendute all'infamia. Si torturava immaginando quante ne avrebbe potute salvare se fosse stato ricco, fino a quando Eliza non gli ricordava quante ne salvava. Erano legati da un sottile ordito di affinità e di segreti condivisi e al contempo separati da reciproche ossessioni. Il fantasma di Joaquín Andieta si stava allontanando, mentre quello di Lin era percettibile come la brezza o il rumore delle onde sulla spiaggia. A Tao Chi'en bastava invocarla e lei si presentava, sempre ridente, com'era in vita. Lungi dall'essere una rivale di Eliza, si era trasformata in una sua alleata, ma la ragazza non lo sapeva ancora. Fu Lin infatti la prima a capire che quella strana amicizia assomigliava troppo all'amore e quando suo marito le rispose che non c'era posto né in Cina né in Cile né in altra parte del mondo per una coppia così, lei scoppiò nuovamente a ridere.

"Non dire sciocchezze. Il mondo è grande e la vita è lunga. È solo questione di osare."

"Tu non puoi immaginare cosa sia il razzismo, Lin, sei sempre vissuta fra la tua gente. Qui a nessuno importa cosa faccio o quanto so: per gli americani sono semplicemente uno schifoso cinese pagano ed Eliza è una *greaser*. A Chinatown sono un rinnegato senza codino vestito da yankee. Non c'è posto per me da nessuna parte."

"Il razzismo non è una novità. In Cina tu e io pensavamo che i *fan guey* fossero tutti dei selvaggi."

"Qui si rispetta solo il denaro e, a quanto vedo, non ne avrò mai abbastanza."

"Ti sbagli. Si rispetta anche chi si fa rispettare. Guardali negli occhi."

"Se seguo il tuo consiglio mi beccherò una pallottola appena girato l'angolo."

"Vale la pena di provarci. Ti lamenti troppo, Tao, non ti riconosco. Dov'è finito l'uomo coraggioso che amo?"

Tao Chi'en doveva ammettere di sentirsi legato a Eliza da infiniti fili sottili, facili da recidere a uno a uno, ma che essendo intrecciati tra loro, formavano corde indistruttibili. Si conoscevano da pochi anni, ma potevano già guardare al passato e vedere la lunga strada, irta di ostacoli, percorsa insieme. Le somiglianze avevano progressivamente cancellato le differenze razziali. "Sembri proprio una cinese carina," le aveva detto lui in un momento di distrazione. "Sembri proprio un bel cileno," aveva subito risposto lei. Formavano una strana coppia nel quartiere: un cinese, alto ed elegante, con un insignificante ragazzo ispanico. Fuori da Chinatown, tuttavia, passavano quasi inosservati nella variopinta moltitudine di San Francisco.

"Non puoi aspettare quell'uomo per sempre, Eliza. È una forma di pazzia, come la febbre dell'oro. Dovresti darti una scadenza," le disse Tao un giorno.

"E cosa ne sarà della mia vita quando il tempo sarà scaduto?"

"Puoi tornare nel tuo paese."

"In Cile una donna come me ha un futuro peggiore di quello delle tue *sing song girls*. Tu ci torneresti in Cina?"

"Era il mio unico obiettivo, ma l'America inizia a piacermi. Là tornerei a essere il Quarto Figlio. Qui sto meglio."

"Anch'io. Se non trovo Joaquín rimango qui e apro un ristorante. Non mi manca niente: ho buona memoria per le ricette, passione per gli ingredienti, senso del gusto e del tatto, istinto per i condimenti..."

"E modestia," scoppiò a ridere Tao Chi'en.

"E perché dovrei essere modesta se ho talento? E poi ho un naso da segugio. A qualcosa dovrà pur servirmi questo buon olfatto: mi basta annusare una pietanza per sapere cosa contiene e per poterla rifare più gustosa."

"Con la cucina cinese non dà risultati..."

"Ma voi mangiate cose strane, Tao! Il mio sarà un ristorante francese, il migliore della città."

"Ti propongo un accordo, Eliza. Se nel giro di un anno non avrai trovato quel Joaquín ti sposerai con me," disse Tao Chi'en ed entrambi scoppiarono a ridere.

Ma da quella conversazione qualcosa tra loro cambiò. Se si trovavano da soli si sentivano a disagio e, pur desiderando trovarsi da soli, iniziarono a evitarsi. Il desiderio di seguirla quando si ritirava nella sua camera spesso torturava Tao Chi'en, ma lo tratteneva un misto di timidezza e rispetto. Comprendeva che era meglio non avvicinarsi a lei finché persisteva il ricordo dell'amante, ma non poteva nemmeno continuare all'infinito a stare sul filo del rasoio. La immaginava nel suo letto, a contare le ore nel silenzio carico d'aspettative della notte, anche lei vittima d'insonnia d'amore, ma non a causa sua, bensì dell'altro. Anche se non l'aveva più vista nuda dall'epoca in cui l'aveva curata durante il viaggio, conosceva talmente bene il suo corpo che avrebbe potuto disegnare con precisione anche il neo più segreto. Se si fosse ammalata avrebbe avuto un pretesto per toccarla, pensava Tao, ma poi si vergognava di simili pensieri. Le risate spontanee e la discreta tenerezza che prima sbocciavano in continuazione tra loro vennero sostituite da una tensione pressante. Se per caso si sfioravano, si scostavano turbati; erano coscienti della presenza o dell'assenza dell'altro; l'aria sembrava carica di presagi e d'attesa. Invece di sedersi a leggere o a scrivere in dolce complicità, si separavano non appena il lavoro nell'ambulatorio era terminato. Tao Chi'en usciva per visitare malati prostrati, si ritrovava con altri *zhong yi* per discutere di diagnosi e terapie o si rinchiudeva a studiare testi di medicina occidentale. Coltivava l'ambizione di ottenere una licenza per esercitare legalmente la medicina in California, progetto che confidava solamente a Eliza e agli spiriti di Lin e del maestro d'agopuntura. In Cina uno *zhong yi* cominciava come apprendista e poi proseguiva da solo; per questo la medicina rimaneva immutata per secoli e continuava a usare gli stessi metodi e rimedi. La differenza tra un buon praticante e uno mediocre era che il primo possedeva intuito per la diagnosi e il dono di alleviare il dolore con le mani. I dottori occidentali, invece, studiavano sodo, rimanevano in contatto tra loro e si mantenevano aggiornati circa le nuove scoperte, avevano a disposizione laboratori e obitori in cui fare esperimenti, e accettavano la sfida della concorrenza. La scienza lo affascinava, ma il suo entusiasmo non aveva eco nella sua comunità attaccata alla tradizione. Si preoccupava di essere sempre al corrente circa i nuovi progressi e comprava ogni sorta di libro o rivista che gli capitasse sull'argomento. Era tale la sua curiosità per tutto ciò che era moderno che dovette scriversi sul muro il precetto del suo venerabile maestro: "A poco serve il sapere senza la saggezza e non c'è saggezza senza spiritualità". La scienza non è tutto, si ripeteva, per non dimenticarsene. A ogni modo aveva bisogno della cittadinanza americana, molto difficile da ottenere per quelli della sua razza, ma solamente così sarebbe potuto rimanere in quel paese senza continuare a essere un emarginato, e aveva bisogno di un diploma, così avrebbe potuto davvero fare del bene, pensava. I *fan guey* non sapevano nulla di agopuntura o delle erbe usate in Asia per secoli; lui veniva considerato alla stregua di un guaritore stregone e il disprezzo per le altre razze era tale che i proprietari di schiavi nelle piantagioni del Sud, quando un nero si ammalava, chiamavano il veterinario. La loro opinione sui cinesi non era diversa, ma esistevano dottori visionari, che avevano viaggiato o si erano informati sulle altre culture, interessati alle tecniche o alle mille droghe della farmacopea orientale. Si era mantenuto in contatto con Ebanizer Hobbs, in Inghilterra, e nelle lettere entrambi si rammaricavano della distanza che li separava. "Venga a Londra, dottor Chi'en, e faccia una dimostrazione d'agopuntura alla Royal Medical Society; li lascerà a bocca aperta, glielo assicuro", gli scriveva Hobbs. Stando alle sue parole, se avessero messo insieme le rispettive conoscenze, sarebbero riusciti a far resuscitare i morti.

UNA COPPIA INSOLITA

Le gelate invernali fecero morire di polmonite diverse *sing song girls* nel quartiere cinese, senza che Tao Chi'en riuscisse a salvarle. Un paio di volte lo chiamarono quando erano ancora vive e riuscì a portarsele via, ma vennero meno tra le sue braccia poche ore dopo in preda ai deliri della febbre. In quel periodo i discreti tentacoli della sua compassione si estendevano in lungo e in largo in Nordamerica, da San Francisco a New York, dal Río Grande al Canada, ma uno sforzo tanto smisurato non era che un grano di sale in quell'oceano di miseria. La sua attività di medico era fiorente e quanto riusciva a risparmiare o a mettere da parte grazie alla generosità di qualche cliente facoltoso veniva destinato all'acquisto alle aste delle ragazzine più giovani. In quel microcosmo era già noto: godeva della reputazione di degenerato. Non avevano visto uscire viva nessuna delle ragazzine che acquistava "per i suoi esperimenti", come lui sosteneva, ma a nessuno interessava ciò che succedeva dietro la sua porta. Come *zhong yi* era il migliore e finché non era causa di scandali e si limitava a quelle creature, che comunque erano poco più che animali, l'avrebbero lasciato in pace. Alle domande curiose il suo leale aiutante, l'unico che avrebbe potuto fornire qualche informazione, si limitava a spiegare che le straordinarie conoscenze del suo datore di lavoro, così utili per i pazienti, derivavano dai suoi misteriosi esperimenti. A quell'epoca Tao Chi'en aveva traslocato in una bella casa tra due edifici al limite di Chinatown, a pochi isolati dalla piazza dell'Unione, dove aveva trasferito la sua clinica, dispensava i suoi rimedi e nascondeva le ragazze fino a quando erano in grado di viaggiare. Eliza si era impossessata dei rudimenti di cinese che le consentivano una comunicazione minima, il resto lo improvvisava con pantomime, disegni e qualche parola d'inglese. Lo sforzo valeva la pena: meglio così che non farsi passare per il fratello sordomuto del dottore. Non sapeva né scrivere né leggere il cinese, ma riconosceva le medicine dall'odore e per essere più sicura segnava le boccette con un codice di sua invenzione. C'era sempre un buon numero di pazienti in attesa del loro turno per gli aghi d'oro, le erbe miracolose e la consolazione della voce di Tao Chi'en. Più d'uno si domandava come quell'uomo così saggio e affabile potesse essere la stessa persona che collezionava cadaveri e concubine infantili, ma dato che i suoi vizi non si conoscevano con certezza, la comunità gli portava rispetto. Non aveva amici, era vero, ma nemmeno nemici. Il suo buon nome usciva dai confini di Chinatown ed erano soliti consultarlo anche alcuni dottori americani quando il loro sapere si rivelava insufficiente, sempre in gran segreto, perché sarebbe stata una pubblica umiliazione ammettere che un "celestiale" avesse qualcosa da insegnare loro. Fu così che ebbe modo di curare alcuni importanti personaggi della città e di conoscere la celebre Ah Toy.

La donna lo fece chiamare quando venne a sapere che aveva guarito la moglie di un giudice. Soffriva di uno scricchiolio di nacchere ai polmoni che a volte minacciava di soffocarla. La prima reazione di Tao fu di rifiutarsi, ma poi fu vinto dalla curiosità di vederla da vicino e di verificare la leggenda che la circondava. Ai suoi occhi era una vipera, una nemica personale. Sapendo ciò che Ah Toy significava per lui, Eliza gli mise nella valigetta arsenico sufficiente per far fuori un paio di buoi.

"Metti caso che..." spiegò.

"Che cosa?"

"Poniamo che sia molto ammalata. Non vorrai vederla soffrire, vero? A volte bisogna aiutare a morire..."

Tao Chi'en rise di gusto e non tolse la boccetta dalla valigetta. Ah Toy lo ricevette in una di quelle sue "pensioni" di lusso in cui il cliente pagava mille dollari ad appuntamento ma se ne andava sempre soddisfatto. E poi, come affermava Ah Toy, "se ha bisogno di domandare il prezzo, questo posto non fa per lei". Una cameriera nera in divisa inamidata gli aprì la porta e lo condusse attraverso varie sale dove passeggiavano belle ragazze vestite di seta. Rispetto alle loro sorelle meno fortunate, vivevano come principesse, mangiavano tre volte al giorno e facevano il bagno quotidianamente. La casa, un vero e proprio museo di antichità cinesi e di diavolerie americane, sapeva di tabacco, profumi rancidi e polvere. Erano le tre del pomeriggio, ma le spesse tende rimanevano chiuse, in quelle stanze non entrava mai un soffio d'aria fresca. Ah Toy lo ricevette in un piccolo studiolo zeppo di mobili e di gabbie d'uccelli. Era più piccola, giovane e bella di quanto immaginasse. Si era truccata con cura, ma non portava gioielli, vestiva con semplicità e non usava le unghie lunghe, segno di fortuna e di ozio. Fu attratto dai suoi piedi minuscoli ricoperti da scarpine bianche. Lo sguardo era penetrante e duro, ma la sua voce carezzevole gli ricordò Lin. Maledetta, sospirò Tao Chi'en, sconfitto alla prima parola. La visitò con fare impassibile, senza rivelare la sua ripugnanza né il turbamento, senza sapere cosa dirle, perché rimproverarle il suo traffico non solo era inutile ma anche pericoloso e poteva richiamare l'attenzione sulle sue attività. Le prescrisse *mahuang* per l'asma e altri rimedi per raffreddare il fegato, avvertendola seccamente che finché viveva rinchiusa dietro a quei tendaggi a fumare tabacco e oppio i suoi polmoni avrebbero continuato a gemere. La tentazione di lasciarle il veleno, con l'istruzione di assumerne un cucchiaino al giorno, lo sfiorò come una farfalla notturna, e quell'istante di dubbio che lo disorientò lo fece rabbrividire perché fino a quel momento aveva creduto che l'ira non l'avrebbe mai portato a uccidere. Uscì di fretta, certo che, visti i suoi modi bruschi, la donna non l'avrebbe fatto cercare una seconda volta.

"E allora?" chiese Eliza al suo ritorno.

"Niente."

"Come niente! Non ha nemmeno un pizzico di tubercolosi? Non morirà?"

"Tutti moriremo. Lei morirà vecchia. È forte come un bufalo."

"Come tutti i malvagi."

Dal canto suo Eliza sapeva di trovarsi davanti a un bivio decisivo del suo cammino e che la direzione scelta avrebbe determinato il corso della sua esistenza. Tao Chi'en aveva ragione: doveva darsi una scadenza. Ormai non poteva più ignorare il sospetto di essersi innamorata dell'amore e di trovarsi intrappolata nello scompiglio di una passione da leggenda priva di alcun contatto con la realtà. Cercava di ricordare i sentimenti che l'avevano spinta a imbarcarsi in quella terribile avventura, ma non ci riusciva. La donna in cui si era trasformata aveva ben poco a che fare con la ragazzina in preda alla follia di prima. Valparaíso e la stanza degli armadi appartenevano a un'altra epoca, a un mondo che stava svanendo nella bruma. Si domandava mille volte perché avesse tanto bramato di appartenere con il corpo e con lo spirito a Joaquín Andieta se nella realtà non si era mai sentita completamente felice tra le sue braccia, e l'unica spiegazione che riusciva a darsi era che si trattava del primo amore. Quando si era presentato a scaricare la merce a casa Sommers lei era già predisposta e al resto ci aveva pensato l'istinto. Aveva semplicemente obbedito al più potente e antico richiamo, ma tutto ciò era successo anni luce prima, a settemila miglia di distanza. Chi lei fosse e che cosa avesse visto in lui, non era in grado di dirlo, ma sapeva invece che il suo cuore ora batteva in altre direzioni. Non solo si era stancata di cercarlo ma in fondo preferiva non trovarlo, anche se non poteva continuare a vivere nel turbamento dell'incertezza. Aveva bisogno di mettere un punto finale a quella storia per poter ripartire da zero con un nuovo amore.

Verso la fine di novembre capì di non poter più reggere l'inquietudine e senza farne parola a Tao Chi'en si diresse al giornale per avere un colloquio con il celebre Jacob Freemont. La fecero accomodare nella sala della redazione in cui alle loro scrivanie lavoravano diversi giornalisti, circondati da un disordine devastante. Le indicarono un piccolo ufficio dietro a una porta a vetri e in quella direzione Eliza si incamminò. Rimase in piedi, di fronte al tavolo, in attesa che quel gringo dalle basette rosse alzasse lo sguardo dalle sue carte. Era un uomo di mezza età, lentigginoso e dall'aroma di candela. Scriveva con la mano sinistra, con la fronte appoggiata sulla destra; non gli si vedeva il viso, ma in quel momento, sotto il profumo di cera d'api, Eliza avvertì un odore noto che le riportò alla memoria qualcosa di remoto e di impreciso dell'infanzia. Per annusarlo in modo dissimulato si chinò appena verso di lui proprio nello stesso istante in cui il giornalista sollevò il capo. Sorpresi, rimasero a fissarsi a una distanza imbarazzante prima di indietreggiare. Nonostante gli anni, le lenti, le basette e l'abbigliamento da yankee, lei lo riconobbe dall'odore. Era l'instancabile pretendente di Miss Rose, quell'inglese che partecipava puntualmente alle riunioni del mercoledì a Valparaíso. Paralizzata, non riuscì a scappare.

"Cosa posso fare per te, ragazzo?" chiese Jacob Todd togliendosi gli occhiali per pulirli con un fazzoletto.

Il discorso che Eliza si era preparata le si cancellò dalla mente. Rimase a bocca aperta, con il cappello in mano, certa di essere stata riconosciuta, proprio come lei aveva riconosciuto lui; ma l'uomo si rimise con cura gli occhiali e ripeté la domanda senza guardarla.

"Si tratta di Joaquín Murieta..." balbettò con una voce che così flautata non le era mai uscita.

"Hai notizie del bandito?" si informò immediatamente il giornalista.

"No, no... Anzi, volevo chiederle di lui. Ho bisogno di vederlo."

"Hai un'aria familiare, ragazzo... ci conosciamo, per caso?"

"Non credo, signore."

"Sei cileno?"

"Sì."

"Qualche anno fa ho vissuto in Cile. Bel paese. Perché vuoi vedere Murieta?"

"È molto importante."

"Ho paura di non poterti aiutare. Nessuno sa dove vive."

"Ma lei ha parlato con Joaquín Murieta!"

"Sì, ma solo quando lui mi ha fatto chiamare. Si mette in contatto con me quando vuole che qualcuna delle sue imprese esca sul giornale. Non è affatto modesto, la fama gli piace."

"In quale lingua vi parlate?"

"Il mio spagnolo è migliore del suo inglese."

"Mi dica, signore: il suo accento è cileno o messicano?"

"Non saprei dirlo. Ti ripeto, ragazzo, non posso aiutarti," replicò il giornalista alzandosi in piedi per mettere fine a quell'interrogatorio che iniziava a infastidirlo.

Eliza si congedò rapidamente e lui rimase a riflettere con aria perplessa mentre la guardava allontanarsi nella confusione della redazione. Gli sembrava di conoscere quel ragazzo, ma non riusciva a far mente locale. Diversi minuti dopo che il visitatore se n'era andato, gli venne in mente l'incarico affidatogli dal capitano John Sommers e l'immagine dell'Eliza bambina passò come un lampo nella sua memoria. Fu allora che mise in relazione il nome del bandito con quello di Joaquín Andieta e capì perché lei lo cercava. Soffocò un grido e uscì di corsa per strada, ma la ragazza era sparita.

Il lavoro più importante di Tao Chi'en ed Eliza Sommers si svolgeva di notte. Al buio si dedicavano ai corpi delle sfortunate che non erano riusciti a salvare e portavano le altre all'altro capo della città, dai loro amici quaccheri. A una a una, le bambine riemergevano dall'inferno per essere catapultate alla cieca in un'avventura senza ritorno. Perdevano la speranza di ritornare in Cina o di ricongiungersi con le loro famiglie, alcune non avrebbero più parlato la loro lingua né visto visi della loro razza, dovevano imparare un mestiere e lavorare duramente per il resto della loro vita, ma qualsiasi scenario era paradisiaco rispetto alla vita precedente. Le ragazze che Tao riusciva ad aggiudicarsi all'asta si adattavano meglio. Avevano viaggiato dentro alle casse ed erano state oggetto della lascivia e della brutalità dei marinai, ma non erano state spezzate in modo definitivo e mantenevano una certa capacità di redenzione. Le altre, riscattate all'ultimo momento dalla morte nell'"ospedale", erano destinate a non perdere più la paura che, come una malattia del sangue, le avrebbe consumate interiormente fino alla fine dei loro giorni. Tao Chi'en sperava che, con il tempo, imparassero perlomeno a sorridere di tanto in tanto. Non appena recuperavano le forze e comprendevano che non sarebbero mai più state obbligate a piegarsi a un uomo, e che comunque avrebbero sempre vissuto in fuga, venivano condotte a casa degli amici abolizionisti, appartenenti all'*underground railroad*, come veniva chiamata l'organizzazione clandestina impegnata a soccorrere gli schiavi evasi, alla quale appartenevano anche il fabbro James Morton e i suoi fratelli. Accoglievano i profughi provenienti dagli stati schiavisti e li aiutavano a stabilirsi in California, ma in questo caso dovevano operare in senso contrario, prelevando le bambine cinesi dalla California per portarle lontano dai trafficanti e dalle bande criminali, trovar loro un focolare e un modo per sopravvivere. I quacqueri si facevano carico dei rischi con fervore religioso: per loro si trattava di innocenti disonorate dalla cattiveria umana, una prova che Dio aveva messo sulla loro strada. Le ricevevano con tanto entusiasmo che spesso loro reagivano con violenza e terrore; non erano capaci di ricevere affetto, ma la pazienza di quella brava gente a poco a poco ne vinceva la resistenza. Insegnavano loro qualche frase indispensabile in inglese, spiegavano sommariamente le abitudini americane, mostravano una cartina affinché sapessero almeno dove si trovavano e cercavano di avviarle a qualche lavoro, nell'attesa che arrivasse Babalú il Cattivo a prenderle.

Il gigante aveva finalmente trovato il modo migliore di fare buon uso dei suoi talenti: era un viaggiatore instancabile, amava stare in piedi di notte e andava matto per l'avventura. Quando lo vedevano arrivare, le *sing song girls* correvano spaventate a nascondersi e i loro angeli custodi dovevano dar fondo a una buona dose di persuasione per tranquillizzarle. Babalú aveva imparato una canzone in cinese e tre giochi di prestigio cui ricorreva per incantarle e mitigare lo spavento del primo incontro, ma per nessuna ragione rinunciava alle sue pelli di lupo, al cranio rapato, ai cerchi da filibustiere alle orecchie e al suo formidabile arsenale. Rimaneva con loro un paio di giorni, e quando aveva convinto le sue pupille del fatto che non era un demonio e che non avrebbe cercato di divorarsele, di notte partiva con loro. Le distanze erano state calcolate con precisione per consentire loro di arrivare all'alba in un altro rifugio, dove avrebbero riposato per il resto del giorno. Si muovevano a cavallo; un carro era inutile perché buona parte del tragitto si percorreva in campo aperto, non sulle strade. Aveva scoperto che era molto più sicuro viaggiare al buio, sempre che ci si sapesse orientare, perché orsi, serpenti, fuorilegge e indiani dormivano, come faceva tutta l'umanità. Babalú le lasciava in salvo nelle mani di altri membri dell'estesa rete della libertà. Finivano in fattorie dell'Oregon, in lavanderie del Canada, in laboratori artigianali in Messico, altre trovavano un impiego come cameriere e non mancavano quelle che si sposavano. Tao Chi'en ed Eliza generalmente ricevevano loro notizie attraverso James Morton, che seguiva la pista di ogni fuggitivo riscattato dalla sua organizzazione. Di tanto in tanto ricevevano una busta da qualche sperduta località e aprendola trovavano un foglio di carta con un nome scarabocchiato, fiori secchi o un disegno e allora festeggiavano la salvezza di un'altra *sing song girl*.

A volte a Eliza toccava condividere per qualche giorno la sua camera con qualche bambina appena affrancata, ma nemmeno a loro rivelava di essere una donna: solo Tao lo sapeva. La sua era la stanza migliore della casa, in fondo all'ambulatorio. Era un locale grande con due finestre che davano su un piccolo patio interno in cui coltivavano le piante medicinali per l'ambulatorio e le erbe aromatiche da cucina. Spesso accarezzavano l'idea di trasferirsi in una casa più grande con un vero giardino da godere, utile non solo a fini pratici, ma anche per il piacere della vista e per la felicità della memoria, un luogo in cui crescessero le più belle piante della Cina e del Cile e in cui ci fosse un pergolato sotto il quale sedersi a bere un tè di pomeriggio e a gustarsi lo spuntare del sole sulla baia di mattina. Tao Chi'en aveva notato l'impegno con cui Eliza cercava di trasformare la casa in un focolare domestico, la cura con cui puliva e teneva in ordine, la regolarità con cui collocava in ogni stanza piccoli mazzi di fiori freschi. Prima non aveva mai avuto modo di apprezzare tali finezze; era cresciuto nella più totale povertà, nella casa del maestro di agopuntura si avvertiva la mancanza di una mano femminile che la trasformasse in una vera dimora e Lin era talmente fragile che le forze non le consentivano di occuparsi delle faccende domestiche. Eliza, invece, dimostrava di possedere l'istinto a nidificare tipico degli uccelli. Investiva nella sistemazione della casa parte di ciò che guadagnava suonando il pianoforte un paio di sere alla settimana in un saloon e vendendo *empanadas* e torte nel quartiere cileno. Aveva così potuto comprare le tende, una tovaglia di damasco, i recipienti per la cucina, i piatti e i bicchieri di porcellana. Per lei, le buone maniere cui era stata educata erano essenziali: trasformava l'unico pasto del giorno che condividevano in una cerimonia, presentava i piatti con accuratezza e arrossiva di soddisfazione quando Tao si complimentava per le sue fatiche. I problemi quotidiani sembravano risolversi da soli, come se la notte qualche spirito generoso pulisse l'ambulatorio, aggiornasse gli archivi, entrasse con discrezione in camera di Tao per lavargli i vestiti, attaccargli i bottoni, spazzolare gli abiti e cambiare l'acqua alle rose sul suo tavolo.

"Non coprirmi di attenzioni, Eliza."

"Mi avevi detto che i cinesi si aspettano di essere serviti dalle donne."

"Sì, in Cina, ma io non ho mai avuto questa fortuna... Mi stai abituando male."

"È esattamente quel che si deve fare. Miss Rose diceva che per dominare un uomo bisogna abituarlo a vivere bene e, quando si comporta male, punirlo facendogli mancare i vizi."

"Ma Miss Rose non era rimasta nubile?"

"Per sua scelta, non per mancanza di pretendenti."

"Io non ho intenzione di comportarmi male, ma dopo, come farò a vivere da solo?"

"Non rimarrai mai da solo. Non sei proprio inguardabile e ci sarà sempre una donna dai piedi grandi e dal brutto carattere disposta a sposarsi con te," replicò, e lui scoppiò a ridere felice.

Tao aveva comprato mobili eleganti per la stanza di Eliza, l'unica della casa arredata con un certo lusso. Passeggiando insieme per Chinatown lei si fermava sempre ad ammirare lo stile dei mobili tradizionali cinesi. "Sono molto belli, ma pesanti. Sovraccaricarli è un errore", diceva. Le aveva regalato un letto e un armadio di legno scuro intagliato e poi lei aveva scelto un tavolo, delle sedie e un paravento di bambù. Non aveva voluto un copriletto in seta di quelli che si usavano in Cina e ne aveva preferito uno dall'aspetto europeo, di lino bianco ricamato, con grandi cuscini della stessa stoffa.

"Sei sicuro di voler fare questa spesa, Tao?"

"Stai pensando alle *sing song girls*..."

"Sì."

"Sei stata tu a dirmi che tutto l'oro della California non sarebbe sufficiente per comprarle tutte. Non preoccuparti, ce lo possiamo permettere."

Eliza lo contraccambiava con mille delicate attenzioni: discrezione, con cui rispettare il suo silenzio e le sue ore di studio, scrupolosità nell'aiutarlo in ambulatorio, coraggio nelle operazioni di riscatto delle bambine. Per Tao Chi'en, tuttavia, il miglior regalo era l'invincibile ottimismo della sua amica che l'obbligava a reagire quando le ombre minacciavano di avvolgerlo completamente. "Se continui a essere così triste perderai le forze e non potrai più aiutare nessuno. Andiamo a fare una passeggiata, ho bisogno di annusare un bosco. Chinatown sa di salsa di soia", gli diceva e se lo portava in carrozza in periferia. Passavano la giornata all'aria aperta scorrazzando come ragazzini; la notte che seguiva lui dormiva beatamente e il giorno dopo si svegliava allegro e di nuovo in forze...

Il capitano John Sommers attraccò nel porto di Valparaíso il 15 marzo 1853, sfinito dal viaggio e dalle pretese della sua armatrice, il cui più recente capriccio lo obbligava a trascinare a rimorchio dal sud del Cile un pezzo di ghiacciaio delle dimensioni di una baleniera. Visto che i prezzi di frutta e verdura erano molto diminuiti da quando l'agricoltura aveva iniziato a prosperare in California, le era venuta l'idea di produrre gelati e sorbetti. L'oro aveva attirato in quattro anni approssimativamente duecentocinquantamila immigranti, ma l'entusiasmo stava iniziando a scemare. Ciò nonostante Paulina Rodríguez de Santa Cruz pensava di non muoversi più da San Francisco. Il suo cuore selvaggio aveva adottato quella città di eroici parvenu dove le classi sociali non esistevano ancora. Lei stessa supervisionava la costruzione della sua futura dimora, una casa in cima a una collina con la miglior vista sulla baia, ma era in attesa del quarto figlio e voleva partorire a Valparaíso, dove la madre e le sorelle l'avrebbero subissata di coccole e vizi. Suo padre aveva superato un opportuno attacco di apoplessia che gli aveva lasciato mezzo corpo paralizzato e il cervello rammollito. L'invalidità non aveva mutato il carattere di Agustín del Valle, ma gli aveva quantomeno insinuato il timore della morte e, naturalmente, dell'inferno. Andarsene all'altro mondo con una sfilza di peccati mortali non era una buona idea, gli ripeteva spesso quel suo parente vescovo. Del donnaiolo canaglia che era stato non era rimasta traccia, ma non in virtù di un pentimento, bensì in conseguenza del fatto che quel corpo ammaccato non poteva più reggere alle abituali scorrerie. Andava a messa tutti i giorni nella cappella di casa e sopportava stoicamente le letture evangeliche e gli interminabili rosari che sua moglie recitava. Niente di tutto ciò, tuttavia, l'aveva reso più benevolo con i suoi dipendenti. Continuava a trattare la sua famiglia e il resto del mondo da despota, ma parte della conversione era dovuta a un repentino e inesplicabile amore per Paulina, la figlia assente. Si era dimenticato di averla ripudiata dopo che era fuggita dal convento per sposare quel figlio di ebrei, il cui nome non riusciva neanche a ricordare, tanto non era un cognome del suo livello sociale. Le aveva scritto chiamandola sua favorita, unica erede della sua tempra e del suo naso per gli affari, supplicandola di tornare al focolare perché il suo povero padre desiderava abbracciarla prima di morire. "Davvero il vecchio sta così male?", domandò Paulina, speranzosa, in una lettera alle sorelle. Le cose non stavano affatto così e sicuramente avrebbe vissuto ancora parecchi anni per rendere la vita impossibile agli altri dalla sua sedia da invalido. A ogni modo, al capitano John Sommers in quel viaggio toccò trasportare la sua armatrice, la sua maleducata prole, la servitù irrimediabilmente sofferente di mal di mare, il carico di bauli, due mucche per il latte dei bambini e i tre cagnolini da compagnia con nastri alle orecchie, come quelli delle cortigiane francesi, che avevano rimpiazzato quello annegato in alto mare nel corso del primo viaggio. Al capitano la traversata sembrò eterna e la sola prospettiva di dover riaccompagnare a San Francisco Paulina e il suo circo nel giro di poco tempo lo terrorizzava. Per la prima volta nella sua lunga vita di uomo di mare pensò di ritirarsi per trascorrere quel che gli rimaneva da vivere sulla terraferma. Suo fratello Jeremy che lo aspettava sul molo lo accompagnò a casa, dopo avergli porto le scuse di Rose, vittima di un'emicrania.

"Sai già, no?... Si ammala sempre per il compleanno di Eliza. Non si è ancora rimessa dalla morte della ragazza," gli spiegò.

"Volevo proprio parlarvi di questo," replicò il capitano.

Miss Rose non si era resa conto di quanto amasse Eliza finché non le era mancata, e allora aveva sentito che la certezza dell'amore materno era arrivata troppo tardi. Si incolpava per gli anni in cui le aveva voluto bene solo a metà, con un affetto arbitrario e caotico; per le volte in cui, troppo occupata nelle sue quisquilie, si era dimenticata della sua esistenza e quando se ne era ricordata aveva scoperto che la bambina era stata nel patio con le galline per una settimana. Eliza era stata quanto di più simile a una figlia avrebbe mai potuto avere; per quasi diciassette anni era stata sua amica, sua compagna di giochi, l'unica persona al mondo a toccarla. A Miss Rose il corpo doleva di pura e semplice solitudine. Sentiva la mancanza dei bagni con la bambina, quando sguazzavano felici nell'acqua aromatizzata con foglie di menta e rosmarino. Pensava alle piccole mani di Eliza che le lavavano i capelli, le massaggiavano la nuca, le pulivano le unghie con un pezzo di pelle scamosciata e l'aiutavano a pettinarsi. La sera rimaneva in attesa, con l'orecchio teso, pronto a cogliere i passi della ragazzina che le portava il suo calice di liquore all'anice. Si struggeva dalla voglia di sentire ancora una volta sulla fronte il suo bacio della buonanotte. Miss Rose aveva smesso di scrivere e aveva completamente sospeso le serate musicali che prima costituivano il fulcro della sua vita sociale. Dimentica dell'antica civetteria, si era rassegnata a invecchiare senza grazia, "Alla mia età, da una donna ci si attende solo che sia rispettabile e abbia un buon profumo", diceva. In quegli anni dalle sue mani non uscì nessun abito nuovo e continuò a usare quelli di prima senza neanche accorgersi che non erano più di moda. La stanza del cucito era stata abbandonata e persino la collezione di cappelli e cappellini languiva nelle scatole perché, quando doveva uscire, optava per la mantella nera delle cilene. Passava le ore rileggendo i classici o suonando al piano malinconiche melodie. Si annoiava con metodo e determinazione, quasi si trattasse di un castigo. L'assenza di Eliza si era trasformata in un buon pretesto per portare il lutto di tutte le pene e le perdite dei suoi quarant'anni di vita, soprattutto della mancanza d'amore. Quest'ultima era la vera spina nel fianco, un costante dolore in sordina. Si pentiva di averla educata nelle bugie; non riusciva a capire perché si fosse inventata la storia della cesta con i lenzuolini di batista, l'improbabile mantellina di visone e le monete d'oro, quando la verità sarebbe stata ben più confortante. Eliza aveva il diritto di sapere che l'adorato zio John in realtà era suo padre e che lei e Jeremy erano i suoi zii, che apparteneva alla famiglia Sommers e non era un'orfana accolta per carità. Ricordava con orrore quando l'aveva trascinata all'orfanotrofio per spaventarla, quanti anni poteva avere? Otto o dieci, era una bambina. Se solo avesse potuto tornare indietro sarebbe stata una madre molto diversa... Tanto per cominciare, invece di dichiararle guerra l'avrebbe appoggiata quando si fosse innamorata; se lo avesse fatto, ora Eliza sarebbe viva, sospirava, era stata colpa sua se con la fuga aveva trovato la morte. Si sarebbe dovuta ricordare della sua storia e capire che le donne della loro famiglia venivano sconvolte dal primo amore. La cosa più triste era non poter parlare di lei con nessuno, perché anche Mama Fresia era sparita e suo fratello Jeremy, quando la menzionava, stringeva le labbra e usciva dalla stanza. La sua angoscia era contagiosa e negli ultimi quattro anni la casa aveva assunto un penetrante odore da mausoleo e l'alimentazione era talmente poco curata che Miss Rose si alimentava con tè e biscotti inglesi. Non era riuscita a trovare una cuoca decente e nemmeno l'aveva cercata con molto impegno. La pulizia e l'ordine la lasciavano indifferente; nei vasi mancavano i fiori e metà delle piante del giardino si stavano spegnendo per mancanza di cure. Per quattro inverni le tende estive a fiori erano rimaste appese senza che nessuno si fosse dato la pena di cambiarle a fine stagione.

Jeremy non rimproverava la sorella, mangiava qualsiasi intruglio gli mettessero nel piatto e non diceva nulla quando si ritrovava le camicie mal stirate o gli abiti non spazzolati. Aveva letto che le zitelle pativano spesso di pericolosi turbamenti. In Inghilterra avevano sperimentato una cura miracolosa contro l'isteria che consisteva nel cauterizzare certi punti con ferri roventi, ma quei progressi non erano arrivati in Cile, dove per questi malanni si ricorreva ancora all'acqua benedetta. A ogni modo si trattava di una questione delicata, difficile da affrontare con Rose. Non aveva idea di come consolarla, la consuetudine alla discrezione e al silenzio tra loro era ben radicata. Cercava di starle vicino con regali comprati sulle navi di contrabbandieri, ma di donne non sapeva nulla e si presentava con oggetti orrendi che sparivano immediatamente in fondo agli armadi. Non poteva certo immaginarsi le volte che sua sorella gli si era avvicinata, mentre lui fumava in poltrona, sul punto di crollargli ai piedi, desiderosa di appoggiare la testa sulle sue ginocchia per dare fondo alle sue lacrime, ma all'ultimo momento era indietreggiata intimorita, perché tra loro qualsiasi moto d'affetto suonava come un ironico o imperdonabile sentimentalismo. Triste e irrigidita, Rose salvava l'apparenza per disciplina, con la sensazione che solamente il bustino la stesse sostenendo ma che, una volta tolto, sarebbe franata. Della sua gioia e delle sue monellerie non era rimasta traccia; nemmeno delle sue opinioni azzardate, dei suoi gesti ribelli o della sua impertinente curiosità. Si era trasformata in ciò che più temeva: una zitellona vittoriana. "È in fase di cambiamento, a questa età le donne si destabilizzano," diagnosticò il farmacista tedesco che le prescrisse valeriana per i nervi e olio di fegato di merluzzo per il pallore.

Il capitano John Sommers riunì i fratelli in biblioteca per riferire loro la notizia.

"Vi ricordate di Jacob Todd?"

"Quel tizio che ci truffò con la storia delle missioni in Terra del Fuoco?" chiese Jeremy Sommers.

"Proprio lui."

"Era innamorato di Rose, se non ricordo male," sorrise Jeremy, pensando che perlomeno si erano evitati quel bugiardo come cognato.

"Ha cambiato nome. Adesso si chiama Jacob Freemont e fa il giornalista a San Francisco."

"Però! Allora è proprio vero che negli Stati Uniti qualsiasi imbroglione può cominciare da capo."

"Jacob Todd ha pagato più che a sufficienza per il suo errore. Mi sembra fantastico che esista un paese in cui viene offerta una seconda opportunità."

"E l'onore, non conta?"

"L'onore non è la cosa principale, Jeremy."

"C'è qualcosa di più importante?"

"Ma perché stiamo a parlare di Jacob Todd? Immagino che tu non ci abbia riunito per questo motivo, John," balbettò Rose da dietro il fazzoletto impregnato di profumo alla vaniglia.

"Sono stato insieme a Jacob Todd, anzi Freemont, prima di imbarcarmi. Mi ha garantito di aver visto Eliza a San Francisco."

Per la prima volta nella sua vita, Miss Rose credette di essere sul punto di svenire. Sentì il cuore galoppare, le tempie pronte a scoppiarle e un'ondata di sangue affluirle al viso. Per il senso di soffocamento, non riuscì ad articolare nemmeno una parola.

"Quell'uomo non è minimamente attendibile! Non ci avevi parlato di una donna che aveva giurato di aver conosciuto Eliza a bordo di una nave nel 1849 e che non aveva dubbi circa il fatto che fosse morta?" ribatté Jeremy, mentre camminava a grandi falcate per la biblioteca.

"Certo, ma era una prostituta e portava la spilla di turchesi che avevo regalato a Eliza. Poteva benissimo averla rubata e mentire per proteggersi. Che motivo potrebbe avere Jacob Freemont per ingannarmi?"

"Nessuno, solo che è bugiardo di natura."

"Basta, per favore," supplicò Rose, facendo uno sforzo indicibile per far uscire la voce. "L'unica cosa importante è che qualcuno ha visto Eliza, che non è morta e che possiamo trovarla."

"Non farti illusioni, mia cara. Non capisci che si tratta di una storia fantasiosa? Per te sarà un colpo terribile scoprire poi che è una notizia falsa," la prevenne Jeremy.

John Sommers fornì loro i particolari dell'incontro tra Jacob Freemont ed Eliza, senza omettere che la ragazza vestiva abiti maschili e che in questi panni sembrava a suo agio, tanto che in un primo momento il giornalista non aveva messo in dubbio che si trattasse di un ragazzo. Aggiunse che erano stati entrambi nel quartiere cileno a domandare di lei, ma non sapendo che nome usasse, nessuno era stato in grado o aveva voluto dir loro dove abitasse. Spiegò che Eliza era andata senz'altro in California per riunirsi con l'innamorato, ma qualcosa doveva essere andato storto e non si erano trovati, visto che l'obiettivo della sua visita a Jacob Freemont era ottenere qualche informazione circa un pistolero dal nome simile.

"Deve essere lui. Joaquín Andieta è un ladro. Quando se ne è andato dal Cile, la giustizia lo stava cercando," biascicò Jeremy Sommers.

Non era stato possibile celare l'identità dell'innamorato di Eliza. Miss Rose aveva dovuto anche confessare che era andata spesso a trovare la madre di Joaquín Andieta per avere notizie e che la disgraziata, sempre più povera e ammalata, era convinta che suo figlio fosse morto. Non c'era altra spiegazione al suo lungo silenzio, sosteneva. Aveva ricevuto una lettera, datata febbraio 1849, una settimana dopo il suo arrivo, nella quale le annunciava il progetto di dirigersi verso i filoni e le rinnovava la promessa di scriverle ogni quindici giorni. Da allora più niente: era sparito senza lasciare traccia.

"Non vi sembra strano che Jacob Todd abbia riconosciuto Eliza fuori dal suo ambiente e vestita da uomo?" chiese Jeremy Sommers. "La conobbe che era una bambina. Quanti anni fa è stato? Almeno sei o sette. Come poteva immaginarsi di trovare Eliza in California? È assurdo."

"Tre anni fa gli raccontai quanto era successo e mi promise che l'avrebbe cercata. Gliela descrissi nei minimi particolari, Jeremy. Inoltre il viso di Eliza non è mai molto cambiato; quando se ne andò sembrava ancora una bambina. Jacob Freemont la cercò a lungo, fino a quando non gli dissi che probabilmente era morta. Adesso mi ha promesso di tornare a provarci, pensa perfino di rivolgersi a un investigatore. Spero di potervi dare notizie più precise dopo il prossimo viaggio."

"Perché una buona volta non dimentichiamo questa storia?" sospirò Jeremy.

"Perché è mia figlia, maledizione!" esclamò il capitano.

"Andrò in California a cercare Eliza," li interruppe Miss Rose, alzandosi in piedi.

"Tu non andrai da nessuna parte!" esplose il fratello maggiore.

Ma lei era già uscita. Per Miss Rose la notizia era stata un'iniezione di linfa vitale. Aveva la certezza assoluta che avrebbe trovato la figlia adottiva e per la prima volta in quattro anni aveva una ragione per continuare a vivere. Scoprì con stupore che le sue antiche forze erano intatte, acquattate in qualche luogo segreto del cuore, pronte a mettersi a sua disposizione come era sempre accaduto. Il mal di testa sparì per magia, sudava e le guance erano rosse per l'euforia quando chiamò le cameriere per farsi accompagnare nella stanza degli armadi a cercare le valigie.

Nel maggio 1853, Eliza lesse sul giornale che Joaquín Murieta e il suo affiliato, Jack Tre Dita, avevano attaccato un accampamento di sei pacifici cinesi, li avevano legati per la coda dei capelli e li avevano decapitati; poi avevano appeso le teste a un albero, come tanti meloni. Le strade erano territorio dei banditi, nessuno si muoveva con tranquillità in quella regione, bisognava spostarsi in gruppi numerosi e ben armati. Assassinavano minatori americani, avventurieri francesi, piccoli commercianti ebrei e viaggiatori di qualsiasi razza, ma in genere non attaccavano indiani e messicani, di loro si occupavano i gringo. La gente, atterrita, sprangava porte e finestre, gli uomini stavano di guardia con le carabine cariche e le donne stavano nascoste, perché nessuna desiderava finire nelle mani di Jack Tre Dita. Di Murieta, invece, si diceva che non maltrattasse mai le donne e che in più di una circostanza avesse evitato a qualche ragazza di essere disonorata dai facinorosi della sua cricca. Nelle locande veniva rifiutata l'ospitalità ai viaggiatori messicani o cileni perché si temeva che uno di loro fosse Murieta. Nessuno lo aveva visto di persona e le descrizioni si contraddicevano l'un l'altra, anche se gli articoli di Freemont avevano forgiato un'immagine romantica del bandito che la maggior parte dei lettori prendeva per buona. A Jackson si formò il primo gruppo di volontari che doveva stanare la banda e presto in ogni villaggio si organizzarono compagnie di vendicatori e si scatenò una caccia all'uomo mai vista prima. Tutti quelli che parlavano spagnolo erano sospetti e in poche settimane il numero dei linciaggi immediati superò il totale di quelli verificatisi nei quattro anni precedenti. Bastava parlare spagnolo per essere ritenuto un nemico pubblico e per tirarsi addosso le ire degli sceriffi e delle guardie. Il colmo della beffa fu quando la banda di Murieta, in fuga da una pattuglia di soldati americani di cui sentiva il fiato sul collo, fece una breve deviazione per attaccare un accampamento di cinesi. I soldati arrivarono qualche secondo dopo e trovarono diversi uomini morti e parecchi agonizzanti. Si diceva che Joaquín Murieta si accanisse contro gli asiatici perché, benché armati, raramente si difendevano; era talmente temuto dai "celestiali" che anche solo il suo nome provocava un'esplosione di panico. Tra le tante voci, ne correva una persistente secondo la quale il bandito stava realizzando il suo progetto di armare un esercito per poi, con la complicità dei ricchi ranchero messicani della regione, provocare una rivolta, sollevare la popolazione spagnola, massacrare gli americani e restituire la California al Messico o trasformarla in repubblica indipendente.

Le proteste popolari spinsero il governatore a firmare un decreto in cui si autorizzavano il capitano Harry Love e un gruppo di venti volontari a dare la caccia per tre mesi a Joaquín Murieta. A ogni uomo venne assegnato uno stipendio di centocinquanta dollari al mese, importo non rilevante tenuto conto del fatto che dovevano finanziarsi l'acquisto di cavalli, armi e provviste; ciò nonostante in meno di una settimana la brigata era pronta a mettersi in marcia. La testa di Joaquín Murieta valeva una ricompensa di mille dollari. Come sosteneva Jacob Freemont sul giornale, visto che un uomo veniva condannato a morte senza che se ne conoscesse l'identità, senza che i crimini fossero provati e senza processo, la missione del capitano Love equivaleva a un linciaggio. Eliza provò un misto di terrore e sollievo che non riuscì a spiegarsi. Non voleva che quegli uomini uccidessero Joaquín, ma probabilmente erano gli unici in grado di trovarlo; desiderava solamente liberarsi dall'incertezza, era stanca di combattere con i fantasmi. A ogni buon conto, non erano molte le probabilità che il capitano Love avesse successo là dove tanti avevano fallito, Joaquín Murieta aveva l'aria di essere invincibile. Si diceva che solo un proiettile d'argento avrebbe potuto ucciderlo, perché gli avevano scaricato a bruciapelo due caricatori in pieno petto e lui aveva continuato a galoppare nella regione di Calaveras.

"Se il tuo innamorato è quella bestia, tanto meglio se non lo trovi," commentò Tao Chi'en quando lei gli mostrò i ritagli di giornale che da più di un anno metteva da parte.

"Non credo sia lui..."

"Come fai a saperlo?"

Nei sogni vedeva l'antico amante con il solito abito sciupato e le camicie sfilacciate, ma pulite e ben stirate, dei tempi in cui si erano amati a Valparaíso. Le appariva con la sua aria tragica, i suoi occhi intensi e il suo aroma di sapone e sudore fresco, la prendeva per mano come allora e le parlava con esaltazione della democrazia. A volte stavano sdraiati sul mucchio di tende della stanza degli armadi, uno di fianco all'altro, senza toccarsi, completamente vestiti, mentre intorno a loro scricchiolava il legno sferzato dal vento di mare. E sempre, in ogni sogno, Joaquín aveva una stella di luce in fronte.

"E cosa significa?" volle sapere Tao Chi'en.

"Nessun uomo cattivo può avere la fronte illuminata."

"È solamente un sogno, Eliza."

"Non è un sogno, Tao, sono molti..."

"Allora stai cercando l'uomo sbagliato."

"Forse, ma comunque non è stata una perdita di tempo," replicò lei, senza offrire ulteriori spiegazioni.

Per la prima volta in quattro anni tornò ad avere coscienza del proprio corpo, che era stato totalmente trascurato dal momento in cui Joaquín Andieta si era congedato da lei in Cile quel funesto 22 dicembre 1848. Nella sua ossessiva ricerca di quell'uomo aveva rinunciato a tutto, compresa la sua femminilità. Temeva di aver perso per strada la sua condizione di donna e di essersi trasformata in un raro essere asessuato. A volte, mentre cavalcava per boschi e colline, esposta all'inclemenza di tutti i venti, le venivano in mente i consigli di Miss Rose che si lavava con il latte e non avrebbe mai permesso a un raggio di sole di posarsi sulla sua pelle di porcellana, ma non era il caso di indugiare in simili considerazioni. Sopportava sforzi e penitenze perché non aveva alternative. Considerava il suo corpo, come i suoi pensieri, la sua memoria o il suo olfatto, parti inscindibili della sua persona. Prima non capiva a cosa si riferisse Miss Rose quando parlava di anima, perché non riusciva a distinguerla in quell'unicità che sentiva di essere, ma ora iniziava a intravederne la natura. L'anima era la parte immutabile di se stessa. Il corpo, invece, era quella terribile bestia che dopo anni di letargo si svegliava indomita e piena di esigenze. Che veniva a ricordarle l'ardore del desiderio che era riuscita ad assaporare brevemente nella stanza degli armadi. Da allora non aveva più provato la vera urgenza dell'amore o del piacere del corpo, come se quella parte di lei fosse rimasta profondamente addormentata. Aveva attribuito tutto ciò al dolore seguito all'abbandono da parte dell'amante, al panico di essersi scoperta incinta, al suo transito nei labirinti della morte nella stiva, al trauma dell'aborto. Ne era uscita talmente malridotta che il terrore di rivedersi in tali circostanze aveva avuto la meglio sull'impeto della gioventù. Pensava che il prezzo dell'amore fosse troppo alto e che fosse meglio astenersi completamente, ma qualcosa le si era mosso dentro negli ultimi due anni passati con Tao Chi'en e all'improvviso l'amore, come anche il desiderio, le sembravano inevitabili. Iniziava a pesarle non poco la necessità di vestirsi da uomo. Ricordava la stanza del cucito in cui sicuramente, in quel momento, Miss Rose stava confezionando uno dei suoi splendidi vestiti, e la investiva un'ondata di nostalgia per quei leggiadri pomeriggi dell'infanzia, per il tè delle cinque nelle tazze che Miss Rose aveva ereditato da sua madre, per le scorribande a comprare frivoli oggetti di contrabbando nelle barche. E che ne era stato di Mama Fresia? La rivedeva brontolare in cucina, grassa e tiepida, con il suo aroma di basilico, il mestolo perennemente in mano e una pentola a bollire sulla stufa, come un'affabile stregona. Provava una nostalgia opprimente per la complicità femminile di quei tempi, un perentorio desiderio di sentirsi di nuovo donna. Nella sua camera non c'era uno specchio a tutta altezza per osservare quella creatura femminile che lottava per imporsi. Voleva guardarsi nuda. A volte si svegliava all'alba sconvolta da sogni passionali in cui all'immagine di Joaquín Andieta con una stella in fronte si sovrapponevano altre visioni scaturite dai libri erotici che un tempo leggeva ad alta voce alle colombe della Spaccaossa. Quelle descrizioni che allora riferiva con palese indifferenza, perché in lei non evocavano nulla, ora giungevano ad agitarle i sogni come spettri lubrici. Sola, nella sua bella camera dai mobili cinesi, approfittava della luce dell'aurora che filtrava debolmente dalle finestre per dedicarsi all'inebriante esplorazione di se stessa. Si toglieva il pigiama, guardava con curiosità le parti del corpo che riusciva a vedere e percorreva a tentoni le altre, come aveva fatto anni prima, all'epoca in cui stava scoprendo l'amore. Non era cambiata molto. Era più magra, ma sembrava anche più forte. Le mani erano indurite dal sole e dal lavoro, ma il resto del corpo era chiaro e liscio come lo ricordava. Le sembrava sorprendente che, dopo essere stati per tutto quel tempo schiacciati da una fascia, i seni fossero ancora quelli di prima, piccoli e sodi, con i capezzoli simili a ceci. Si scioglieva i capelli, che non tagliava da quattro mesi e raccoglieva in uno stretto codino sulla nuca, chiudeva gli occhi e scuoteva la testa, provando il piacere del peso e della consistenza da animale vivo della sua capigliatura. La meravigliava quella donna quasi sconosciuta, dalle cosce e i fianchi morbidi, dalla vita snella, con una peluria crespa e dura sul pube, così diversa dai capelli morbidi e lisci. Sollevava un braccio per misurarne la lunghezza, per apprezzarne la forma, per vedere da lontano le unghie; con l'altra mano si toccava il busto, il rilievo delle costole, la cavità dell'ascella, il profilo del braccio. Si soffermava sui punti più sensibili del polso e del gomito, chiedendosi se anche Tao soffrisse il solletico nelle stesse zone. Si toccava il collo, seguiva le orecchie, l'arco delle sopracciglia, la linea delle labbra; percorreva con un dito l'interno della bocca e poi lo conduceva ai capezzoli, che si indurivano a contatto con la saliva calda. Passava con determinazione le mani sulle natiche, per coglierne la forma e poi, con dolcezza, per sentire la levigatezza della pelle. Si sedeva sul letto e si accarezzava dai piedi all'inguine, sorpresa dalla quasi impercettibile peluria dorata che le era comparsa sulle gambe. Separava le cosce e toccava la misteriosa fessura del suo sesso, morbida e umida; cercava il bocciolo del clitoride, centro di desideri e smarrimenti e, non appena lo sfiorava, accorreva immediatamente la visione inattesa di Tao Chi'en. Non era Joaquín Andieta, il cui viso a malapena riusciva a ricordare, bensì il suo fedele amico, a nutrire le sue fantasie febbrili in un'irresistibile miscela di abbracci focosi, dolce tenerezza e riso contagioso. Dopo si odorava le mani, nell'emozione di quel potente aroma di sale e frutta matura che il suo corpo sprigionava.

Tre giorni dopo il decreto governativo che stabiliva il prezzo della testa di Joaquín Murieta, nel porto di San Francisco attraccò il vapore *Northener*, con a bordo duecentosettantacinque sacchi di posta e Lola Montez. Era la cortigiana più famosa d'Europa, ma né Tao Chi'en né Eliza l'avevano mai sentita nominare. Era un caso che si trovassero al molo, erano lì per ritirare una cassa di medicine cinesi che un marinaio portava loro da Shanghai. Pensarono che la ragione di quello schiamazzo da baccanale fosse la posta, perché mai se ne era ricevuto un carico così abbondante, ma i petardi da festa li illuminarono circa l'errore. In quella città avvezza a ogni sorta di prodigio, la massa di uomini curiosi si era riunita per vedere l'impareggiabile Lola Montez, che giungeva dall'istmo di Panamá, preceduta dal rullare di tamburi della sua fama. Scese dall'imbarcazione tra le braccia di un paio di fortunati marinai, che la deposero sulla terraferma con i riguardi dovuti a una regina. E come tale infatti si comportava quella celebre amazzone mentre riceveva le ovazioni dei suoi ammiratori. Lo scompiglio colse di sorpresa Eliza e Tao Chi'en che ignoravano il lignaggio della bella, ma di cui furono immediatamente messi al corrente dagli spettatori. Si trattava di un'irlandese, illegittima e di umili origini, che si faceva passare per una nobile ballerina, nonché attrice, spagnola. Danzava come una papera e dell'attrice aveva solo la smodata vanità, ma il suo nome evocava le immagini licenziose delle più grandi seduttrici, da Dalila a Cleopatra, ed era per questo che folle in delirio accorrevano ad applaudirla. Non erano attratte dal suo talento, ma dal desiderio di verificare da vicino il suo perturbante cinismo, la sua favolosa bellezza e il suo temperamento selvaggio. Dotata unicamente di sfacciataggine e d'audacia, riempiva i teatri, costava quanto un esercito, collezionava gioielli e amanti, si lasciava andare a bizze leggendarie, aveva dichiarato guerra ai gesuiti ed era stata espulsa da varie città, ma la sua impresa più memorabile consisteva nell'aver spezzato il cuore di un re. Ludovico I di Baviera era stato per sessant'anni una persona proba, avara e prudente, fino a quando lei non aveva incrociato la sua strada, gli aveva fatto fare un paio di salti mortali e l'aveva lasciato ridotto a un fantoccio. Il monarca aveva perso il senno, la salute e l'onore, mentre lei prosciugava le casse reali di quel piccolo regno. Tutto quel che poteva desiderare l'innamorato Ludovico glielo diede, compreso il titolo di contessa, ma non riuscì a ottenere che i suoi sudditi l'accettassero. I pessimi modi e gli sventati capricci della donna suscitarono l'odio dei cittadini di Monaco, che finirono per riempire in massa le strade pretendendo l'espulsione della favorita del re. Invece di dileguarsi in silenzio, Lola affrontò la turba armata con un frustino da cavalli, e l'avrebbero fatta a pezzetti se i suoi fedeli servitori non l'avessero spinta a viva forza in una carrozza che la condusse alla frontiera. Disperato, Ludovico I abdicò al trono e si preparò a seguirla in esilio, ma privo di corona, potere e conti correnti, il cavaliere esercitava ben poca attrattiva e la bella non ci mise un granché a piantarlo.

"Insomma, il suo unico merito è la cattiva fama," commentò Tao Chi'en.

Un gruppo di irlandesi sganciarono i cavalli dalla carrozza e, collocatisi ai loro posti, la trasportarono fino all'hotel per strade tappezzate da petali di fiori. Eliza e Tao Chi'en la videro passare nella gloriosa processione.

"Quel che ci mancava in questo paese di pazzi," sospirò il cinese, senza degnarla di un secondo sguardo.

Eliza seguì la baraonda per qualche isolato, tra il divertito e lo stupito, mentre tutt'intorno venivano sparati in aria razzi e petardi. Lola Montez teneva il cappello in mano, aveva capelli neri con la riga in mezzo, ricci all'altezza delle orecchie e occhi allucinati blu notte; indossava una gonna di velluto vescovile, una blusa con pizzi al collo e ai polsi e una corta giacchetta da torero impreziosita di perline. Il suo fare beffardo e il tono di sfida rivelavano la piena consapevolezza di incarnare i desideri più primitivi e segreti degli uomini e simboleggiavano quanto i difensori della morale avevano motivo di temere maggiormente: era un idolo perverso, orgoglioso del proprio ruolo. Nell'entusiasmo del momento qualcuno le lanciò una manciata d'oro in polvere, che le rimase attaccata ai capelli e ai vestiti come un'aura. La visione di quella giovane donna trionfante e ardita scosse Eliza. Pensò a Miss Rose, come le accadeva sempre più spesso, e provò per lei un'ondata di compassione e di tenerezza. La rivide sussultare nel bustino, la schiena ritta, la vita strozzata, sudare sotto le cinque sottovesti: "Siediti a gambe unite, cammina dritta, non andare di fretta, parla a bassa voce, sorridi, non fare smorfie perché ti riempirai di rughe, taci e fingi di essere interessata, gli uomini sono lusingati dalle donne che li ascoltano". Miss Rose, con il suo profumo di vaniglia, sempre condiscendente... E poi la rivide anche nella vasca da bagno, coperta semplicemente da una camicia bagnata, gli occhi brillanti per le risate, i capelli scompigliati, le guance rosse, libera e contenta, mentre le sussurrava "una donna può fare quel che le pare, a patto che lo faccia con discrezione". Lola Montez, invece, lo faceva senza la minima prudenza: aveva vissuto più vite lei del più feroce avventuriero, e lo aveva fatto dall'alto dalla sua boriosa condizione di femmina ormai ricca e indipendente. Quella sera Eliza si diresse pensierosa in camera sua e aprì con circospezione la valigia dei suoi vestiti, come se stesse facendo qualcosa di proibito. L'aveva lasciata a Sacramento quando era partita per la prima volta all'inseguimento del suo amante, ma Tao Chi'en l'aveva conservata, pensando che un giorno o l'altro il contenuto sarebbe potuto tornarle utile. Mentre l'apriva qualcosa cadde a terra e constatò con sorpresa che si trattava della sua collana di perle, il prezzo pagato a Tao Chi'en per essere imbarcata. Rimase a lungo con le perle in mano, commossa. Sbatté i vestiti e li mise sul letto, erano sgualciti e sapevano di cantina. Il giorno dopo li portò nella miglior lavanderia di Chinatown.

"Tao, ho deciso di scrivere una lettera a Miss Rose," annunciò.

"Perché?"

"È come una madre per me. Le voglio molto bene e sono certa che anche lei mi contraccambia. Ha passato quattro anni senza avere mie notizie, probabilmente crede che sia morta."

"Avresti voglia di vederla?"

"Certo, ma è impossibile. Le scrivo solamente per tranquillizzarla, ma mi piacerebbe che potesse rispondermi. Ti dispiace se le comunico questo indirizzo?"

"Tu vuoi che la tua famiglia ti trovi..." continuò lui e gli si ruppe la voce.

Lei rimase a guardarlo e si rese conto di non essere mai stata tanto vicina a qualcuno nella sua vita come lo era in quel momento a Tao. Sentì di avere quell'uomo nel sangue con una certezza così antica e selvaggia che si stupì di tutto il tempo passato al suo fianco senza rendersene conto. Sentiva la sua mancanza pur vedendolo tutti i giorni. Provava nostalgia per i tempi spensierati in cui erano stati buoni amici, in cui tutto sembrava più facile, e tuttavia non desiderava tornare indietro. C'era qualcosa in sospeso tra loro, qualcosa di molto più complicato e affascinante della vecchia amicizia.

Vestiti e sottovesti avevano fatto ritorno dalla lavanderia e ora giacevano sul letto, avvolti dalla carta. Aprì la valigia ed estrasse le calze bianche e gli stivaletti, ma non il bustino. Sorrise all'idea di non essersi mai vestita da signorina senza l'aiuto di qualcuno, poi indossò le sottovesti e si provò i vestiti a uno a uno per scegliere il più adatto all'occasione. Si sentiva straniera in quegli indumenti, si imbrogliò con i nastri, i pizzi e i bottoni, ci mise diversi minuti per allacciarsi gli stivaletti e per trovare l'equilibrio sotto tante sottovesti, ma a ogni capo che indossava le esitazioni venivano meno e si rafforzava il desiderio di tornare a essere donna. Mama Fresia l'aveva avvertita a proposito del destino della femminilità: "Il corpo si modificherà, ti si annebbieranno le idee e qualsiasi uomo potrà fare con te quel che gli pare," diceva, ma ormai questi rischi non la spaventavano più.

Tao Chi'en aveva finito di prendersi cura dell'ultimo ammalato del giorno. Era in maniche di camicia, si era tolto la giacca e la cravatta che portava sempre per rispetto nei confronti dei pazienti, come gli aveva consigliato il maestro di agopuntura. Stava sudando, perché il sole non era ancora tramontato e quello era stato uno dei pochi giorni caldi del mese di luglio. Pensò che non si sarebbe mai abituato ai capricci climatici di San Francisco, dove l'estate aveva tutta l'aria dell'inverno. In genere all'alba splendeva un sole raggiante e dopo poche ore dalla Golden Gate si infilava una spessa caligine o iniziava a spirare il vento di mare. Stava riponendo gli aghi d'oro nell'alcol e mettendo in ordine le boccette di medicine, quando entrò Eliza. L'aiutante era partito e in quei giorni non stavano accudendo nessuna *sing song girl*; si trovavano soli in casa.

"Ho qualcosa per te, Tao," disse lei.

Allora lui sollevò lo sguardo e per la sorpresa gli cadde la boccetta dalle mani. Eliza indossava un elegante vestito scuro con collo di pizzo bianco. L'aveva vista solo due volte in abiti femminili quando l'aveva conosciuta a Valparaíso, ma non aveva dimenticato il suo aspetto di allora.

"Ti piace?"

"Sempre mi piaci," sorrise lui, togliendosi gli occhiali per ammirarla da lontano.

"Questo è il mio vestito della domenica. Me lo sono messo perché voglio farmi fare un ritratto. Prendi, questo è per te," e gli allungò un sacchetto.

"Cos'è?"

"Sono i miei risparmi... per comprare un'altra bambina, Tao. Pensavo di andare a cercare Joaquín quest'estate, ma non lo farò. So già che non lo troverò mai."

"A quanto pare siamo venuti tutti a cercare una cosa e ne abbiamo trovata un'altra."

"Tu cosa cercavi?"

"Sapere, saggezza, non ricordo più. Invece ho trovato le *sing song girls* e guarda in che guaio mi sono infilato."

"Davvero molto romantico... Per galanteria avresti potuto anche dire che hai trovato me."

"Ti avrei trovata comunque, era destino."

"Non mi venire a raccontare la storia della reincarnazione..."

"Esatto. A ogni incarnazione torneremo a incontrarci fino a quando avremo risolto il nostro karma."

"Detto così suona spaventoso. A ogni modo non tornerò in

Cile, ma non continuerò nemmeno a nascondermi, Tao. Adesso voglio essere me stessa."

"Lo sei sempre stata."

"La mia vita è qui. Insomma, se vuoi il mio aiuto..."

"E Joaquín Andieta?"

"Forse la stella in fronte significa che è morto. Prova a immaginare... Questo terribile viaggio inutilmente!"

"Non c'è niente di inutile. Nella vita non si arriva da nessuna parte, Eliza, si cammina e basta."

"Quando abbiamo camminato insieme non era male. Accompagnami, vado a farmi fare un ritratto da inviare a Miss Rose."

"Puoi fartene fare uno anche per me?"

Si diressero a piedi, per mano, in piazza dell'Unione, dove avevano aperto diverse botteghe di fotografi, e scelsero la più vistosa. Nella vetrina era esposta una collezione di immagini degli avventurieri del '49: un giovane dalla barba bionda e dall'espressione determinata, con pala e piccone tra le braccia; un gruppo di minatori in maniche di camicia, lo sguardo fisso nell'obiettivo, molto seri; cinesi sulla riva di un fiume; indiani che lavavano l'oro con ceste a maglie fitte; famiglie di pionieri in posa vicino alle loro carrozze. I dagherrotipi erano diventati di moda, rappresentavano il vincolo con le persone lontane, la prova del fatto che avevano vissuto l'avventura dell'oro. Si diceva che nelle città dell'Est molti uomini che non erano mai stati in California si facessero ritrarre con attrezzi da minatore. Eliza era convinta che la straordinaria invenzione della fotografia avesse spodestato definitivamente i pittori, che raramente riuscivano a riprodurre immagini davvero somiglianti.

"Miss Rose ha un ritratto suo in cui appare con tre mani, Tao. Lo dipinse un artista famoso di cui mi sfugge il nome."

"Con tre mani?"

"Be', il pittore ne fece due, ma lei fece aggiungere la terza. Suo fratello Jeremy per poco non morì quando lo vide."

Desiderava mettere la sua fotografia in una raffinata cornice di metallo dorato e velluto rosso per lo scrittoio di Miss Rose. Aveva con sé le lettere di Joaquín Andieta per immortalarle nell'obiettivo prima di distruggerle. All'interno, il negozio ricordava le decorazioni sceniche di un piccolo teatro, c'erano fondali di pergolati fioriti e laghi con aironi, colonne greche di cartone, ghirlande di rose e persino un orso imbalsamato. Il fotografo si rivelò un ometto ansioso che parlando incespicava e camminava saltellando come una rana per schivare le cianfrusaglie dello studio. Una volta definiti i particolari, fece accomodare Eliza davanti a un tavolo con le lettere d'amore in mano e le collocò una sbarra metallica dietro la schiena con un supporto per il collo piuttosto simile a quella che le sistemava Miss Rose durante le lezioni di piano.

"È per rimanere fermi. Guardi la macchina fotografica e non respiri."

L'ometto sparì dietro a un panno nero, un attimo dopo una vampata bianca la accecò e la puzza di bruciato la fece starnutire. Per il secondo ritratto, lasciò da parte le lettere e chiese a Tao di aiutarla a chiudere la collana di perle.

Il giorno dopo Tao Chi'en uscì di buon'ora a comprare il giornale, come era solito fare prima di aprire l'ambulatorio, e vide i titoli a sei colonne: avevano ucciso Joaquín Murieta. Ritornò a casa con il quotidiano stretto al petto, pensando a come comunicare la notizia a Eliza e a come lei l'avrebbe presa.

All'alba del 24 luglio, dopo aver cavalcato per tre mesi alla cieca per la California, il capitano Harry Love e i suoi venti mercenari erano arrivati alla valle di Tulare. A quell'epoca erano già stanchi di inseguire fantasmi e correre dietro a piste false, il caldo e le zanzare li rendevano d'umor nero e iniziavano a odiarsi l'un l'altro. Tre mesi estivi cavalcando alla deriva per quelle colline secche con il sole bollente sulla testa erano un sacrificio sproporzionato rispetto al compenso ricevuto. Nei villaggi avevano visto gli avvisi in cui si offrivano mille dollari di premio per la cattura del bandito. In molti c'era scarabocchiato sotto: "Io ne pago cinquemila", firmato Joaquín Murieta. Stavano facendo una figuraccia e mancavano solo tre giorni allo scadere del termine fissato; se fossero tornati a mani vuote, non avrebbero visto un centesimo dei mille dollari del governatore. Ma quello probabilmente era il loro giorno fortunato perché proprio quando avevano perso le speranze incapparono in un gruppo di sette messicani accampati sotto alcuni alberi e li presero alla sprovvista.

Più tardi il capitano avrebbe dichiarato che sfoggiavano abiti e bardature di gran lusso e avevano i più bei destrieri, motivo ulteriore per risvegliare i suoi sospetti, e che fu per questo che si avvicinò e intimò loro di farsi riconoscere. Invece di obbedire, gli individui sospetti corsero ai loro cavalli ma, prima di riuscire a montarli, vennero circondati dalle guardie di Love. L'unico che ignorò seraficamente gli aggressori e si diresse verso il suo cavallo come se non avesse sentito l'avvertimento fu colui che aveva tutta l'aria di essere il capo. Portava solamente un coltello da caccia alla cintola, le armi pendevano dalla sella, ma non fece in tempo a porvi mano perché il capitano gli puntò la pistola in fronte. A pochi passi di distanza gli altri messicani osservavano con attenzione, pronti ad accorrere in aiuto del capo alla prima distrazione delle guardie, avrebbe detto Love nel suo resoconto. All'improvviso fecero un disperato tentativo di fuga, probabilmente con l'intenzione di distrarre le guardie mentre il loro capo montava con un formidabile salto sul suo sauro spumeggiante e fuggiva rompendo le file. Non arrivò molto lontano però, perché un colpo di fucile ferì l'animale, che rotolò a terra vomitando sangue. Allora il cavaliere, che altri non era se non il celebre Joaquín Murieta, come raccontò il capitano Love, si mise a correre come un daino e non rimase altra alternativa che vuotare i caricatori contro il petto del bandito.

"Smettete di sparare, avete già portato a termine il vostro lavoro," disse prima di cadere lentamente, vinto dalla morte.

Questa era la versione drammatizzata della stampa, e non era rimasto nessun messicano vivo per poter offrire la sua versione dei fatti. Il valoroso capitano Harry Love procedette con una sciabolata a tagliare la testa del presunto Murieta. Qualcuno notò che una delle vittime aveva una mano deforme e fu immediatamente dato per certo che si trattasse di Jack Tre Dita e pertanto fu decapitato pure lui e, già che c'erano, gli fu mozzata anche la mano offesa. Le venti guardie partirono al galoppo in direzione del paese più vicino, che si trovava a diverse miglia di distanza, ma faceva un caldo infernale e la testa di Jack Tre Dita era talmente perforata dalle pallottole che iniziò a sbriciolarsi e dovettero buttarla via strada facendo. Tormentato dalle mosche e dal cattivo odore, il capitano Harry Love capì che doveva proteggere le spoglie o non sarebbe mai arrivato a San Francisco con le prove necessarie per riscuotere la meritata ricompensa, quindi le mise in due fiaschi di gin. Venne ricevuto come un eroe: aveva liberato la California del peggior bandito della storia. Anche se la faccenda non era del tutto chiara, segnalò Jacob Freemont nel suo reportage, la vicenda puzzava di complotto. Tanto per cominciare, nessuno poteva provare che i fatti si fossero svolti come sostenevano Harry Love e i suoi uomini, e risultava un tantino sospetto che, dopo tre mesi di infruttuosa ricerca, fossero apparsi sette messicani giusto quando il capitano ne aveva più che bisogno. Inoltre non c'era nemmeno chi potesse identificare Joaquín

Murieta; lui si recò a vedere la testa e non fu in grado di assicurare che fosse quella del bandito che aveva conosciuto anche se, ammise, una certa somiglianza c'era.

Prima di essere portate in viaggio trionfale per la California, per diverse settimane le spoglie del presunto Joaquín Murieta e la mano del suo abominevole affiliato Jack Tre Dita furono esposte a San Francisco. Le code dei curiosi facevano il giro dell'isolato perché nessuno voleva perdersi la visione da vicino di tali sinistri trofei. Eliza fu tra i primi a recarsi sul luogo e Tao Chi'en l'accompagnò; anche se lei aveva accolto la notizia con sorprendente calma, non voleva che affrontasse da sola una prova simile. Dopo un'attesa eterna sotto il sole, alla fine arrivò il loro turno ed entrarono nell'edificio. Eliza afferrò la mano di Tao e avanzò con decisione, senza pensare al fiume di sudore che le stava inzuppando l'abito e al tremito che le scuoteva le ossa. Si trovarono in una sala buia, mal illuminata da ceri gialli che sprigionavano un alito sepolcrale. Drappi neri coprivano le pareti e in un angolo era stato piazzato un pianista che picchiava sui tasti accordi funebri con rassegnazione più che con autentico sentimento. Su un tavolo, addobbato a catafalco dai drappi, erano state sistemate le due ampolle di vetro. Eliza chiuse gli occhi e si lasciò guidare da Tao Chi'en, certa che i colpi di tamburo del suo cuore coprissero gli accordi del piano. Si fermarono, sentì la pressione della mano dell'amico sulla sua, inspirò una boccata d'aria e aprì gli occhi. Guardò la testa per qualche secondo e poi si lasciò trascinare fuori.

"Era lui?" chiese Tao Chi'en.

"Adesso sono libera..." rispose lei continuando a stringergli la mano.

INDICE

Stampa Grafica Sipiel - Milano, gennaio 2000